מסורה

ArtScroll Halachah Series®

Rabbi Nosson Scherman / Rabbi Meir Zlotowitz
General Editors

CHILDREN IN

Published by

Mesorah Publications, ltd

חינוך בהלכה
זכרון נפתלי

HALACHAH

Laws relating to young children:
Chinuch, Shabbos, Kashrus, Learning
and much more

by
Rabbi Simcha Bunim Cohen

FIRST EDITION
First Impression . . . November 1993
Second Impression . . . May 1994
Third Impression . . . November 1997

Published and Distributed by
MESORAH PUBLICATIONS, Ltd.
4401 Second Avenue
Brooklyn, New York 11232

Distributed in Europe by
J. LEHMANN HEBREW BOOKSELLERS
20 Cambridge Terrace
Gateshead, Tyne and Wear
England NE8 1RP

Distributed in Israel by
SIFRIATI / A. GITLER — BOOKS
10 Hashomer Street
Bnei Brak 51361

Distributed in Australia & New Zealand by
GOLDS BOOK & GIFT CO.
36 William Street
Balaclava 3183, Vic., Australia

Distributed in South Africa by
KOLLEL BOOKSHOP
22 Muller Street
Yeoville 2198, Johannesburg, South Africa

ARTSCROLL HALACHAH SERIES ®
CHILDREN IN HALACHAH
© Copyright 1993, by Rabbi S. B. Cohen, Lakewood, N.J.

ISBN
0-89906-611-9 (hard cover)
0-89906-612-7 (paperback)

Please address any questions or comments
regarding this book to the author:
Rabbi Simcha B. Cohen
37 5th Street
Lakewood, N.J. 08701

Typography by Compuscribe at ArtScroll Studios, Ltd.

Printed in the United States of America by Noble Book Press
Bound by Sefercraft, Quality Bookbinders, Ltd. Brooklyn, N.Y.

This Sefer's publication is partially due
to the magnanimity of Mr. Joseph Slawotsky.
Orphaned at a young age, Mr. Slawotsky integrated
all the kindnesses shown him and developed into a man
of rare generosity and heartfelt caring.
Along with his esteemed wife,
he sees helping fellow Jews and Torah causes
as the most fitting memorial to his late parents.
He has dedicated this work
חינוך בהלכה / זכרון נפתלי
in memory of his father

R' Naftali ben R' Mordechai a"h.

May the Slawotskys merit long fruitful years,
reaping the rewards of their noble gestures.

ספר זה חינוך בהלכה / זכרון נפתלי
הונצח לזכר ועילוי נשמות

ר׳ נפתלי ב"ר מרדכי ע"ה

וזוגתו

שיינדל בת ר׳ נתן ע"ה

הונצח ע"י בנו
יוסף

Words are incapable of expressing my gratitude to **Mr. Charles Meisels.** He laboriously toiled with me, side by side, in helping form and polish this sefer. He tirelessly sifted through the text, questioning and weighing each word. In addition he assisted greatly, by providing financial and moral support at critical junctures in the production of the *sefer.* May Hashem bless him and his wife with healthy years and *nachas* from their children and grandchildren.

In memory of

אבי מורי

משה בן ר' יחזקאל הלוי

ואמי מורתי

חנה בת ר' אליהו

אוהבי תורה ומוקירי רבנן
מסרו נפשם בשביל בניהם ללמוד תורה

Dedicated by their son

Mr. Charles Meisels

❀ ❀ ❀

לזכר נשמת אבי

ר' מאיר יעקב בן ר' יצחק אהרן

נפטר ז' אדר תשנ"א

ואמי

מרת פייגע בת ר' יחיאל מרדכי

נפטרת י"א כסלו תשנ"ג
הונצח ע"י בנם ידידי וחביבי

ר' יחיאל מרדכי פערלשטיין

הסכמת הגאון הצדיק המפורסם פאר דורינו
ר׳ אביגדור הכהן מיללער שליט״א

ב״ה

בשמחה באנו לבשר את קהל מחבבי ספרים אודות הופעת חיבור חדש מאת המחבר המפורסם הרב שמחה בונם קאהן, אשר פעל למען הורות למחנכים ולהורים עצות והלכות בענין הנשגב של גידול בנים ובנות וחינוכם. וכמו בחיבוריו הקודמים הרי גם כאן מצטיין המחבר בסגנונו הלטוש ובהסברה ברורה, והעניק לעם ה׳ עוד ספר נחוץ ומהודר. יישר חיליה.

נאום,

אביגדור הכהן מיללער

We are indeed happy to greet this new Sefer by the famed *Posek*-authority Rabbi Simcha Bunim Cohen, on the subject of *Halachos* and guidance in the supremely important area of the *chinuch* of our sons and daughters. Both parents and teachers will find this new guidebook a treasury of practical Torah-counsel, which will prove an inestimable aid in this subject which is so close to our hearts.

Rabbi Avigdor Miller

מכתב ברכה מאת מרן הרב הגאון
ר' חיים פנחס שיינברג שליט"א
ראש ישיבת תורה אור

הנה בשנים האחרונות בהיותי בא לארה"ב לחג הפסח, בא לפני האברך הרה"ג ר' שמחה בונם קאהן שליט"א בן לידידי הגאון ר' משה קאהן שליט"א, ונשאתי עמו בתדירות ובתכיפות בהלכה בהרבה מקצועות בתורה להרבה זמן, ונתרשמתי מאד באותן שעות נעלות דשעשועי אורייתא, ומצאתי שידיו רב לו בהרבה מקצועות התורה ובעזרת השם הוא בעל הוראה מובהק ואשרי חלקו שזכה לכך.

והנה בא לפני הרב הנ"ל ובידו קונטרסים של ספרו על הלכות שבת שנוגע למטבח עם ביאור ארוך ורחב בבקיאות רב ועצום כאחד הלומדים ובעל הוראה היותר מפורסמים ובקש ממני הסכמה ואף שאין זה מגדרי לבא בהסכמות מטעם הכמוס עמדי, אולם לא אמנע מלהביע בשער בת רבים את רוב גובריה וחילה של הרה"ג המחבר שליט"א לנחות בעומקה של הלכה ולאסוקי שמעתתא אליבא דהלכתא. ובזה אתי ברכה לכבוד תורתו שכה יוסיף חיל ואומץ להמשיך בדרכו הסלולה בבירור עניני הלכה ויתברך מאת אדון כל בבריות גופא ונהורא מעליא וכל טוב אמן סלה וע"ז באתי על החתום.

חיים פנחס שיינברג

מכתב זה קבלתי ממרן הראש הישיבה שליט"א על ספרי הלכות שבת במטבח

מכתב הסכמה מאת הגאון ר' טובי' גאלדשטיין שליט"א

כבוד הרה"ג ר' שמחה בונם הכהן שליט"א

הנה ראיתי החיבור שרוצה להדפיס, והיות שליתן הסכמה על
ספר הלכה למעשה, צריכין לעיין בכל החיבור ולדקדק בכל פרט
ופרט, ודבר זה א"א לי כעת, אולם אני רואה שהרב הנ"ל לומד
בשקידה נפלאה, ויש לו ידיעה גדולה בפוסקים וכבר הוציא לאור
כמה חיבורים וכולם גומרים עליו את ההלל, והכל נכתב בשכל
צח וישר, ובעיון גדול. לכן אני מברך אותו שיזכה להגות בתורה
הק' מתוך הרחבת הדעת, ולהפיץ עוד מעיינותיו חוצה ויעלה
ספרו לרצון על שלחן מלכים מאן מלכי רבנן.

המברך בשמחה ובכל לב, היום שהוא כפל בו כי טוב
י"ח לחדש מרחשון שנת ה' תשנ"ד

פה ברוקלין.

טובי' גאלדשטיין

דברי ברכה מאת הגאון ר' שמחה שוסטאל שליט"א

ר"מ דישיבת בית בנימין
בסטעמפארד יצ"ו

מאד שמחתי באומרים לי, שמע"כ אהובי ידידי הרה"ג מוה"ר
שמחה בונם הכהן קאהן שליטא, אחד מהאברכים המצויינים
ביותר בכולל של ישיבת בית מדרש גבוה דליקוואד בן גיסי היקר
הרה"ג וכו' מוה"ר משה הכהן קאהן שליט"א, ר"מ במתיבתא
חתן סופר, עומד להדפיס בס"ד לזכות את הרבים, את ספרו
הרביעי בקודש, והוא ספר ההלכות בעניני "חינוך בהלכה", לכל
פרטיהן בביאור וליבון ההלכות כשמלה, הלכה למעשה, בשפה
קלה וברורה ובלשון המדברת בכאן, שנעשה ע"י עיון רב ועמלה
של תורה הראוי', ע"פ מקורות ויסודות הנאמנים של הפוסקים
ז"ל, הראשונים והאחרונים, וכמעשהו בספריו הקודמים. וכבר
סמכו והחזיקו בידיו גדולי ישרא' וגדולי ההוראה שליט"א, עם
הרבה דברי שבח ותהלה על בירור הענינים להלכה, סידור
הדברים, ועל נחיצות לתועלת הספרים לרבים. וכבר איתמחי
גברא בספריו הקודמים, שגם נתקבלו באהבה ובחיבה בעולם
התורה ויראי השי"ת.

והנה נפשי יודעת מאד שלא לדידי ליכנס כשר המסכים,
ובפרט על ספר הוראה, אמנם לא אמנע מלבא בשורות אלו,
בדברי ברכה והערצה, למע"כ אהובי הרב המחבר שליט"א,
בשמחה ומעומק הלב, שחפץ ה' בידו יצליח, לזכות את הרבים
גם בספרו הנעלה הנ"ל, שתתקבל ספרו בחיבה בקהל לומדי
תורה ויראי השי"ת, ויזכה מעכת"ה שליט"א לישב באהלה של
תורה, ולעלות מעלה מעלה בגדלות בתורה ויר"ש כאו"נ, מתוך
מנוחת הנפש והרחבת הדעת, ולהפיץ מעיינותיו חוצה בספרים
חשובים ונעלים בכל מקצועות התורה, ונחת רב דקדושה מכל
יו"ח הי"ו, וכט"ס.
הכוח לכבוד התורה וכבוד הרב המחבר שליט"א

ביום ח"י מרחשון תשנ"ד לפ"ק, סטעמפארד

אלי' שמחה שוסטאל

מכתב ברכה מאת אאמו"ר שליט"א

בס"ד מרחשון תשנ"ד

כבוד בני יקיר לי הרב ר' שמחה בונם הכהן שליט"א

אודה את ה' בכל לבב שזכיתי לראות שספרך הרביעי, העוסק
בעניני טיפול בילדים בשבת ויו"ט ובחול עולה בדפוס בקרוב
בע"ה ואומר אני לך "בני אם חכם לבך ישמח לבי גם אני" והנה
כבר איתמחי גברא, בספריך הקודמים אשר יצאו להם שם טוב
בין לומדי התורה ואשר רבים הנהנים מהם.
והנני מסיים בברכה לבני אהובי ר' שמחה בונם הכהן שליט"א
וממעמקי לבי הנני נושא תפלה לד' כי תזכה להיות תמיד מאלו
אשר זכו ועמלם בתורה, ומתוך הרחבה ושמחה תוסיף חיל
בתורה בבריות גופא וכט"ס, ותזכה יחד עם רעיתך החשובה
שתחי' לגדל צאצאיכם היקרים שיחיו לתורה לחופה ולמע"ט
מתוך נחת קודש ומלוא חפניים ברכת ד', ולא תמוש התורה
מפיך ומפי זרע זרעך עד עולם, אמן.

אביך המברכך בכל לב ונפש

משה הכהן קאהן

מכתב הסכמה מאת הרב הגאון ר' ירוחם אלשין שליט"א
ראש ישיבה בית מדרש גבוה

שמחתי מאד לראות שידידי הנעלה והמופלג הרה"ג ר'
שמחה בונם הכהן קאהן שליט"א הולך מחיל אל חיל והוסיף עוד
ספר נפלא על הלכות חינוך לחיבוריו הקודמים שזכו להתפרסם
ולהתקבל בעולם. אינני ראוי ליתן הסכמה על ספר הלכה גדול
וחשוב כזה ורצוני רק להעיד על הגדלות בתורה של הרה"ג
המחבר שליט"א ועל יגיעתו העצומה ששם לילות כימים ממש
לברר וללבן כל פרט ופרט בעיון גדול, והעמיק מאד בכל הלכה
והלכה, ובעזרת השם הצליח להוציא ספר נפלא המקיף כל
הלכות חינוך במצות וגם העלה בידו הרבה חידושים הערות
וביאורים בענינים אלו שהם ישרים וברורים ונחמדים מאד.

הרב המחבר הוא מהמצוינים ביותר בבית מדרש גבוה
בלייקווד, למדן גדול ובעל הוראה שיורד לעומקא של הסוגיות
לאסוקי שמעתתא אליבא דהלכתא. ויש לו השפעה גדולה על
הרבה תלמידים שמתעלים ונהנים מאד ממנו שהוא אוצר גדול
של תורה ויר"ש ומדות טובות, וזכות אבותיו מסייעתו שהוא נין
ונכד לרבותינו מאורי הדורות זצוק"ל והולך בדרך אבותיו הק'.
והנני לברכו מקרב לב שיזכהו השי"ת שיוכל להמשיך ללמוד
וללמד מתוך מנוחת הנפש והרחבת הדעת ונחת, ויפוצו
מעיינותיו חוצה ורבים יהנו לאורו. ויזכה להוסיף כהנה וכהנה
ודברים גדולים המזכים הרבים, ויזכה תמיד להגדיל תורה
ולהאדירה.

הכו"ח לכבוד התורה ולומדי' י"ח חשון תשנ"ד
ירוחם אלשין

Table of Contents

band-aid/Using a bandage on Shabbos/Applying medicinal creams and lotions

Preface

It is with deep gratitude to the *Ribono Shel Olam* that I present this, my fourth *sefer*, to the English speaking public. This *sefer* is intended to guide one through the halachic issues involved in the pursuit of what may be man's loftiest occupation, the *chinuch* of Hashem's most precious gift — children. All the *mitzvos*, both positive and prohibitory, are discussed clearly and coherently so that the Torah guidelines for child-rearing are both crystal clear and accessible. Such diverse areas as *Shabbos, Kashrus, Yichud, Yomim Tovim,* and *Talmud Torah* are treated with thoroughness.

It is the hope of the author that this volume will meet the needs of a broad spectrum of people — from newcomer to traditional Judaism to the advanced Torah scholar. The design of the *sefer* reflects this intent. The main text which states, explains and illustrates the important *halachic* principles, has been written in English. The footnotes at the bottom of each page, containing both source references and brief discussions of the principles delineated in the text, have been written in Hebrew. To supplement these footnotes, בֵּיאוּרִים, more comprehensive discussions of certain important topics, have been included at the end of this volume.

In this work, emphasis has been placed on the practical application of the *halachah* in contemporary situations. The *halachos* have been illustrated by examples involving situations which are likely to arise.

Acknowledgments

Words cannot do justice to the monumental debt that I owe my dear and esteemed parents, my father and teacher Harav Moshe Cohen, *shlita*, ר״מ בישיבת חתן סופר, [whose greatness in Torah is due in large measure to the foresight and *mesiras nefesh* of his parents, my grandparents, Reb Nochum and Rivka Cohen, ז״ל, who sent away their only son from Detroit to Europe to learn Torah at the tender age of eleven] and my mother, Rebbetzin Gitel Cohen תחי׳, daughter of the sainted גאון וצדיק Harav Shmuel Ehrenfeld *zt'l*, Rav of Mattersdorf, and the sainted Rebbetzin Rochel Ehrenfeld ע״ה, my grandparents, [whose holy presence I merited to enjoy as a child] who from my earliest youth nurtured in me the love of Torah and fear of heaven. I am also deeply grateful to my esteemed father-in-law, Harav Shmuel Elchonon Brog, *shlita*, who wrote the overview to this *sefer* and assisted me in all aspects of this work. Without his encouragement, this *sefer* would not have been possible. May he and his wife, my mother-in-law, Rebbetzin Sheina Brog תחי׳, daughter of the world famous Hagaon Harav Avigdor Miller, *shlita*, and Rebbetzin Etel Miller תחי׳, merit long and happy years filled with much *nachas* from Torah-true children and grandchildren.

Hashem Yisborach has granted me the great privilege of having had extensive contact with the great *gaon*, Harav Chaim Pinchas Scheinberg, *shlita*. Despite his pressing commitments and crushing schedule, he graciously gave me many precious hours of his time to discuss most of the issues contained in this *sefer*.

This work would not have been possible without the generous assistance of many colleagues and friends too numerous to mention, and I am deeply indebted to all of them. However, several deserve particular mention:

Rabbi Chaim Mordechai Goldenberg, a gifted *talmid chacham*, selflessly gave of his time and scholarship to review the entire manuscript. This *sefer*, having benefited from his critical scrutiny, bears the stamp of his insightful and enlightening remarks.

I was indeed fortunate to have the entire *sefer* edited by my good friend, Rabbi Moshe Lieber, *shlita*, whose prodigious talents, knowledge and skills have left an indelible imprint on the final version of this work.

I am greatly indebted to the citadel of Torah, the famed Beth Medrash Govoha of Lakewood, N.J. where I have studied for many years, and to its illustrious Roshei Yeshiva שליט״א. May Hashem grant these Torah leaders the strength and ability to continue their dedicated and invaluable work on behalf of Torah.

I would like to thank Rabbi Meir Zlotowitz and the entire Mesorah Publications staff for undertaking to publish this work. The mark of professionalism that their involvement has left on this *sefer* is unmistakable.

I would like to express my great appreciation to Mrs. Estie Dicker for the superb typesetting job. Her patience and skill in handling a nearly endless barrage of changes to the original text made the task of publishing the *sefer* much easier.

I also wish to thank Rabbi Eliezer Herzka, a noted *talmid chacham* who graciously gave of his time and talents in offering many insightful and useful *halachic* comments.

It was my privilege to consult with the esteemed pediatricians Drs. Donald Gribetz, Harvey Hirsch, and Reuven Shanik, who advised me on various medical and health issues. I would also like to thank Dr. Jonathan Cohen for his valuable information on many health-related issues.

Finally, I would like to take this opportunity to express my deep appreciation for the constant support and assistance I have always received from my wife, Basya Rivka, תחי׳, who has had a major share in all aspects of this *sefer's* publication. May Hashem grant us much *nachas* from our dear children and allow us to achieve ever greater heights in His service.

Simcha Bunim Cohen

CHILD-REN IN HALA-CHAH

Overview

I

Our Sages tell us that in the innermost recess of every Jewish soul there is a burning desire to do Hashem's Will. It remains dormant, however, until it is kindled. The prime responsibility of every parent is to activate this desire. This is known as *chinuch*.

Every human being longs to be himself. There is nothing remotely comparable to the joy one experiences when he activates his potential. The Torah tells us that whereas everything in creation was made in quantity, herds of animals, schools of fish, Hashem made only one man to teach that *every* person is unique. To experience this uniqueness is to enjoy the bliss of Hashem. To make each and every child aware of his personal uniqueness, of his essential greatness; to treat each child as he really is, a world unto himself; to teach and train him to savor his own true being; in short, to help him know himself — this is *chinuch*.

This is our obligation: חֲנֹךְ לַנַּעַר, kindle the flame that is deep within your child; עַל פִּי דַרְכּוֹ, according to his nature. Each child must be dealt with individually; גַּם כִּי יַזְקִין לֹא יָסוּר מִמֶּנָּה (*Mishlei* 22:6), so that even when he grows old this burning desire to cling to Hashem will grow with him.

The *Shulchan Aruch* (*Yoreh Deah* 254:5) states that when a child is learning to speak, he should be taught the *posuk*: תּוֹרָה צִוָּה לָנוּ מֹשֶׁה מוֹרָשָׁה קְהִלַּת יַעֲקֹב — *The Torah that Moshe commanded us is the inheritance of the congregation of Yaakov* (*Devarim* 33:4).

The import of this *halachah* is that the child must be made to realize that our inheritance, i.e. the greatest treasure that we possess, that which has kept us alive for thousands of years, is the Torah that Moshe taught us and which is still being taught by his heirs, the *Gedolei Yisroel* of today.

Following this the child should be taught, שְׁמַע יִשְׂרָאֵל ה' אֱלֹקֵינוּ ה' אֶחָד, *Hear O Israel, the Lord our God, is the One and only God* (*Devarim* 6:4).

Here we seek to explain to the child that Hashem is our Supreme Commander and we listen only to Him. He has a special love for us. Hashem is one with us, and therefore provides us with the intellectual ability to fathom His Torah. He showers us with our physical needs and thereby gives us the wherewithal to perform His *mitzvos*.

If we would only teach these two passages correctly, serving as role models for our children so that their teachings would be evidenced in our actions, most of our *chinuch* problems would be solved.

II

We would like to suggest the following Gemara as one source that may help inspire us and our children in pursuing Torah for what it is — nothing less than the pursuit of life itself.

The Gemara (*Shabbos* 31a) relates that a non-Jew once came to Hillel and asked him to teach him the entire Torah while he, the non-Jew, stood on one foot.

Hillel answered, "What you find hateful do not do unto your friend. This is the entire Torah; the rest is commentary. Go study it."

The non-Jew's provision, "that he be taught the entire Torah while standing on one foot," sounds very disrespectful. Why then does the Talmud quote it? Seemingly, *Chazal* should have paraphrased it to read "that he be taught the entire Torah in a moment"?

Perhaps one lesson *Chazal* wished to impart is that in dealing with others, our first obligation is to listen patiently. Only because Hillel was a patient listener did he hear a profound question, not a provocative barb.

Hillel understood the question as follows: Since the Torah was given by the One God, Torah must necessarily manifest a perfect unity. Each and every passage must marvelously complement every other passage, blending into a harmonious whole.

Furthermore, just as Hashem placed His Signature, so to speak, on every complex living being by having it emerge from but one cell, so does His Oneness require that the entire Living Torah also emerge from and be rooted in one *halachah*. That basic *halachah* must be self-evident truth, simple to comprehend, creating an immediate union with the Creator which only intensifies with time.

All this is what Hillel understood the non-Jew to mean when he said, "while I stand on one foot." Just as the body possesses a compensatory nature so that one foot can compensate for the other one, at least temporarily, and support the body alone, so should this *halachah* be able to sustain someone whose belief is still imperfect. Just as the foot visibly holds up the body, so must this *halachah* be self-evident truth. Just as the foot is grounded, so too, the *halachah* must be clear and down to earth. And just as the foot is the instrument of movement, so too must the *halachah* engender continuous growth.

To this Hillel promptly replied, "What you find hateful, do not do unto your friend. This is the entire Torah. Go and study it."

Rashi (ibid.) explains that with his reply, Hillel meant two things:

Firstly, Hillel meant that the word *friend* refers to Hashem, as in the passage, *Your friend, and your father's friend do not forsake (Mishlei 27:10)*.

Hashem is your best friend! If you did as much for a man as Hashem does for you, and then asked that man to respond by performing acts which were only for his welfare, what would be your response if he refused? Would you continue supporting him?

Yet Hashem always remains our loyal friend! He continually gives us everything we have. How then can we be so ungrateful and refuse to do what He requires of us even though it is clearly for our benefit!

It is only the trait of ingratitude which prevents man from rushing to do the Will of Hashem.

But if this is all Hillel meant, why didn't he clearly mention Hashem by Name, instead of using the word 'friend'? *Rashi* therefore understands that Hillel was also referring to a human friend.

Hillel meant to imply: Just as you despise being belittled in any manner; just as you would not want people to mention you or your family's shortcomings, to rudely ignore you, or to judge you without the benefit of the doubt — so too do not treat others in those negative ways. All people detest mistreatment and abuse as much as you do. Hillel issued a call for fairness, restraint and a recognition that others also deserve a quality of life.

Let us examine some of the profound ramifications of Hillel's statement:

1. From here we see how Hashem loves us! How close we are to the Creator, Blessed be He, and His sacred Torah! From here we learn that we are Hashem's children!

All of Torah is rooted in being grateful to man and to Hashem (first explanation). We must, of course, fastidiously pursue the study of Torah to ascertain what Hashem requires of us so that we may make an honest attempt to repay Him. And what does Our Father in Heaven want of us? Only that we continually perfect ourselves so that He can legitimately bestow upon us more and more of His bountiful Kindness.

Secondly, as soon as we commit ourselves to fairness and non-destructiveness we unite with the message of Torah!

From Hillel's statement we see that we are intrinsically Hashem's children. All we must do to activate this genealogy is to stop being ungrateful, unfair and destructive. As soon as we rid ourselves of any of these negative traits, our Divine Nature will automatically assert itself. Only our ingratitude and unfairness conceal our eternal character. Once we remove them, our true nature will emerge, visible to all.

2. What Hashem requires of us is a self-evident truth. What man can argue that he has every right to be unappreciative of what others do for him, or that he may be unfair and hurtful to others, but that they cannot reciprocate in kind?

3. Thus, it follows that Torah observance is not an act of piety, as is commonly believed, but an act as necessary to human existence as eating. Isn't it perfectly clear that without gratitude and fairness people must eventually destroy themselves, victims of their ever increasing strife?

Hillel's whole point is that *people* are the essence of creation, not things. For those who know that the world depends on people, life depends on peace; for those who believe in things, life depends on manipulating and enslaving others. To reject the supremacy of people is to destroy the world. Alas, it is this diminution of man that western society is presently witnessing.

Chazal say (*Eichah Rabbah* 2:17) "The nations have wisdom, but not Torah." Wisdom is sufficient to build things, but only Torah can create people. People who rely entirely on "wisdom," on the analysis of the material and quantity of "things," see the shell, the superficial, the inanimate. Such people have reduced human beings into things, totally ignoring their inner being. In fact, the word *reality* comes from the Latin word for *object*, for it is all just a thing. Similarly, the word *person* comes from the word for *mask*, for in that view, man too is inanimate. Such people see the necessity for things and have shown great wisdom in building them. Unfortunately, without concern for the humanity of people and their higher aspirations as taught by the Torah, man's greatest creation, the machine, can destroy its inventor. Nuclear bombs have made man impotent. The computer has rendered him irrelevant, and the surfeit of material gadgetry aggressively entices him to flee from true reality. In pursuit of the unnecessary, man curses intelligence and normal human life. In such a world without spiritual values, uselessness, cruelty and nonsense have become gods; truth and traditional morality the new demons.

Superficiality is so destructive that it seeks to distort truth and to turn it into falsehood.

All nations have some form of expressing the world's greatest principle," love your neighbor as yourself." Some have claimed that their morality is superior to Hillel's, that they preach pure love that transcends all bounds while Hillel "lowered it" somehow, by making it situational, dependent on what someone would not want done to him. But they fail to understand Hillel — or the nature of true love.

Of course, our ultimate goal is to literally "love your neighbor as yourself" as mentioned in the *Mesilas Yesharim* and elsewhere. But the only way to achieve this is by applying Hillel's teaching. One can reach the inner chamber only via the outer one.

III

The framework of *chinuch* in its myriad of details provides a path that leads to this goal.

A great *mechanech* (educator) once commented on the verse in *Megillas Esther* (2:7) "וַיְהִי אֹמֵן אֶת הֲדַסָּה", (*And he reared Hadassah*). The word אֹמֵן (reared) closely resembles the word אֱמוּנָה (faith). All of *chinuch* is rooted in a sense of faith on the part of the parent and educator; faith in the innate potential of the child and a belief that, eventually, all that is good and beautiful in him will flourish.

By following the Divine guidelines of *chinuch* we can imbue our children with this heightened positive sense of self and allow them to tap the endless source of humanity that lies within.

By providing them with opportunities to grow into being themselves we hope, with Hashem's help, to see them become a source of pride both to Hashem and to our people.

Shmuel Elchonon Brog

Daily Chinuch

1 / The Mitzvah of Chinuch

Under Torah law, Jewish boys who are not yet *bar mitzvah* (thirteen years old) and girls who are not yet *bas mitzvah* (twelve years old) are not obligated to perform *mitzvos* (positive commandments) or to refrain from *aveiros* (prohibitions).[1] However, the Sages enacted a law requiring adults[2] to train both boys and girls[3] to perform the *mitzvos* and to refrain from *aveiros*. This requirement is known as the *mitzvah* of *chinuch*, training.[4]

---

1. אבות פ״ה משנה כ״ד, מתני׳ ברכות כ: ועוד. חיי אדם כלל ס״ו הלכה א, מ״ב סי׳ רכ״ה ס״ק ו.

2. הראשונים פליגי אם החיוב חינוך מוטל על האב או על הקטן. רש״י בברכות דף מח. ד״ה עד כתב דעל אביו רמי לחנכו, וכ״כ רש״י בחגיגה דף ב. ד״ה אי, וכ״כ הרמב״ן במלחמות בברכות דף כ:, וכן נקט המחבר בסימן י״ז ס״ג, ובס׳ תרנ״ז ס״א, וכן כתבנו בפנים. אבל תוס׳ בברכות דף מח. ד״ה עד, סברי דחיוב חינוך רמיא על הקטן וכן סובר הר״ן במגילה דף יט: וע״ע בזה בקהלות יעקב עמ״ס ברכות סי׳ ט״ו.

3. במסכת פסחים דף פח. איתא ת״ר שה לבית מלמד שאדם מביא ושוחט ע״י בנו ובתו הקטנים, ופרש״י בד״ה על ידי וז״ל בשביל שבנו ובתו הקטנים עליו לחנכן וכו׳. וע׳ במסכת גיטין דף כה. האומר לבניו הריני שוחט את הפסח על מי שיעלה מכם ראשון לירושלים וכו׳ א״ר יוחנן כדי לזרזן במצות וכו׳ מעשה וקדמו בנות לבנים ונמצא בנות זריזות ע״כ. הרי מבואר מהני דוכתי דיש חיוב חינוך גם בבת. אמנם מנזיר דף כט. משמע דליכא חיוב חינוך בבת דריש לקיש סובר דאב אינו חייב לחנך בתו, וע״ש בתוס׳ בדף כח: ד״ה בנו שמסיק דק״ל דאין כאן חינוך בבתו [וע׳ בשו״ת כתב סופר או״ח ס׳ צ״ט שכתב דבבת ליכא חיוב חינוך כדאיתא בתוס׳ נזיר דף כח:]. אולם בתוס׳ ישנים יומא דף פב. כתבו דהתם (ר״ל במסכת נזיר) לא איירי אלא דווקא לענין נזירות, אבל ודאי לענין שאר מצות חייב לחנכה עכ״ל. וכ״כ המאירי בנזיר דף כט. ולמעשה נקטו הפוסקים דיש חיוב חינוך בבת, עי׳ מחצית השקל ס׳ שמ״ג ס״ק ב, שלחן ערוך הרב ס״ב, חיי אדם כלל ס״ו ס״ב, מ״ב ס׳ שמ״ג ס״ק ב.

[ושיטת הערוך השלחן צ״ע בזה, שבאו״ח סי׳ רט״ו ס״ב כתב וז״ל ותינוקת שאינה בת חינוך אין עונין אחריה אמן עד שתהא בת י״ב שנה ויום אחד עכ״ל. מבואר דבת אינה בתורת חינוך וכ״כ בס׳ תע״ב סט״ו, אמנם בס׳ שמ״ג ס״א כתב דיש חיוב חינוך בבת וצ״ע.]

4. חיי אדם הנ״ל וז״ל אם יש לו בנים קטנים יחנכם במצות והיא מ״ע מדברי קבלה כמש״כ „חנוך לנער על פי דרכו" ומאוד הזהיר שלמה בספר משלי על חינוך הבנים ואם

I. General Rules of Chinuch

A. Who Is Subject to This Obligation

The *Poskim* all agree that fathers are obligated to train their children in the performance of *mitzvos*,[5] but disagree whether mothers share this obligation.[6] The accepted view is that mothers are also required to train children in *mitzvah* performance.[7]

B. Purpose and Guidelines of This Obligation

The primary reason for *chinuch* is to accustom children to perform *mitzvos* so that they will continue to do so upon reaching adulthood (i.e. *bar* or *bas mitzvah)*.[8] It is therefore obvious that the *mitzvah* of *chinuch* applies to all the *mitzvos* that the child will be obligated to perform when he reaches adulthood. This includes מִצְווֹת עֲשֵׂה מִדְאוֹרַיְיתָא (positive Torah

---

לא יוסר בדברים יכנו בשבט וכו׳. וע׳ בספר משך חכמה פרשת וירא [יח:יט] על הפסוק כי ידעתיו למען אשר יצוה את בניו ואת ביתו אחריו וכו׳ וז״ל ומקור מצות חינוך במ״ע מקורו מזה הפסוק מאברהם אבינו שיצוה את בניו בקטנם על המצות, וקרא דחנוך לנער על פי דרכו שהביא הרמב״ם הוה מדברי קבלה, אבל העיקר מאברהם עכ״ל.

5. מ״ב ס׳ שמ״ג ס״ק ב. ועיין ביאורים בסוף הספר.

6. בתוספות ישנים יומא דף פב. כתבו וז״ל ור״י אומר דחינוך לא שייך אלא באב אבל באדם אחר לא שייך ביה חינוך וכו׳ ומעשה דהילני המלכה (סוכה ב:) שישבה היא ושבעה בניה בסוכה שמא הוה להם אב וחנכם בכך ואפי׳ לא היה להם אב היתה מחנכם למצוה בעלמא עכ״ל. וע׳ תרומת הדשן סי׳ צ״ד שהקשה על תירוץ הר״י [מסוכה דף ב:] וז״ל דלכאורה מוכח התם דלאו למצוה בעלמא היתה מחנכתן. וגם משמע דלא הוה להו אב עי״ש. ובהגהות רע״א בסוכה ב: כיון לקושיא זו עי״ש] ובהגהות מיימוניות פרק ב׳ מהלכות יום כפור אות כ׳ כתב ג״כ דליכא חיוב חינוך על האם. וע׳ בספר ברכי יוסף ס׳ שמ״ג ס״ק ז שהביא מתשובות מהר״ם ס׳ ר׳ דאין האם חייבת בחינוך.

7. איתא ברש״י ריש מסכת חגיגה שחכמים הטילו על אביו ואמו לחנכו במצות. ואף שמצינו במסכת נזיר דף כט. שר״ל סובר שאם אינה חייבת לחנך את בתה, ע׳ בתוספת ישנים יומא דף פב. שכתב דסוגיא דהתם מיירי דווקא לענין נזירות ולא בשאר מצות. [וע״ע בזה בבכורי יעקב ס׳ תר״מ ס״ק ה].

והמ״ב בס׳ שמ״ג ס״ק ב הביא בשם י״א שאשה חייבת בחינוך בזה ולא הביא בכלל שיטת החולקים בזה. וע״ע בזה באורח מישור בנזיר דף כט, ובא״ר ס׳ תר״מ ס״ק ד.

8. ע׳ רש״י במסכת קידושין דף ל. ד״ה על פי וז״ל דרך שכל ימיו יהא מתנהג בו, חנוך לו בנערותו, עכ״ל. וע׳ ברמב״ם בפי״ז מהלכות מאכלות אסורות הלכה כ״ח.

commandments, e.g. *lulav*, reciting *Shema*),[9] מִצְווֹת עֲשֵׂה מִדְּרַבָּנָן (Rabbinic obligations, e.g. kindling Chanukah lights,[10] reciting *brochos*), מִצְווֹת לֹא תַעֲשֶׂה מִדְּאוֹרַיְיתָא (Torah prohibitions, e.g. eating non-kosher food[11]) and אִיסּוּרִים מִדְּרַבָּנָן (Rabbinic prohibitions, e.g. moving *muktzah* items on Shabbos[12]). However, the age when the *mitzvah* of *chinuch* begins depends on whether the *mitzvah* is a positive commandment or a prohibition. The differences will be discussed later in this book.

It should be noted that, since the purpose of *chinuch* is to prepare children for their eventual obligations when they become adults, one need train girls only in those *mitzvos* which will be incumbent upon them when they reach adulthood. It is also customary to train young girls in the performance of those *mitzvos* which women generally perform, even though they are exempt from their performance (e.g. *shofar*, *lulav*).[13]

C. The Extent of Chinuch

When training a child in the performance of a *mitzvah*, one must teach him to do it properly, with all its details, just as it is

---

9. מ״ב ס׳ שמ״ג ס״ק ג.

10. מ״ב ס׳ שמ״ג ס״ק ג ובאמת יש מהאחרונים שסוברים דליכא שום חיוב חינוך במצוה דרבנן, עיין בלבוש או״ח ס׳ קפ״ו ס״ב שכתב וז״ל קטן שאכל כדי שביעה חייב לברך ברהמ״ז מדרבנן עכ״ל, וע׳ שם בפמ״ג בא״א ס״ק ג שכתב שמדברי הלבוש שמעינן דקטן שלא אכל כדי שביעה אינו חייב בחינוך [ר״ל דכיון דכל החיוב כשלא אכל כדי שביעה הוה רק דרבנן אין כאן חיוב חינוך]. וע׳ באמרי בינה או״ח סי״ד שהביא ראיה מגמרא חגיגה דף ו. דאין חיוב חינוך על מצוה דרבנן וז״ל כל היכא דגדול מחוייב מדאורייתא קטן נמי מחנכין מדרבנן משמע דרק במצוה דאורייתא מחנכין ליה ולא במצוה דרבנן עכ״ל. וע״ע בזה בחקרי לב או״ח ח״ב ס׳ צ״ט ובתורת רפאל ס׳ ע״ט.

11. כתבנו בפנים דיש חיוב חינוך על מצות לא תעשה וכך כתב המחבר בס׳ שמ״ג ס״א. אבל יש מהראשונים שסוברים דליכא חיוב חינוך על מצות לא תעשה והובאו הדברים בתוס׳ ישנים יומא דף פב. בשם הר״א ממיץ וז״ל וא״ת הא אמרינן בכל דוכתא קטן אוכל נבילות אין ב״ד מצווין להפרישו השתא חנוכי מחנכינן אפרושי מאיסורא מיבעיא ואומר הר״א ממיץ דחינוך לא שייך אלא שיעשה מצוה ולא פרושי מאיסורא וכו׳ עכ״ל. וכ״כ התוס׳ בנזיר דף כח. ד״ה בנו בתירוץ א׳ וכן סובר הרשב״א ביבמות דף קיד. וע׳ בתרומת הדשן ס׳ צד שביאר טעמו של דבר, דבמצות עשה צריכים אזהרה יותר מאיסור לאו שהוא בשב ועל תעשה עי״ש.

12. מ״ב סי׳ שמ״ג ס״ק ג.

13. אז נדברו חי״ג סימן ל״ח.

performed by an adult.[14] For example, according to *halachah*, a *lulav* whose tip has been broken off cannot be used in the performance of the *mitzvah*. One may not give such a *lulav* to a child for the purpose of training him to perform this *mitzvah*. Another example: Chanukah lights must be capable of burning at least one half-hour after dark. One cannot have a child light candles that will not burn for that length of time.

The reason for this is obvious: Were one to train a child to perform a *mitzvah* improperly, the child might continue to perform the *mitzvah* in that erroneous manner upon reaching adulthood.

II. The Age at Which Chinuch Begins

A. Positive Commandments — מִצְווֹת עֲשֵׂה

The age at which *chinuch* begins depends upon the child's level of intelligence and upon the type of *mitzvah* he or she is to perform.

---

14. מה שכתבנו שחיוב חינוך הוא לעשות המצוה בכל פרטיה כן מבואר בגמרא סוכה דף ב: דאיתא התם אמר רב יהודה מעשה בהילני המלכה בלוד שהיתה סוכתה גבוהה מעשרים אמה והיו זקנים נכנסין ויוצאין לשם ולא אמרו לה דבר, אמרו לו משם ראיה אשה היתה ופטורה מן הסוכה אמר להן והלא שבעה בנים הווי לה, ועוד כל מעשיה לא עשתה אלא על פי חכמים, למה לי למיתני ועוד כל מעשיה לא עשתה אלא על פי חכמים, הכי קאמר להו כי תאמרו בנים קטנים היו וקטנים פטורין מן הסוכה כיון דשבעה הוו אי אפשר דלא הוי בהן חד שאינו צריך לאמו וכו׳. וע׳ בריטב״א שם וז״ל מהא שמענין דקטן שמחנכין אותו במצות [צריך] לעשות לו מצוה בהכשר גמור כגדול, דהא מייתי ראיה בשמעתין מסוכה של הילני, משום דלא סגיא דליכא בבניה חד שהגיע לחנוך דבעי סוכה מעלייתא, מקרא מלא דבר הכתוב ,,חנוך לנער על פי דרכו" וגדולה מזו אמר במסכת עירובין [דף מ:] גבי זמן ביום כפור, ליטעמיה לינוקא, דילמא אתי למיסרך. והוצרכתי לכתוב זה לפי שראיתי חכמים טועין בזה עכ״ל. הרי מבואר בדברי הריטב״א דכשמחנכין קטן לעשות מצות צריכין לחנכו בעשיית המצוה בכל דקדוקיה ופרטיה כמו שהגדול מצווה לעשותו בחיובו. וכן כתב רבינו מנוח בפ״ב מהלכות שביתת עשור הי״ג וז״ל לפי שאין חינוך שעות מדרבנן כלל שאין מדרבנן חיוב חינוך בלא השלמה כלומר שיעשה המצוה כתקנה וכמשפטיה. וכן פסק הביאור הלכה בס׳ תרנ״ז ד״ה כדי לחנכו וז״ל ופשוט דצריך שיהיו ד׳ מינין כשרין כמו בגדול עכ״ל וזהו כדברי הריטב״א הנ״ל. ועיין ביאורים בסוף הספר.

The *chinuch* obligation for most positive commandments begins as soon as the child is old enough to understand that what he or she is doing is a *mitzvah* (i.e. *Hashem* commanded us to do so). The child must also be able to properly perform the *mitzvah* with all its details. For example, the training for the *mitzvah* of *lulav* and *esrog* (the Four Species) begins when the child is old enough to understand that on *Succos* one is obligated to take the *arba minim* [*lulav, esrog, hadassim* and *aravos*]. The child must also be able to hold them and shake them in the proper fashion. Most children reach this level when they are about five or six years old,[15] depending on the intelligence of the child.

For other *mitzvos*, *chinuch* is dependent on an additional factor. It begins only when the child is old enough to comprehend the essence of the *mitzvah*. Some examples are *kiddush* and *havdalah* for which training begins when the child is old enough to understand the concept that *Hashem* rested on Shabbos and sanctified it.[16] Another example is

---

15. מ״ב סי׳ קכ״ח ס״ק קכ״ג.

16. באיזו גיל מתחיל חיוב חינוך במצות: הנה במסכת סוכה דף מב. איתא ת״ר קטן היודע לנענע חייב בלולב, להתעטף חייב בציצית, לשמור תפילין אביו לוקח לו תפילין, יודע לדבר אביו לומדו תורה וקריאת שמע ע״כ. ועוד מצינו בגמ׳ חגיגה דף ד. דדרשינן מקרא דכל זכורך לרבות הקטנים, ופרכינן והתנן חוץ מחש״ו ומתרצינן כאן בקטן שהגיע לחינוך, ר״ל כל שיכול לאחוז בידו של אביו לעלות לירושלים, יש עליו מצות חינוך.

הרי מבואר מהני דוכתי דחיוב חינוך אינו מתחיל משעה שהקטן מבין תוכן הענין של המצוה, רק תליא ביכלתו של הקטן אם הוא יכול לעשות מעשה המצוה במציאות, והדברים פשוטים שהרי מי שיכול לאחוז יד אביו ולעלות לירושלים הוא עדיין רחוק מלהבין טעמו של מצוות ראיית פנים בבית המקדש וע״כ מוכרח דאין זה תלוי בהבנת המצוה.

אמנם עיין במ״ב סי׳ שמ״ג ס״ק ג׳ שהביא מכל הפוסקים וז״ל ודע דשעור החינוך במצות עשה הוא בכל תינוק לפי חריפותו וידיעתו בכל דבר לפי ענינו כגון היודע מענין שבת חייב להרגילן לשמוע קידוש והבדלה והיודע להתעטף חייב בציצית עכ״ל. הרי מבואר מדבריו דחיוב חינוך תליא בהבנת הקטן, ולפיכך כתבו הפוסקים דחיוב חינוך במצות קידוש הוא דווקא משעה שהקטן מבין ענין שבת, ולא תליא אם יכול לעשות מעשה המצוה כגון לברך ברכת הקידוש, ולכאורה זה סותר למה שהוכחנו מדברי הגמ׳. וראיתי בספר חינוך ישראל דף כא שכתב יסוד בענין זה ועפי״ז יתבארו הדברים וזהו תוכן דבריו: זמן התחלת מצות חינוך למצות עשה קי״ל דאין לה זמן ידוע ומסויים,

aveilus, mourning [i.e. the Three Weeks], for which training begins only when the child understands the concept of *aveilus* [that we are sad due to the destruction of the holy *Beis HaMikdash.*]. A child would generally achieve this degree of understanding at six or seven years of age,[17] depending on the intelligence of the child. [The reason there is a difference between these *mitzvos* and most other *mitzvos* is that *kiddush* and *havdalah* are not merely acts that must be performed; rather, they are prayers which must be recited as a means of articulating certain concepts and beliefs. The *mitzvah* is only properly fulfilled if the prayer in fact expresses those feelings. Therefore, a minor must be capable of achieving that feeling in order to be obligated to recite the prayer. The same is true with regard to *aveilus*. The *mitzvah* to mourn is something which takes place inside a person's heart. Sitting on

---

ומשתנה ממצוה למצוה ואין האב מחויב לחנך את בנו עד שיושלם ב׳ תנאים, זה הכלל כל מצוה לפי המצוה, ולפי חריפת הקטן. והתנאים הם:

תנאי א — מצוה שיש לה דינים מסויימים באופן קיומה, אינו חייב לחנכו עד שהקטן בר הכי שיכול לקיים המצוה כתיקונה עם כל הפרטים, למשל חינוך במצות לולב משיכול לנענע הלולב ומיניו דהיינו מוליך ומביא מעלה ומוריד.

תנאי ב – בענין שיבין הקטן ענין המצוה ועל מה הוטבע. דוגמא לזה הזמן של החיוב חינוך למצות קידוש והבדלה הוא מתחיל כשהקטן יודע ענין קידוש (שהשם יתברך שבת ביום השבת מבריאת העולם, וקדשו.)

ונראה דתנאי הב׳ [ר״ל דבעינן שיבין הקטן ענין המצוה] לא נאמר אלא במילי דברכות כגון קידוש והבדלה דענין הברכה לברך את ה׳ שמהותו רעותא דלבא וכן ענין לקדש את השבת, ואם אינו מבין קדושתו הרי אינו מקדשו, וכן אבילות על חורבן בית המקדש שעיקרו להתאבל על החורבן שהוא דבר המסור ללב. אבל במצות מעשיות שהם גזירת הבורא ברוך הוא עלינו אז אין הקטן צריך להבין מהות המצוה ועל מה הוטבע ולעשותו לשם יוצרו ובוראו כדי שנתחייב בחינוכו, אלא כל שיכול הקטן לעשות המצוה בפועל מחנכין אותו על כך, מיהו מסתבר דמ״מ בענין שיהי׳ הקטן בר הבנה שידע מה הוא עושה באופן ששייך לומר שעל ידי כן הוא מתרגל ומתחנך לקיים המצוה, אבל לא בקטני קטנים שאינם יודעים כלל מה הם עושים עכ״ד. ויסוד זה שמעתי גם מהגאון ר׳ ח.פ. שיינבערג שליט״א. ולהאמור מתבאר דברי המ״ב בס׳ שמ״ג במה שכתב שחיוב חינוך מתחיל רק כשהקטן מבין הענין של המצוה דדבריו נאמרו רק במצות קידוש וכדומה שכל המצוה הוא לברך את ה׳, משא״כ בשאר מצות גם המ״ב יודה דחיוב חינוך מתחיל כשהקטן יכול לעשות מעשה המצוה בפועל. ועפ״ז כתבנו הגדר בפנים. ועיין ביאורים בסוף הספר.

17. מ״ב סי׳ רס״ט ס״ק א.

the floor, not wearing leather shoes, etc. are merely actions one is required to perform as outward manifestations of inner feelings.]

In summation: Generally, regarding *mitzvos* which require only action, the age of *chinuch* is defined as about five or six years old. For *mitzvos* which entail understanding of their essence, it is about six or seven. As we deal with individual *mitzvos*, we will note the age at which training begins.

Even though there is no *halachic* obligation to train children to perform *mitzvos* before they reach the age of *chinuch*, one who does so is praiseworthy.[18]

B. Prohibitions — מִצְוֹות לֹא תַעֲשֶׂה

The *chinuch* obligation begins at an earlier age with regard to prohibitions than it does with regard to positive commandments. Whereas *chinuch* for each positive commandment begins when a child is old enough to comprehend the essence of the *mitzvah* or to understand that such a *mitzvah* exists [see above], *chinuch* for prohibitions begins when a child can be made aware of the fact that an act is forbidden. Once a child is old enough to understand that a particular action is forbidden, the parent is obligated to teach the child to refrain from that action.[19] [This does not refer to the age at which a child will stop doing something when ordered to stop and continue to do so at a different time, but rather the age at which the child understands that he or she must

18. בשל״ה שער האותיות אות דרך ארץ כתב וז״ל עיקר ויסוד גדול גידול בנים התורה אמרה ולמדתם את בניכם כי זהו התכלית של פריה ורביה להיות לו בנים ובני בנים עד עולם עוסקים בתורה ובמצוות וידעו כי אדם עיר פרא יולד ויצר לב האדם רע מנעוריו. ע״כ צריך להרגילו ולחנכו במצות טובות וישרות מעת שיוכל לדבר וכו׳ ויתחיל בו מבן ב׳ או ג׳ שנים להדריכו בכל ויתחיל להדריכו מקטנותו וכו׳.

19. מ״ב ס׳ שמ״ג ס״ק ג וז״ל אבל החינוך בל״ת בין של תורה בין של דבריהם הוא בכל תינוק שהוא בר הבנה שמבין כשאומרים לו שזה אסור לעשות או לאכול אבל תינוק שאינו בר הבנה כלל אין אביו מצווה למנעו בע״כ מלאכול מאכלות אסורות או מלחלל שבת אפי׳ באיסור של תורה כיון שאינו מבין כלל הענין מה שמונעו ומפרישו [אחרונים] עכ״ל.

always refrain from the forbidden action.[20]

The *Poskim* do not define the exact age when this level is attained since it varies according to the intellect of each child. However, generally it is reached at approximately four years of age.[21]

III. At What Age Chinuch Ends

Although, as explained above [see section I], the primary purpose of *chinuch* is to train children when they are young so that they continue to perform *mitzvos* during adulthood, a parent's obligation does not end when a child reaches *bar* or *bas mitzvah*. A parent must make sure that the child continues to adhere to all Biblical or Rabbinic laws even after maturity.[22]

---

20. בספר חדושים ובאורים שבת ס׳ כז ס״ק ה׳ כתב וז״ל אפי׳ לא הגיעו לחינוך רק שהתינוק הוא בר הבנה וכו׳ לכאורה הטעם משום דכיון שמבין כשאומרים לזה שזה אסור הרי חשיב בר חינוך לענין זה, אבל אם מבין רק שאומרים לו שלא יעשה ואינו מבין שדבר זה אסור ולא ידע מזה לפרוש בפעם אחרת לכאורה לא שייך בו חינוך וכן מבואר בלשון המ״ב ס׳ שמ״ג ס״ק ג.

21. בשו״ת כונת הלב חיור״ד ס״ט אות ג׳ הביא דברי היעב״ץ בספרו מגדול עוז דף יז שקבע זמן חינוך על מצות לא תעשה כשהוא בן ד׳ שנים בבריא ובן ה׳ שנים לכחוש. וראיתי בספר ליקוטי הלכות [מאת הגאון ר׳ שבתי וויגדער שליט״א] דף קח וז״ל ומה דכתבו הפוסקים בר הבנה היינו דמבין הענין שמונעו ממנו, לא לבד המעשה אלא הענין, מחמת מה אסור לעשות כזה, ואינו מונע מחמת פחד וכדומה. למשל במאכלות אסורות הוא מבין דאין הכל מותר, דיש מאכלים שאסורים לאכול, גם בשבת צריך להבין שיש יום שבת, יום א׳ בשבוע דאסור לעשות בו כמה דברים, וזה אינו מן הסתם בגיל ג׳ או ד׳. וע׳ בקובץ באהל יעקב שנת תשל״ז סימן י׳ שהביא בשם הגאון ר׳ פישל הערשקאוויטש שליט״א שחיוב חינוך על מצות לא תעשה מתחיל בגיל ה׳ או ו׳.

22. מ״ב ס׳ רכה ס״ק ז וז״ל ודע דאע״פ ששוב אין עליו ענין חינוך [ר״ל אחר בר מצוה] מ״מ יש על האב מצות הוכחה כשרואה שאינו מתנהג כשורה וכשאינו מוחה בידו נענש עליו דלא גרע משאר ישראל וכידוע מה שאחז״ל כל מי שיש לו למחות באנשי ביתו ואינו מוחה נתפס בעון אנשי ביתו עכ״ל. וע׳ בהערות בספר דברות משה פרק שני דשבת הערה פב שחולק על המ״ב וז״ל וגם פשוט שחיוב חינוך לבנו איכא גם כשנגדל, וכמפורש בקידושין דף ל. חנוך לנער על פי דרכו ר׳ יהודה ור׳ נחמיה חד אמר משיתסר ועד עשרין ותרתי וח״א מתמני סרי ועד עשרים וארבע והוא לענין חינוך וכו׳ ומש״כ במ״ב ס״ק ז [ר״ל שהבאנו לעיל] שאין על האב מצות חינוך תמוה טובא דהוא דלא כהמפורש בגמרא, וצע״ג עכ״ל. ויש להביא ראיה לשיטת המ״ב מהגמ׳ נזיר דף כט: עד מתי מדיר את בנו בנזיר עד שיביא שתי׳ שערות דברי רבי רב יוסי ברבי יהודה אומר עד

IV. The Obligation of People Other Than Parents

While only a parent is required to train his child in positive commandments, one who witnesses a Jewish child involved in a prohibited activity is required to stop the child from performing that activity. However, there are two aspects in which a stranger's obligation differs from that of a parent:

1. A parent is required to train children to refrain from both *d'Oraysa* and *d'Rabbanan* (i.e. Biblical and Rabbinic prohibitions [see Ch. 3 for exceptions]). However, a stranger is only required to prevent a child from transgressing a *d'Oraysa* (Torah) prohibition.

2. A parent's obligation with regard to teaching his child to avoid prohibitions begins when the child is four years old (i.e. when the child can be made to understand that the act is forbidden). However, a stranger's obligation is limited to children who have truly reached "the age of *chinuch*" (i.e. approximately five or six years).[23]

שיגיע לעונת נדרים מאי לאו תנאי וכו׳ ורב יוסי ברבי יהודה דאמר עד שיגיע לעונת נדרים סבר כדי לחנכו במצות וכיון דנפיק מרשותיה תו לא מחייב וכו׳ ועיין בפי׳ הרא״ש דכתב דכיון דנפיק מרשותיה תו לא מחייב דכל מצוה שהוא מחויב בה אין אביו מחויב לחנכו בה עכ״ל. הרי חזינן דליכא מצות חינוך כשהבן נעשה גדול. וע׳ בשלחן ערוך הרב בהלכות תלמוד תורה פרק א הלכה ו׳ וז״ל וכן להדריכו בדרך מוסר ויראת שמים בכל דרכיו והנהגותיו בעוד ידו תקיפה על בנו דהיינו עד שיהא בן כ״ד שנה שנאמר חנוך לנער על פי דרכו דרך שכל ימיו יהא מתנהג בו חנוך לו בנערותו דהיינו מבן ט״ז שנה עד בן כ״ד שנה שקודם ט״ז אין בו דעת לקבל תוכחה כל כך ואל תכביד יסורין ותוכחת ויותר מבן כ״ד יש לחוש שמא יבעט עכ״ל.

23. בנוגע אם אחרים (שאינם חייבים בחינוך) מחויבים להפריש קטן מלעשות איסור נחלקו בזה הראשונים, עיין במחבר סי׳ שמ״ג ס״א קטן אוכל נבלות אין ב״ד מצווין להפרישו אבל אביו מצווה לגעור בו להפרישו וכו׳ וע״ז כתב הרמ״א וי״א דכל זה בקטן דלא הגיע לחינוך אבל הגיע לחינוך צריכים להפרישו [ר״ל דמוטל על כל אדם להפרישו] וי״א דלא שייך חינוך לבית דין אלא לאב בלבד עכ״ל. וע׳ במ״ב ס״ק ז שהביא הכרעת החיי אדם דלענין איסורא דאורייתא יש להחמיר כדעה זו [ר״ל כהדעה דסובר דחיוב חינוך בנוגע ל״ת חל גם על אחרים].

וראיתי בספר חינוך ישראל דף יז שכתב דלפי מה שכתבנו דחיוב חינוך במצות לא תעשה הוא מגיל ג׳ או ד׳ מסתבר דלהסוברים דבהגיע לחינוך כל אדם מצווין להפרישו היינו משהגיע לגיל חינוך בל״ת וצ״ע מש״כ בשבכ״ה [מהדו״ק פרק לב הלכה לב] דאחרים חייבים להפרישו רק משעה שהגיע הקטן לחינוך למ״ע שהוא מבן ו׳ או ז׳ ולא

V. Instructing a Child to Violate a Prohibition

Torah law prohibits instructing a child to violate a prohibition. This law is not limited to one's own children, but applies to all Jewish children.[24] For example, one may not instruct a child to turn on a light or carry in a public domain on Shabbos or move *muktzah* items. However, there are exceptions to this rule which we will discuss in Chapter 13.

VI. Causing a Child to Violate a Prohibition

There is a Biblical prohibition forbidding one to directly cause a child to violate any prohibition (whether *d'Oraysa* or *d'Rabbanan*). This law applies even regarding newborn infants. It is not limited to one's own children, but applies to all Jewish children.

A primary example of this law is the prohibition of feeding a child of any age non-kosher food.[25] Furthermore, it is also

---

כשהגיע לגיל החיוב חינוך בל״ת שהוא בגיל ג׳ או ד׳ עכ״ל. ונראה שהצדק עם השש״כ דכן מבואר להדיא בשעה״צ ס״ק טו וז״ל ובאמת על האב מוטל להפרישו מאיסורא אפילו במלתא דרבנן משהוא בר הבנה עכ״ל הרי מבואר מזה דאצל אחרים חל חיוב חינוך במצות לא תעשה רק על קטן שהגיע להגיל שחייב בחינוך במצות עשה. וע׳ בספר מגלת ספר ס׳ צ ס״ק ג שהביא ראיה לזה עי״ש.

והסבר לחילוק בין אב לאחרים מצאתי בספר מנחת פרי הלכות סוכה ס׳ תר״מ וז״ל והביאור בזה י״ל עפ״י מש״כ התוס׳ בשבת דף קכא. ד״ה שמע מינה, דהא דקיי״ל שקטן אוכל נבילות אין ב״ד מצווין להפרישו, היינו בלא הגיע לחינוך, אבל בהגיע לחינוך כיון שחייב לחנכו כ״ש דצריך להפרישו ודעה זו הובאה ברמ״א בס׳ שמ״ג, וכתב שם המ״ב בסק״ז בשם הח״א דצריך להחמיר כשיטה זו באיסור דאורייתא. ומוכח מהשה״צ שם דאין חיוב להפרישו כ״ז שלא הגיע לחינוך שהוא כבר שית או שבע, אף שבאביו כתב המ״ב שם בס״ק ג שחייב להפרישו מדין חינוך משהגיע לבר הבנה שהוא בן שתים ושלש. ובע״כ דאין הביאור דאחרים חייבים בחינוך הקטן, אלא כיון שהקטן הגיע לגיל חינוך והתחייב מדרבנן, ממילא חייב כל אדם להפרישו ולדאוג שיקיים מה שמוטל עליו. משא״כ אביו שחייב לחנכו, חייבוהו להפרישו מאיסורים משהגיע לכלל הבנה, דלא אתי למיסרך אף שהקטן עצמו אינו חייב עכ״ל.

24. ע׳ ציון 25.

25. במחבר ס׳ שמ״ג סעיף א׳ איתא קטן אוכל נבלות אין בית דין מצווין להפרישו אבל אביו מצווה לגעור בו להפרישו וכו׳ ולהאכילו בידים אסור וכו׳. וע׳ במ״ב

prohibited to cause a child to eat non-kosher food. For example, one cannot put non-kosher food into a child's hand. Since the child will certainly eat it, it is considered as though the adult actually fed it to the child.[26] However, this type of act is only

---

ס״ק ד [על המילים אסור] וז״ל לכל אדם אפי׳ התינוק אינו בר הבנה כלל ודבר זה הוא אסור מן התורה וילפינן לה מדכתיב בשרצים לא תאכלום וקרא יתירא הוא וקבלו חז״ל [יבמות קיד] דר״ל לא תאכילום לקטנים וכן בדם כתיב כל נפש מכם לא אכל דם וקבלו חז״ל דר״ל לא תאכיל לקטנים וכן בטומאת כהנים כתיב אמור ואמרת ואחז״ל אמור לגדולים שיאמרו לקטנים. והנה משלש מצות אלו אנו למדים לכל התורה כולה דכל איסורי תורה אסור להאכילם או לצוותם שיעברו.

וע׳ בתרומות הדשן בפסקים ס׳ כ״ב שכתב טעם למה אסור להאכיל איסור לקטן וז״ל נ״ל הטעם דקפיד רחמנא שלא ירגיל אותו לעבור עבירות וכשירגיל יבקש למודו עכ״ל וע״ז כתב החתם סופר בתשובותיו או״ח סי׳ פ״ג וז״ל משמע דבשוטה דלא אתי לכלל דעת מותר ליספי ליה בידים, מ״מ זה אינו עיקר דלא דרשינן טעמא דקרא עכ״ל. וע׳ בשו״ת אג״מ יור״ד ח״א ס״ו שכתב טעם באיסור של לא תאכילום וז״ל מאחר שעתה נעשית האיסור ע״י בני דעת המאכילים, דהא גדר איסור לפני עור אינו דווקא כשיענש העובר ע״י המאכיל דגם כשהעובר לא יענש דיהיה שוגג או אנוס נמי עובר בלפ״ע מאחר שאף באונס הויא מעשה איסור ונעשה זה ע״י המאכיל שאינו אנוס א״כ גם בקטן וחרש ושוטה נמי מאחר שהוא מעשה איסור אסור להאכילם מדין זה מדאורייתא עי״ש וע״ע באג״מ יור״ד ח״ב ס״ט בזה.

26. בגמרא שבת דף צ: איתא דאסור ליתן חגב טמא לקטן לשחק דדילמא אכיל ליה ופירש״י בד״ה דילמא וז״ל ואפי׳ למאן דאמר קטן אוכל נבלות אין ב״ד מצווין עליו להפרישו מודה הוא דלא יהבינן ליה בידים דתניא לא תאכלום להזהיר גדולים על הקטנים עכ״ל. הרי מבואר בדבריו דהגם דהגדול לא תחב האיסור לתוך פיו של הקטן אעפ״כ נחשב זה כמו שהוא מאכיל האיסור לקטן בידים דכיון שהוא נותן את האיסור לתוך ידו של הקטן אפי׳ שרק נתן לו את החגב לשחק בו כיון דידעינן שהוא יאכל אותו הוי להו כמו שהוא מאכיל להקטן איסור בידים, והמ״ב ס׳ שמ״ג ס״ק ד העתיק דין זה להלכה. וע׳ רמ״א סי׳ ש״מ סעיף ג׳ שכתב דאסור לשבור עוגה שכתוב ליה כמין אותיות אע״פ שאינו מכוין רק לאכילה, וכתב על זה המג״א ומותר ליתנו לתינוק ובמחצית השקל שם תמה ע״ז וז״ל ולפי מה שכתב המג״א בס׳ שמ״ג ס״ק ג כה״ג מיקרי ספינן ליה בידים ואסור עכ״ל. [וכוונתו להקשות סתירה בין דברי המגן אברהם דבס׳ שמ״ג סבירא ליה דמי שנותן איסור ביד הקטן נחשב זה כמו שמאכיל איסור לקטן בידים ובס׳ ש״מ ס״ל דאפי׳ כשנותנים העוגה ביד הקטן אין זה נחשב כמאכיל האיסור לקטן וגם המ״ב העתיק את שני הדינים וצ״ע.]

וע׳ בשו״ת חתם סופר או״ח סי׳ פ״ג שמסיק להלכה דכשמניח משא על הקטן אין זה נחשב כמאכיל איסור לקטן אע״פ שיודע שהקטן יוציא את המשא לרשות הרבים בשבת, ולכאורה צ״ע דמדברי רש״י בשבת דף צ: הנ״ל מבואר איפכא. וע׳ בשו״ת מהר״ם שיק או״ח סי׳ קסג שהעיר בזה.

forbidden if the food is placed directly into the child's hand. Therefore, from a *chinuch* standpoint, it is permitted to simply place the forbidden food before the child even if the child will most likely eat it.[27]* [See Chapter 12 for exceptions to this rule.]

*Note: See Chapter 8 sub II for clarification.

27. במ״ב בס׳ תר״מ ס״ק ה כתב ולכו״ע אסור להאכיל לקטן בידים חוץ לסוכה אפי׳ לאדם אחר דהיינו ליתן לתוך פיו או לצוות לו לאכול ועי״ש בשעה״צ שכתב ולאפוקי כשמניח לפניו לאכול והוא אוכל מעצמו עכ״ל. וכן פסק החתם סופר או״ח ס׳ פ״ג, והאגרות משה יור״ד ח״ב סי׳ ט, ובשו״ת זכרון יוסף סימן ו׳ הובא במקראי קודש ימים נוראים דף קנד כתב וז״ל ולולא דמסתפינא הייתי אומר דכל כה״ג שמניחין את המאכל לפניהם והם נוטלים ואוכלים, לא מיקרי ספי ליה בידים שהוזכר בש״ס (יבמות דף קיד) אלא הושטה מיקרי, דפשטות הלשון ספי ליה בידים משמע שתוחב לו המאכל לתוך פיו וכדמשמע מפירש״י פסחים דף ג סוף עמוד ב׳ ובכתובות וכו׳. [ואגב מאי שכתב דספינן הוא דווקא כשתוחב לתוך פיו ברש״י שבת דף צ: שהבאנו לעיל בציון 26 מבואר שלא כדבריו]. אבל ע׳ בשלחן ערוך הרב בס׳ תרט״ז ס״ד וז״ל וכן אסור ליתן לפניהם מאכלים ומשקאות שיאכלו וישתו שהרי זה כאילו האכילו והשקו אותם עכ״ל. הרי מבואר מדברי הרב דאפי׳ אם נותן המאכלים רק לפני הקטנים והם אוכלים אותם בעצמם זה נחשב כאילו הוא מאכילם בידים. ויש לעיין אם השלחן ערוך הרב חולק על הפוסקים שהבאנו לעיל שאין זה נחשב כאילו הוא מאכיל את האיסור בידים. וע׳ בשלחן ערוך הרב ס׳ שמ״ג ס״י שכתב וז״ל אבל ליתן לתינוק בשבת חפצים שיכול לעשות בהם מלאכה לעצמו ואפי׳ אם ידוע שיעשה בהם כגון ליתן לתינוק עוגה שכתובים עליה אותיות שאסור לאכלה בשבת כמ״ש בס׳ ש״מ אף על פי שהתינוק יאכלנה בודאי כיון שמתכוין הוא להנאת עצמו א״צ להפרישו כמו שנתבאר למעלה רק שלא יתן גדול לתוך פיו של תינוק עכ״ל. הרי מבואר מדבריו דזה שנותן האיסור לפני הקטן אין זה נחשב כמאכיל אותו איסור בידים וזה שלא כמו שכתב בס׳ תרט״ז ס״ד וצע״ק.

2 / Initial Mitzvos of Chinuch

I. Child's First Haircut

Many individuals have a custom not to cut the hair of a male child until the day of his third birthday.[1] On that day

---

1. בשו״ת ערוגת הבשם סי׳ ר״י כתב וז״ל אשר שאלת היות כי מנהג בין חסידים ואנשי מעשה להמתין בתגלחת שערות הראש של בניהם עד יום מלאת להם ג׳ שנים כדי לחנך את הילד במצות לא תקיפו פאת ראשכם וכו׳, ועתה נפשך בשאלתך היות כי בנך הילד מחמת חלישות מזגו כבד עליו שערות ראשו, אם תקיים בו מנהג הנ״ל גם לפני מלאת לו ג׳ שנים, או יש קפידא להמתין דווקא עד ג׳ שנים כי לא מצאת מקום פקידא בזה, דע בני שכל מנהגו של ישראל תורה ויסודתם בהררי קודש בפרט מנהג שנהגו בו חסידים ואנשי מעשה, וגם מנהג הנ״ל להמתין עד מלאת להבן ג׳ שנים מצאתי לו יסוד בדרז״ל במדרש ילקוט פרשת קדושים בפסוק ונטעתם כל עץ מאכל וערלתם ערלתו את פריו מדבר בתינוק שלש שנים יהי׳ לכם ערלים שאינו יכול לא להסיח ולא לדבר ובשנה הרביעית יהי׳ כל פריו קודש שאביו מחנכו לתורה, הלולים שמהלל להקב״ה, הרי עד שלש שנים אין נכון לחנכו לתורה דהוא בבחינת שלש שנים יהיה לכם ערלים, וה״ה נמי לענין חינוך לקיום המצות עכ״ל. וע׳ בשו״ת מהר״ם בריסק ח״ב ס׳ צ״ח שכתב שיש להחזיק מנהג החסידים שלא לגלח השערות קודם ג׳ שנים עי״ש.

ויש עוד מנהגים מתי מגלחים הקטן, בספר שלחן גבוה סי׳ תקל״א כתב מנהג אחד דמגלחים הקטן פעם ראשונה כשהוא בן ה׳ שנים, וע׳ בספר חינוך ישראל דף רמ שהביא משו״ת פעולות הצדיק ח״ג סי׳ רמ״ח שיש שמתחילים לגלח בבן ב׳ שנים. וע׳ אריכות בזה בספר הנ״ל.

בילקוט מעם לועז פרשת עקב על הפסוק ולמדתם את בניכם כתב וז״ל וכשמביאים התינוק בפעם הראשונה לרבו ללמוד תורה ישכים האב ויוליכו בידו לשם ויודה ויהלל להשי״ת שזכה להכניס בנו תחת כנפי השכינה וחובה של האב והאם לרחצו ולהלבישו מלבוש יפה, ויסתירו אביו תחת בגדו שלא יסתכל בדבר טמא, וכשמגיע לחדר, החכם לוקחו בחיקו, ולוקח החכם טבלא שרשומים בה אותיות הא״ב וקורא בפני הילד והילד אומר אחריו אות באות ואח״כ אומרים הפסוק תורה צוה לנו משה ואח״כ נותן מעט דבש על הטבלא של הא״ב על האותיות ונותנים לילד ללקק הדבש וזה סימן שיהיו דברי תורה מתוקים בפיו, וראוי לאב ולאם להתענות באותו היום ויתפללו להשם יתברך שיצליח בלימודו ויהיה ירא״ש, ויקר בעיני הקב״ה היום שבו מביאים הילד לראשונה דר כיום שעמדו בו ישראל בהר סיני, ויש מקומות שנוהגים ביום זה לעשות סעודה של שמחה ואין לשנות המנהג עכ״ל. וע״ע בזה בספר רוקח סי׳ רצו.

many have a custom to make a *simcha*.[2]

II. Wearing a Yarmulke

When a boy becomes three years old, it is customary that he begins to wear a *yarmulke*.[3]

It is forbidden to permit a child to recite a *brocha* or *daven* while his head remains uncovered.[4]

III. Washing Hands

A. Washing Upon Rising in the Morning

Children who have reached the age of *chinuch* (between the ages of five and six) should be trained to wash their hands upon rising in the morning. Care should be taken that children of *chinuch* age should not touch any food before washing their hands.[5] The *Poskim* advise parents to wash the hands of all their children, regardless of their age.[6]

---

2. בספר גן המלך הובא בבאר היטב ס׳ תקל״א כתב שהמנהג לעשות שמחה בעת שמגלחין הילד.

3. ספר חינוך ישראל דף רלט.

4. ש״ע סי׳ ר״ו ס״ג.

5. בשלחן ערוך הרב מהד״ת [נדפס בריש שלחן ערוך הרב או״ח ח״א] ס׳ ד׳ ס״ב כתב וז״ל אבל לנגיעת הנכרים אין לחוש כי רוח טומאה זו אינה מתאוה לשרות אלא בכלי של קדש במקום קדושה שנסתלקה משם שהם גופות ישראל כשהם ישנים ונשמתם הקדושה מסתלקה מגופם ואזי רוח הטומאה שורה על גופם וכשהנשמה חוזרת לגוף מסתלקת רוח הטומאה מכל הגוף ונשארת על הידים בלבד ומטעם זה נהגו להקל בנגיעת הקטנים שלא הגיעו חינוך לפי שגמר ועיקר כניסת נפש הקדושה באדם הוא בי״ג שנים ויום א׳ לזכר וי״ב לנקבה שלכן נתחייבו אז במצות מן התורה וכו׳ עכ״ל. וכן כתב היעב״ץ בסידורו ונהגו להקל בנגיעת קטן שלא הגיע לחינוך, וכ״כ בא״א מבוטשאטש ס׳ ד׳ עי״ש.

ושיטת המ״ב בענין זה לא נתברר דבסימן ד׳ ס״ק י׳ כתב וז״ל גם יש ליזהר שהקטנים יטלו ידיהם בשחרית כי נוגעים במאכל עכ״ל. ולא כתב אם זה מיירי אפי׳ בקטן שלא הגיע לחינוך, וצריך בירור.

6. בשלחן ערוך הרב הנ״ל בסוף דבריו כתב וז״ל ולכן הנזהר מנגיעת הקטן מיום המילה ואילך קדוש יאמר לו, וכן היעב״ץ הובא לעיל כתב וז״ל ויש להחמיר אפי׳ מיום המילה ואילך וי״א דאסור מדינא לכן יזהר ליטול ידיהם שחרית עכ״ל. ובשו״ת ציץ אליעזר ח״ז

Children who wake up during the night and wish to eat or drink must wash their hands (three times on each hand), before eating or drinking.

B. Washing After Going to the Bathroom

Children who have reached the age of *chinuch* should be trained to wash their hands after going to the bathroom, after touching parts of the body that are generally covered, and after touching the scalp.[7]

IV. Wearing a Talis Katan

One should buy a *talis katan* for a child who has reached the age of *chinuch*.[8] The *Poskim* disagree with respect to the age at

---

סימן ב׳ ס״ק י׳ אחר וז״ל וכל עוד שלא הגיעו לחינוך ליכא חיובא כלל מעיקרא דדינא, אמנם יש מקום של הידור בזה ובעיקר משום הרגלת גידולו של התינוק על טהרת הקודש, ולא משום נגיעה במאכלים. אבל אין לבוא על כך בהטלת אימה כל שהיא בבית ועל הקטנים שנבהלים כשתופסים אותם בע״כ ליטול ידיהם, אלא צריכים לכלכל הדברים במשפט ובאמירה נעימה ואין כל קפידא ועיכוב אם עד שירגילום לא יטלו בכמה פעמים את ידיהם, ואם יגעו במאכלים לא יטמאום כלל וכלל ופשוט עכ״ל. וע׳ בספר הליכות בית ישראל פ״א סוף הערה כב שכתב וז״ל וכן שמעתי מאם שאמר לה הגאון ר׳ משה פיינשטיין זצ״ל שאף שאין חיוב מן הדין, דבר טוב הוא ליטול ידי התינוקות ודי בפעם אחת ביום לאחר קומם משינת הלילה עכ״ל.

7. חינוך ישראל דף סג. וע׳ בשו״ת ציץ אליעזר ח״ז ס״ב ס״ק ד אם מותר ללמוד עם קטנים שדרכם לחופף ראש וליגע במנעלים עי״ש.

8. ש״ע סי״ז ס״ג קטן היודע להתעטף אביו צריך ליקח לו ציצת לחנכו. וע׳ בב״ח בד״ה קטן שכתב וז״ל ורבינו שכתב כאן דצריך לקנות לקטן ציצית לחנכו הוא לפי שעכשיו הוזהרו הכל לקנות לעצמן לפיכך צריך לקנות גם לקטן לחנכו כמו לעצמו דכל חינוך לקטן הוא שיהא רגיל מקטנותו לקיים המצוה כאשר רואה אביו עכ״ל. ביאור דבריו דאע״ג דחיובא דמצות ציצית אינו אלא כשיש לאדם בגד של ד׳ כנפות אבל אין חיוב לקנות בגד של ד׳ כנפות כדי שיתחייב במצות ציצית וא״כ איך כתב הטור דאביו חייב לקנות לו בגד. ע״ז כתב הב״ח דכיון דכבר נהגו כל העולם להביא עצמן לידי חיוב ציצית ע״י לבישת בגד של ד׳ כנפות ה״ה לקטן קונים בגד כדי לחנכו שכשיהיה גדול יהיה לבוש בגד של ד׳ כנפות. וע׳ בערוך השלחן ס״ה וז״ל שכתב הרמב״ם שכל קטן היודע להתעטף חייב בציצית כדי לחנכו במצות כלומר שאביו מחויב לקנות ליקח לו טלית [ב״ח ומג״א] והדבר תמוה הא גם הוא בעצמו אינו חייב ליקח טלית ואיך נחמיר על חינוך בנו יותר ממנו עכ״ל. ולא הבנתי תמיהתו דלפי הנתבאר הב״ח בעצמו עמד בתמיהה זו

which a child reaches the age of *chinuch* regarding the performance of the *mitzvah* of *tzitzis*. Some are of the opinion that the child should be six or seven;[9] others maintain that the age is nine.[10] The general custom, however, is that children are trained in the *mitzvah* of *tzitzis* when they become three years old.[11]

A child under the age of nine years is not required to wear a *talis katan* with the correct measurements.[12]

Children should not take off their *tzitzis* when playing ball.[13]

ותירץ דכיון דמנהג העולם הוא לקנות בגד של ד' כנפות כדי לקיים מצות ציצית ה"ה בבנו נוהגין לקנות לו בגד של ד' כנפות כדי לחנכו שכשיהיה גדול יקנה לעצמו בגד של ד' כנפות כדי לקיים מצות ציצית.

9. ב"ח סי' ט"ז ד"ה ומ"ש רבינו.

10. מג"א ס' ט"ז ס"ק א.

11. שערי תשובה ס' י"ז ס"ק ב, ערוך השלחן שם ס"ה. וע' בפמ"ג במשבצות זהב ס' תרנ"ג דכתב דאף בקטן שלא הגיעו לחינוך רשאי לומר הברכה עי"ש.

12. שו"ת אג"מ יור"ד ח"ג ס' נ"ב ס"ק ב. וע' בערוך השלחן סי' ט"ז ס"ה שכתב וז"ל אבל טלית קטן שתחת הבגדים א"צ שיעור כלל דאם רק יש בו ד' כנפות חייב בציצת עכ"ל.

13. שו"ת אז נדברו ח"ב סי' נ"ה.

3 / Tefillin

Since children are incapable of conducting themselves with the proper bodily cleanliness demanded by the sanctity of *tefillin*, there is no obligation to train them in this *mitzvah*.[1] There are different customs as to when they begin to put on *tefillin*. In some communities this occurs on the day of the *bar mitzvah*,[2] while in others it occurs two or three months prior to the day of the *bar mitzvah*.[3]

There is a dispute among the authorities if the *brocha* שֶׁהֶחֱיָנוּ is recited the first time one puts on *tefillin*.[4] It is therefore advisable to wear a new garment the first time one puts on *tefillin*, bearing in mind that the שֶׁהֶחֱיָנוּ obligation for the *tefillin* be discharged with this *brocha*.[5]

---

1. ש״ע ורמ״א סי׳ ל״ז ס״ג ומ״ב.
2. רמ״א הנ״ל.
3. מג״א הובא במ״ב ס״ק יב. ויש נוהגין להניחם חדש אחד קודם בר מצוה, ערוך השלחן ס׳ ל״ז ס״ד. וע׳ בזה בשו״ת ציץ אליעזר חי״ג ס״י.
4. ע׳ בזה בש״ך יור״ד סי׳ כ״ח ס״ק ה, ט״ז או״ח סי׳ כ״ב ס״ק א, לבוש סי׳ כ״ב בהגה, מחזיק ברכה ס׳ כב, שו״ת ח״ס או״ח סי׳ נ״ה.
5. ביאור הלכה סי׳ כ״ב ד״ה קנה, וע״ע בזה בכף החיים ס׳ כ״ב, ובספר החיים סי׳ ל״ז.

4 / Halachos of Prayer

I. Birchos HaTorah

Children who have reached the age of *chinuch* (approximately six or seven years of age) should be trained to say *Birchos HaTorah* (the blessings said each day prior to learning Torah), *Birchos Hashachar* (the various blessings one says at the beginning of the daily prayers) and *P'sukei D'zimra* (verses of praise). Children are permitted to eat before praying.[1]

II. Krias Shema

The *Poskim* disagree as to whether there is an obligation to train children regarding the *mitzvah* of *Krias Shema* [i.e. reciting three *parshiyos* morning and evening]. It is appropriate to follow the view that requires such training.[2] One should begin to train a child in this *mitzvah* between the ages of six and seven, depending on the child's intelligence.[3] As previously explained (see Chapter 1, section C), *chinuch* requires training the child in the performance of all details of a *mitzvah*. Hence one should train the child to recite *Krias Shema* at the proper time (*z'man Krias Shema*) together with all the

---

1. חנוך לנער דף לז.

2. במשנה ברכות דף כ. תנן קטנים פטורים מן ק״ש ונחלקו בזה רש״י ותוס׳ באיזו קטנים מיירי, רש״י ס״ל דאיירי אפי׳ בקטנים שהגיעו לגיל חינוך ואעפ״כ ליכא חיוב לחנכם במצות קריאת שמע וטעמא דמילתא כתב רש״י שם דאינו מצוי תמיד אצל אביו כשמגיע זמן ק״ש. ור״ת הובא בתוס׳ שם חולק על רש״י וס״ל דהמשנה מיירי דוקא בקטנים שלא הגיעו לחינוך אבל קטנים שהגיעו לחינוך מחויבים לחנכם במצות קריאת שמע. ובש״ע או״ח סי׳ ס״ב מובא שני הדיעות וסיים המחבר וראוי לנהוג כר״ת.

3. מ״ב ס׳ ע׳ ס״ק ו.

Krias Shema related *brochos* both in the morning and in the evening.[4]

A child who is able to speak should be trained to say the first sentence of *Shema* daily.[5]

III. Shemoneh Esrei

All authorities agree that a child between the ages of six and seven[6] should be trained to pray the *Shemoneh Esrei* of the morning (שַׁחֲרִית) and afternoon (מִנְחָה) services.[7]* It is customary not to train such a child to pray the evening (מַעֲרִיב) *Shemoneh Esrei*.[8]

If a child cannot pray the entire prayer service, the order of priority is as follows:

1. *Shemoneh Esrei*
2. *Krias Shema*
3. *Birchos HaTorah* and *Birchos Hashachar*

*Note: The child must be trained to *daven* at the proper time.

4. מ״ב הנ״ל.

5. מ״ב שם ס״ק ז.

6. פמ״ג א״א סי׳ ס״ק ג. וע׳ בשו״ת מן השמים ס׳ נב שמשמע שהחיוב מתחיל כשהם בני י״א שנים.

7. ש״ע סי׳ ק״ו ס״א וע׳ במ״ב ס״ק ה׳ שכתב וז״ל להתפלל י״ח ערב ובוקר ומ״מ רשאי ליתן להם לאכול קודם תפלת שחרית עכ״ל. וע׳ בשו״ת אג״מ או״ח ח״ב סי׳ צ״ח אם יש לעשות מנין לילדים כדי לחנכם להתפלל בצבור. וע׳ בספר חינוך ישראל דף עט שכתב וז״ל גם בנותיו מחוייב לחנך להתפלל, כיון דקיי״ל דגם נשים מחוייבות להתפלל בכל יום (כיון דרחמי נינהו). אלא דמהות החינוך בזה נראה דתלוי במנהגא, דלאותן שנוהגין שהגם הנשים אין מתפללות ג׳ תפלות שמונ״ע ביום רק אומרן איזה תפלה קצרה בבוקר, (שסומכין עצמן על הפוסקים דנשים יוצאים בתפלה כל דהוא במשך היום ולא הוצרכהו להתפלל ג׳ שמונ״ע ביום כמו אנשים), אז גם בנותיו סגי לחנך כך, אבל התופסים להלכה כהסוברים דנשים מחוייבות להתפלל תפלת שמונ״ע ג׳ פעמים ביום כאנשים, ממילא דגם בנותיו הקטנים מחוייב לחנך כך, עכ״ל ועי״ש.

8. כן נוהג העולם, אבל כשהקטן התבגר מחנכין אותו להתפלל מעריב. וע׳ בשו״ת שלמת חיים סי׳ פ״ח שכתב וז״ל דאפשר דתפלת ערבית כיון דהיא רשות אלא שקיבלו עלייהו אפשר בקטנים יש להקל עכ״ל.

4. *P'sukei D'zimra* (balance of the prayers)[9]

If the child omitted מַשִׁיב הָרוּחַ וּמוֹרִיד הַגֶּשֶׁם, הַמֶּלֶךְ הַקָּדוֹשׁ, טַל וּמָטָר, הַמֶּלֶךְ הַמִּשְׁפָּט or יַעֲלֶה וְיָבֹא, he should repeat the *Shemoneh Esrei*.[10]

Some authorities rule that it is permitted to walk in front of a child who is *davening Shemoneh Esrei*.[11]

IV. Birkas Kohanim

A child who is below the age of *bar mitzvah* may not recite *Birkas Kohanim* alone. However, he may recite it together with other *kohanim* who are above the age of *bar mitzvah*. This is only true if he is familiar with the *halachos* of how to perform the *mitzvah*.[12] Some have the custom that a child does not recite *Birkas Kohanim* until he reaches the age of *bar mitzvah*.[13]

---

9. חינוך ישראל דף עז.

10. חינוך ישראל דף פ.

11. א״א (מבוטשאטש) סי׳ ק״ב, וע״ע בזה בדעת תורה סי׳ ק״ב, ובשו״ת רבבות אפרים ח״ב ס׳ מ״ח.

12. ש״ע סי׳ קכ״ח ס׳ ל״ד ומ״ב.

13. ישועות יעקב הובא בספר פתחי עולם אות ע״ו וז״ל ובזמנינו אין נוהגין הקטנים לעלות לדוכן אפי׳ עם הכהנים אחרים. וע׳ בספר נטעי גבריאל הלכות יו״ט דף רכד שהביא מספר לקט הקמח החדש אות קלב שכתב וז״ל וכן לא ראינו בסביבותינו שיעלו הכהנים פחות מבן י״ג עם כהנים אחרים עכ״ל.

5 / Reciting Brochos

Children who have reached the age of *chinuch* (approximately six or seven years) should be trained to recite *brochos* before eating or performing any *mitzvah*.[1] Any adult[2] may recite a *brocha* together with a child who has reached the age of *chinuch* who cannot recite it by himself [see below], even though the adult is not in need of reciting that *brocha*.[3]

---

1. ש״ע סי׳ קס״ז סי״ט, ועי׳ מה שכתבנו בפרק א ציון 16 דחיוב חינוך מתחיל מגיל מבן שש או שבע ובספר מקור חיים [להחוות יאיר] ס׳ רס״ט כתב שהמנהג לחנכם כשהן בני ד׳ ה׳ שנים.

2. ש״ע הנ״ל והמ״ב בס״ק צ״ג כתב וז״ל ואפילו קטנים דעלמא שאין חנוכם מוטל עליו מדינא ג״כ מותר לברך עמהם כשרוצים ליהנות ואין יודעים לברך בעצמן עכ״ל. וראיתי בספר חיי אברהם בפירושו על ספר חיי אדם דף שנז שהעיר בזה וז״ל ויש להסתפק מאיזה טעם מותר לו לברך כדי להוציא קטנים דעלמא והלא לא שייך לומר שהוא מטעם ערבות, כיון שאין הקטן עצמו מחויב בדבר ומה שייך כאן ערבות, ואם הוא מטעם חינוך, לכאורה אין עליו חיוב לחנך בניו ובנותיו של חבירו, ובשלמא כשאין לו אב ח״ו, אז יש חיוב על כל ישראל אבל כשיש להקטן אב מדוע יהי׳ מותר לו לברך כדי לחנך בניו של חבירו. ומפשטות סתימת לשון המחבר משמע דלא איירי כאן במלמד תינוקות וכדומה שמוטל עליו חינוכם של קטנים אלו, כי אם בכל ישראל וכו׳ עכ״ל.

3. במטה אפרים ס׳ תרכ״ה סנ״ט כתב וז״ל ובשביל קטנים כבן ה׳ או כבן ז׳ כל חד לפום חורפי׳ מותר לברך להם אע״פ שהוא כבר יצא ובאלף למטה שם חולק על המטה אפרים וכתב וז״ל דאף בברכת הנהנין מברך להם משום חינוך היינו בברכת הנהנין שהיא ענין תדיר שהם אוכלין ושותין יש לחנכם לברך להם שכשרואין שאינם מאכילם עד שאומר הברכה יהיו מורגלים לברך בעצמם ג״כ כשיגדלו הנערים. אבל ענין סוכה שהוא אקראי בעלמא אעפ״י שמחנכו בעשיית המצוה עצמה מ״מ לברך בשבילו ולהזכיר שם שמים אפשר שאין לעשות בדבר שאינו תדיר. וסעד לסברא זו מצאתי בליקוטי מהרי״ל הלכות לולב שכתב נשאל מהרי״ל תינוקות שלא ידעו לברך מה דינם ואמר שינענו את הלולב ודים עכ״ל. ומשמע דאף בקטן שיודע לנענע קאמר הכי ולכאורה טעמא בעי ולפי מ״ש י״ל דאף בגוף המצוה מחנכין אותו מ״מ אין לברך בשבילן כשאין יודעים לברך עכ״ל וראיתי בספר חנוך לנער פי״ד הערה ו׳ שהקשה על המטה אפרים וז״ל וגבי קידוש והבדלה כתב המג״א בס׳ רע״ג ס״ק ז׳ שיכול הגדול לקדש ולהבדיל להוציא קטנים, אע״פ שכבר יצא הגדול, ולדברי האלף למטה אפשר לומר גם קידוש והבדלה הוא ענין תדיר עכ״ל. ונראה דאין להקשות על האלף למטה מקידוש והבדלה, דדווקא גבי ברכת

It is also permissible to train a child below the age of *chinuch* to recite *brochos*. The *brocha* is not considered a *brocha l'vatala* [a *brocha* said in vain].[4]

Children who have reached the age of *chinuch* should be trained to answer *amen* after hearing a *brocha*. It is customary to train children below the age of *chinuch* to answer *amen*. Our Sages have stated: תִּינוֹק מִיַּד שֶׁעוֹנֶה אָמֵן יֵשׁ לוֹ חֵלֶק לְעוֹלָם הַבָּא, "Once a child begins to answer *amen*, he acquires a portion in the World to Come."[5]

An adult may answer *amen* to a *brocha* recited by a child who has not yet reached the age of *chinuch* regarding *brochos*, in spite of the fact that the child's *brocha* is not valid.[6]

One is permitted to pronounce G-d's Name while teaching a child to properly recite *brochos*. (This also applies to situations where the child is not presently eating.)[7] If possible, the adult should merely begin pronouncing G-d's Name without completing the entire Name, and have the child continue to pronounce the Name in its entirety.[8]

סוכה דהתם עיקר המצוה הוא הישיבה ואין הברכה מעיקר מעשה המצוה בזה ס״ל להאלף למטה דאין גדול מברך לקטן בגוונא שכבר בירך לעצמו, משא״כ בקידוש והבדלה שכל המצוה הוא הברכה שפיר מברך גדול לקטן אע״פ שכבר יצא כדי לחנכו במצוה.

4. ספר חינוך ישראל דף פו.

5. רמ״א או״ח סי׳ קכ״ד ס״ז.

6. המחבר בסי׳ רט״ו ס״ג כתב והא דאין עונין אמן אחר תינוק דוקא בשעה שלומד הברכות לפני רבו שמותר ללמד לתינוקות הברכות כתקנן ואע״פ שהם מברכים לבטלה בשעת הלימוד אבל בשעה שהם מברכים לפטור את עצמן כיון דבני חינוך הם עונים אחריהם אמן והמ״ב בס״ק ט״ו כתב משמע דעל ברכה שמברך על אכילה וכה״ג קודם שהגיע לחינוך אין לענות אמן [פמ״ג בחידושיו על ברכות] עכ״ל. וכן פסק הערוך השלחן ס׳ רט״ו ס״ב. והטעם בזה הוא כיון שהקטן לא הגיע לחינוך אין שם ברכה עלה וממילא אי אפשר לענות אמן. וע׳ בששכה״כ מהדורא קמא פל״ב הערה קצ״ג שמיישב המנהג העולם שעונין אמן אחר ברכתו של קטן וכתב וז״ל וי״ל דהרי מחנכים את הקטן לענות אמן אחרי כל ברכה, וא״כ בעניית אמן על ברכתו יש בה משום חינוך, ולמה לא יענה על ברכתו וכן דעת הגרש״ז אויערבאך שליט״א עכ״ל. וכן כתב בספר חנוך לנער פי״ד הערה ד. וע״ע בזה בשו״ת שלמת חיים ס׳ קל״ד.

7. מ״ב סי׳ רט״ו ס״ק יד.

8. אשל אברהם [בוטשאטש] ס׳ קס״ז סי״ט.

I. Birkas HaGomel – ברכת הגומל

When a person survives a dangerous situation, he is required to recite the *brocha* of בָּרוּךְ . . . הַגּוֹמֵל לְחַיָּבִים טוֹבוֹת שֶׁגְּמָלַנִי כָּל טוֹב in front of ten people.[9] A child, however, is not required to recite this *brocha* until he reaches the age of *Bar Mitzvah*,[10] nor does the child's father recite the *brocha* on the child's behalf.[11]

II. Reciting Brochos in the Presence of Persons Who Are Improperly Dressed

A. Males

It is forbidden for a male to recite a *brocha** facing a male nine years of age or older who is improperly dressed (i.e. private parts are exposed).[12] It makes no difference that the person reciting the *brocha* has his eyes closed. However, one is permitted to recite a *brocha* in the presence of an unclad person, provided the individual reciting the *brocha* is not facing the unclad person.[13]

*Note: It is beyond the scope of this book to elaborate on the *halachos* concerning a *brocha* (i.e., if it need be repeated) that was recited while facing an unclad child.

9. ש״ע סי׳ רי״ט ס״ב.

10. מ״ב סי׳ רי״ט ס״ק ג. וע׳ בהגהות רע״א שם שהביא מספר לחמי תודה ס״ה דקטן מברך ברכת הגומל. וע׳ בספר בן איש חי שנה א׳ פרשת עקב הלכה ד שכתב וז״ל קטן פחות מי״ג שנים כיון שהגיע לחנוך צריך לברך, ואע״ג דיש חולקים מ״מ במקום דאיכא מנהג לברך בשם ומלכות יברך. ובמקום דליכא מנהג ידוע יברך בלי שם ומלכות מפני סברת החולקים עכ״ל.

11. ביאור הלכה סי׳ רי״ט ד״ה ואין. וע׳ בשערי תשובה סי׳ רי״ט ס״ק א׳ שכתב וז״ל ובמח״ב כתב בשם שו״ת אוהל יוסף שהאב על בנו קטן לא יברך אלא בלא שם ומלכות ע״ש עכ״ל.

12. רמ״א ס׳ ע״ה ס״ד.

13. מ״ב ס״ק כ״ט וכתב שם וז״ל ואפי׳ החזרת פנים שהותר הוא רק דוקא אם החזיר כל גופו ועומד בצד אחר דנעשית הערוה מצידו אבל אם החזיר פניו לבד לא מהני עכ״ל ועי״ש.

It is forbidden for a male to recite a *brocha* facing a female three years of age or older whose private parts are exposed or who is improperly dressed.[14] This applies even to members of one's family (e.g. wife, sister, etc.).

The prohibition of reciting a *brocha* in the presence of one's improperly dressed daughter begins at the age of eleven.[15]

Some *Poskim* rule that the prohibition of reciting a *brocha* while facing an improperly dressed female begins at an age older than three years.[16] (See Hebrew footnote.)

B. Females

It is forbidden for a female to recite a *brocha* in front of a male nine years of age or older whose private parts are exposed. It is also forbidden to recite a *brocha* in front of another female three years of age or older whose private parts are uncovered.[17] However, a female is permitted to recite a *brocha* in front of another female who is improperly dressed.

III. What Is Considered Improperly Dressed

The *halachos* of proper dress differ between boys and girls. If a boy's private parts are covered, he is considered adequately dressed.

However, for a female to be adequately dressed, the following parts of her body must be covered:

---

14. רמ״א סי׳ ע״ה ס״ד.

15. ביאור הלכה ריש ע״ה ד״ה טפח ועיין בזה בשו״ת לבושי מרדכי (בהערתו שנפסח לספר שמע ישראל ח״א ס׳ ח״י). ובשו״ת מהר״ם בריסק ח״ב ס׳ ע.

16. חזו״א או״ח סי׳ ט״ז ס״ק ח וז״ל זו שאין יצר עליהן מחמת קוטנן הדעת נוטה שלא אסרום חכמים ואין כאן שיעור בשנים אלא לפי מציאותן וקטנות גופן עכ״ל. וכן שמעתי מהגאון ר׳ ראובן פיינשטיין שליט״א שאביו מרן זצ״ל סבר כן.
אולם ראיתי בספר כבודה בת מלך דף קה שכתב וז״ל ושו״מ שכ״ד הגר״מ פיינשטיין זצ״ל שיש לחנך הקטנה בבגדי צניעות מגיל ג׳ שנים [הו״ד בספר מדריך ללימוד הלכה, שי״ל ע״י תלמידי ישיבת מיר ברוקלין עמוד 160 מספר 76.]

17. מ״ב סי׳ ע״ה ס״ק ח.

a) the area(s) below the neck
b) the elbows and above
c) the knees and above the knee.[18]

IV. Reciting Brochos in the Presence of Dirty Diapers

The area in which one recites a *brocha* must be free of waste substances[19] even if an odor does not emanate from them.[20] This applies even when it is dark or when one's eyes are closed.[21] If the waste product is behind the individual or to his side, and is not emitting an odor, he may recite a *brocha*, provided he is at least seven feet away from the substance.[22] However, a *brocha* may not be recited while facing waste substances (even if there is no odor), unless they are beyond the range of vision.[23]

The place where a *brocha* is recited must also be free of odors from waste substances. In places where an odor is present, one must be at least seven feet away from the point where the odor ends.[24] If waste substances are placed into a plastic bag, one may recite a *brocha* even while standing next to the bag, provided that an odor does not emanate from the bag.[25]

Dirty diapers from worn by child three months of age or older are considered waste. Therefore, one must refrain from reciting a *brocha* near a three-month-old child who is wearing a dirty diaper.[26]

A person reciting a *brocha* in the presence of a child wearing

---

18. ע' בכל זה בספר ותן ברכה דף 13.

19. שלחן ערוך הרב ס' ע"ט ס"א.

20. וע' בזה בספר ותן ברכה דף 18.

21. ש"ע ס' ע"ט ס"א.

22. שלחן ערוך הרב ס' ע"ט ס"א.

23. הנ"ל.

24. ע' בזה בספר ותן ברכה דף 19.

25. הנ"ל.

26. ש"ע סי' פ"א ס"א, ומסגרת השלחן סימן ה' ס"ה.

a diaper is not required to check the diaper prior to reciting the brocha.[27] However, if he smells an odor, a brocha may not be recited.

One may change a child's dirty diaper in a room in which there are *seforim* (books of Torah content). In addition, a child may be placed on a potty in a room in which *seforim* are present. It is preferable, however, that the child be taken to another room.[28]

---

27. בספר ותן ברכה דף 19 כתב ששמע כן מהגאון ר׳ יוסף שלום אלישיב שליט״א.

28. ע׳ בכל זה בשו״ת מחזה אליהו סי׳ ס״ד.1. ש״ע ס׳ קנ״ח ס״א.

6 / Brochos Before and After a Meal

I. Netilas Yadayim

Before eating bread over which the *brocha* of הַמּוֹצִיא is recited, one must wash one's hands and recite the *brocha* בָּרוּךְ...אֲשֶׁר קִדְּשָׁנוּ בְּמִצְוֹתָיו וְצִוָּנוּ עַל נְטִילַת יָדָיִם.[1]

This *brocha* is only recited when one intends to eat a piece of bread at least the size of a *k'beitzah*[2] (the volume of an egg). If the amount of bread to be eaten is at least a *k'zayis* (the volume of an olive or half an egg), many authorities rule that the *brocha* is not recited[3] while others disagree.[4] The authorities disagree as to whether one is obligated to wash the hands if the amount of bread to be eaten is less than a *k'zayis*. It is recommended that one wash one's hands before eating any amount of bread.[5]

Parents are obligated to train their children who have reached the age of *chinuch* (five or six years of age) to wash and recite the *brocha* עַל נְטִילַת יָדָיִם before eating bread. However, if the child will be eating less than a *k'zayis* of bread, the parent may rely on the authorities who do not require hand washing for less than a *k'zayis*.[6]

---

1. ש"ע ס' קנ"ח ס"א.
2. ש"ע ס' קנ"ח ס"ב.
3. ש"ע הנ"ל.
4. שו"ת אג"מ או"ח ח"ד סימן ס"א.
5. מ"ב שם ס"ק י.
6. כן נראה דכיון דהרבה פוסקים סוברים דגם גדול אין צריך נטילה.

II. Birkas HaMazon (The Blessing after the Meal)

Parents are obligated to train children of *chinuch* age (six or seven) to recite *birkas hamazon* after a meal in which they ate a *k'zayis* of bread.[7] However, the text of *birkas hamazon* varies with the child's age. A child who is unable to recite the regular text of *birkas hamazon* may recite the following abbreviated version:[8]

בְּרִיךְ רַחֲמָנָא מַלְכָּא מָארֵיה דְהַאי פִּיתָּא.*

נוֹדֶה לְּךָ יְיָ אֱלֹהֵינוּ עַל שֶׁהִנְחַלְתָּ לַאֲבוֹתֵינוּ אֶרֶץ חֶמְדָּה טוֹבָה וּרְחָבָה, וְשֶׁנָּתַתָּ לָנוּ בְּרִית וְתוֹרָה וְלֶחֶם לָשֹׂבַע. בָּרוּךְ אַתָּה יְיָ, עַל הָאָרֶץ וְעַל הַמָּזוֹן.**

רַחֵם־נָא יְיָ אֱלֹהֵינוּ עַל יִשְׂרָאֵל עַמֶּךָ, וְעַל יְרוּשָׁלַיִם עִירֶךָ וְעַל מַלְכוּת בֵּית דָּוִד מְשִׁיחֶךָ, וּתְגַדֵּל מְהֵרָה כְּבוֹד הַבַּיִת וּתְנַחֲמֵנוּ בְּכִפְלַיִם. בָּרוּךְ אַתָּה יְיָ בּוֹנֵה בְרַחֲמָיו יְרוּשָׁלָיִם, אָמֵן.***

בָּרוּךְ אַתָּה יְיָ אֱלֹהֵינוּ מֶלֶךְ הָעוֹלָם, הַטּוֹב וְהַמֵּטִיב לְכֻלָּנוּ, הוּא הֵטִיב הוּא מֵטִיב הוּא יֵיטִיב לָנוּ, הוּא גְמָלָנוּ הוּא גוֹמְלֵנוּ הוּא יִגְמְלֵנוּ לָעַד בְּחֵן וּבְחֶסֶד וּבְרַחֲמִים וִיזַכֵּנוּ לִימוֹת הַמָּשִׁיחַ.****

עוֹשֶׂה שָׁלוֹם בִּמְרוֹמָיו, הוּא יַעֲשֶׂה שָׁלוֹם עָלֵינוּ וְעַל כָּל יִשְׂרָאֵל, וְאִמְרוּ אָמֵן.

---

*Note: This replaces the first blessing of the full version of *birkas hamazon*.

** This replaces the second blessing.

*** This replaces the third blessing.

**** This replaces the fourth blessing.

---

7. ש״ע סי׳ קפ״ו ס״ב.

8. מ״ב ס׳ קפ״ז ס״ק ד. ועי״ש בשעה״צ ס״ק ו׳ שכתב וז״ל והיינו לילדים קטנים פחותים מח׳ שנה. וע׳ בספר חינוך ישראל דף צג שכתב וז״ל ואינו נכון מה שהרבה מניחים הקטנים לברך ברהמ״ז רק ברכה ראשונה וכש״כ מה שיש שאומרים לקטנים לאחר שאכלו פת שיברכו אחריו בורא נפשות, ויש תרתי לגריעותא א׳ שמחנכין אותן שלא כהלכה, ב׳ דהו״ל כספי להו איסור בידים שאומר להם לברך ברכה לבטלה וכו׳. ואם קשה להם לברך כל ברהמ״ז סגי שיברכו עד לעולם אל יחסרנו.
עוד כתב שם קטן שהגיע לחיוב חינוך ברהמ״ז אם אינו יכול לברך בעצמו (שאינו יודע לשון הקודש) יברך אביו ברהמ״ז בקול רם ויוציאנו (שו״ע ס׳ קפ״ה ושו״ע הו״ב שם ס״ד) עכ״ל.

As the child matures and becomes more capable, he or she should begin saying the regular unabridged version of *birkas hamazon*.

If the child is capable only of reciting the first *brocha* of the regular version he should do so and then continue with the abbreviated version.[9]

---

9. כן נראה והסכים לי בזה הגאון ר' ישראל הארפענעס שליט"א בעל מחבר ספר חינוך ישראל.

7 / Tznius — Modesty

I. Clothing

The *Poskim* teach us that the sanctity of the home is primarily maintained through the laws of *tznius* (modesty). *Tznius* creates an atmosphere of holiness and wholesomeness that permeates family life.

Women are halachically obligated to dress modestly.[1] The *halachah* requires that the following parts of a woman's body should be covered in public:

a. the entire torso

b. the arms down to and including the elbow

c. the legs down to and including the knee[2]

There is a dispute amongst the authorities as to the age at which a girl must begin to dress according to these standards. Some authorities rule that these standards come into force at the age of three,[3] while many others are of the opinion that they become applicable at a later age.[4] [See Hebrew footnote.]

---

1. שו״ת אג״מ יור״ד ח״א סי׳ פ״א.

2. ע׳ פרק ה׳ מש״כ בזה.

3. ביאור הלכה ריש סי׳ ע״ה ד״ה טפח. וע׳ בספר הליכות בת ישראל פ״ד הערה ז.

4. חזו״א או״ח סי׳ ט״ז ס״ק ח וז״ל דכל שאין דעתן של בני אדם עליהן מחמת קטנותן מותר עכ״ל. וכן שמעתי מהגאון ר׳ ראובן פיינשטיין שליט״א שאביו מרן זצ״ל סבר כן. ובספר כה תאמר לבית יעקב דף 139 הערה 2 כתב וז״ל ושמעתי מהגר״י קמנצקי זצ״ל שלכל הפחות עד גיל חמש מותר ולמעלה מחמש תלוי במציאות גופה כדעת החזו״א. והגאון אב״ד מדעברצין שליט״א מתיר עד לערך בת ח׳ עכ״ל.

וראיתי בספר הליכות בת ישראל פ״ד הלכה ד׳ שכתב וז״ל דצריכה ילדה להתלבש בצניעות עם הגיעה לגיל שש בערך, וככל חינוך לקיום מצוות עכ״ל. ובהערות כתב וז״ל קונטרס דיני מלבושי נשים עמוד יג־יד שחינוך לדינים הנובעים מדת יהודית נחשבים כמצות עשה ומתחילים בגיל חינוך, עכ״ל. מבואר מזה הגם דמפני קטנותן אין שייך להלביש אותן בצניעות אבל מטעם חיוב חינוך חייבים לראות שהקטנה תתלבש בצניעות. ונראה שגם מרן זצ״ל סובר שיש חיוב חינוך על זה. דע׳ בשו״ת אג״מ יור״ד חלק א׳ ס׳ קל״ז שכתב וז״ל הנה בדבר לימוד במחלקה אחת ילדים וילדות ודאי אף לקטנים וקטנות ביותר אין רוח חכמים נוחה מזה דאף שעדיין אין בהן יצר הרע וחשש

A girl must dress modestly even in her father's presence once she reaches the age of eleven.[5]

II. Wearing Pants

It is forbidden for women to wear men's pants.[6]*

Hagaon Rav Moshe Feinstein *zt''l* ruled that one should not permit a girl to wear pants once she is embarrassed to wear clothing of the opposite sex.[7]

III. Swimming

Due to the inherent immodesty of dress and conduct involved it is forbidden for men and women to go swimming together.[8] However, Hagaon Rav Shlomo Zalman Auerbach rules that a father may bring his daughter to a men's swimming pool until the age of five.[9] A woman may take her son to a

*Note: It is beyond the scope of this book to discuss the halachic issues regarding pants that were specifically manufactured for women.

הרהור מ״מ הא צריך לחנך אותם להתרחק מנשים ואת הילדות מאנשים וכשלומדים ביחד אדרבה עוד מתרגלין להיפוך להתקרב ויתרגלו מזה גם לכשיתגדלו שכבר יהיה בהן יצה״ר וחשש הרהור. ולכן אף שאין בזה שייכות חשש איסור עתה שאף אם היו גם קטנים חייבין במצות לא היה שייך בהו האיסור מ״מ הא יש חיוב חינוך עכ״ל. וכ״כ באג״מ יור״ד ח״ב סי׳ ק״ד, וביור״ד ח״ג ס׳ ע״ג, ומבואר מזה דאע״פ שקטנים כאלו אין להם יצר הרע אפי׳ הכי מצד מצות חינוך צריכין לחנכם להתרחק ילדים מילדות וכדומה. וכמ״כ בגוונא דילן בענינא דצניעות על אף שמפני קטנותן אין לנו חיוב להלבישן בצניעות אבל מפני חיובא דחינוך חייבים להלבישן כראוי.

5. ביאור הלכה ריש ס׳ ע״ה ד״ה טפח.

6. ע׳ בזה בשו״ת מנחת יצחק ח״ב סי׳ ק״ח, ובשו״ת ציץ אליעזר חי״א סי׳ ס״ב, ובשו״ת שבט הלוי חלק יור״ד סי׳ ס״ג.

7. שו״ת אג״מ אבן העזר ח״ד סי׳ ס״ב ס״ק ד.

8. ע׳ בשו״ת אג״מ אבן העזר ח״א סי׳ נ״ו, ובשו״ת שבט הלוי ח״ג ס׳ קפ״ה, ובשו״ת באר משה ח״ד סי׳ קמ״ז.

9. עי׳ בספר הליכות בת ישראל פ״ז הערה לט שהביא מהגאון ר׳ שלמה זלמן אויערבאך שליט״א וז״ל אולם בילדה עם האבא אפשר להקל יותר [עד גיל חמש או שש] מפני שהיא לא רואה שום ערוה שם, כי הגברים מכסים ערותם כנהוג עכ״ל. וכן שמעתי מהגאון ר׳ טובי׳ גאלדשטיין שליט״א.

women's swimming pool until the age of three.[10]

IV. Physical Contact

Parents are permitted to kiss their children of the opposite sex even after they are married.[11] A woman should refrain from physical contact with any male over the age of nine.[12] Likewise, a man should refrain from physical contact with a girl over the age of three.[13] Some authorities rule that this prohibition begins at a later age.[14] Grandparents may kiss or show other signs of affection to grandchildren of the opposite sex if their intent is to provide the child's parent with a good feeling regarding the child.[15]

V. Listening to a Woman Sing

It is forbidden for a man to listen to a woman sing.[16]* Hagaon Rav Shlomo Zalman Auerbach rules that this includes boys nine

---

*Note: A man may of course listen to his wife sing if he is not reciting devarim shebikdushah.[17] There is a dispute if this is permitted even when his wife is a niddah. Hagaon Rav Moshe Feinstein rules that it is proper to act stringently in this matter.[18]

---

10. הגאון ר' שלמה זלמן אויערבאך שליט"א הובא בספר הנ"ל, וכ"כ בספר חינוך ישראל דף קמז.

11. ע' ש"ע אבן העזר סי' כ"א ס"ז ובית שמואל ס"ק ז. וע' ערוך השולחן אבן העזר סימן כא ס"ק י.

12. הגאון ר' יוסף שלום אלישיב שליט"א הובא בספר הליכות בת ישראל מהדורא האנגלית פ"ז הערה 29.

13. הנ"ל וע' בשו"ת באר משה ח"ד ס' קמה.

14. כן שמעתי בשם מרן הגר"מ פיינשטיין זצ"ל ואמר שתלי' במה שסובר החזו"א הובא לעיל בציון 4.

15. ערוך השולחן אבן העזר סימן כ"א ס"ק י וסיים דבריו וכך נהגו מגדולי החכמים.

16. ש"ע אבהע"ז סי' כ"א ס"א.

17. בית שמואל אבן העזר ס' כ"א ס"ק ד.

18. שו"ת אג"מ יור"ד ח"ב ס' ע"ה.

years of age and older.[19] This prohibition begins when the woman reaches the halachic status of being a *niddah*. Today, all girls over the age of eleven are assumed to have reached this status.[20]

The above *halachos* have a very practical application: When guests are present at the Shabbos table the participation of family members is problematic. Some *poskim* forbid participation of sisters[21] or daughters[22] even when no guests are present. This is so if the girl is above age eleven.[23] Others express a lenient view that families may sing together.[24]

---

19. הובא בספר הליכות בת ישראל מהדורא אנגלית דף 93 הערה א׳.

20. מ״ב סי׳ ע״ה ס״ק יז.

21. ע׳ בספר הליכות בת ישראל דף פה שכתב וז״ל ולענין שמיעת קול אחותו ע׳ בספר טהרת עם ישראל (להרה״ג ר׳ שאול וגשל שליט״א) עמוד 53 שלכאורה לא שייכים לגביה אסורי קרבות לעריות, או הרהור, וגם מצינו שלגבי כמה ענינים אין דין אחותו שווה לשאר עריות (יחוד, חיבוק ונישוק ועוד) ועל כן יש לצדד להקל שמיעות קולה בין נדה ובין נשואה, אמנם סיים שכבר נתפרסם מפי השמועה שהחזון איש זצ״ל אסר קול אחות ושכן שמע מקצת מגאוני זמננו עכ״ל.

22. ע׳ בשו״ת באר שבע בקונטרס באר מים חיים אות ג כתב וז״ל לכן ראוי ונכון לכל אשה כשרה יראת ה׳ בין שהיא נשואה בין שהיא פנויה בתולה או אלמנה שלא תשמיע קול שיר בזמירות ולא בשום דבר בשום זמן כל זמן שמיסב עמה איש שהיא ערוה עליו רק שפתיה יהו נעות וקולה לא ישמע כלל ועיקר כי אף אם היא צנועה וחסודה ביותר וכוונתה רצויה לשמים מכל מקום היא מצוה הבאה לידי עבירה חמורה לפי שאולי יבא האיש השומע קולה לידי הרהור והרהורי עבירה קשים מעבירה עצמה והיא צריכה להזהר שלא יכשלו בני אדם על ידה כדאיתא בפרק היה נוטל אמר רבי יוחנן למדנו יראת חטא מבתולה דרבי יוחנן שמעה להה׳א בתולה דנפלה אאפה וקאמרה רבש״ע בראת גן עדן ובראת גיהנם בראת צדיקים ובראת רשעים יהיה רצון מלפניך שלא יכשלו בי בני אדם ע״כ. ואל תשיבני מדכתיב ותשר דבורה וברק בן אבינועם וגו׳ כמו שנשאלתי מן אשה משכלת. כי יש לומר על פי הדבור שאני וכיוצא בזה ממש תירצו התוספות בפרק החולץ להא דכתיב גבי דבורה והיא שפטה את ישראל והלא הלכה רווחת בישראל דאשה פסולה לדון כדאיתא בהדיא בירושלמי דיומא עיין שם עכ״ל. וע״ע בזה בשו״ת אז נדברו ח״ט ס׳ נט.

23. ע׳ בכל זה בספר הליכות בת ישראל מהדורא האנגלית דף 98 בשם הגאון ר׳ יוסף שלום אלישיב שליט״א. וע״ע בזה בשו״ת שרידי אש ח״ב ס׳ ח, ובאז נדברו ח״ג ס׳ ע״א.

24. המחבר בס׳ ע״ה ס״ג כתב וז״ל יש ליזהר משמיעות קול זמר אשה בשעת ק״ש וע״ז כתב הרמ״א ואפי׳ באשתו אבל קול הרגיל בו אינו ערוה, ובפשטות הביאור בדברי הרמ״א דקול הרגיל הוא קול דיבור אבל קול זמר אסור אפי׳ בקול הרגיל עי״ש בפוסקים. אולם בספר עטרת צבי (תלמיד הב״ח) פי׳ פירוש אחר בדברי הרמ״א וז״ל בסק״י אבל

VI. Marital Relations

Marital relations between husband and wife are permitted in the presence of an infant. Once the infant begins to speak sentences, this is forbidden unless a barrier is placed in front of the infant to block its view.[25]

קול הרגיל אפי׳ קול זמר הוא דרגיל בה אינו באה לידי תאוה עכ״ל. מבואר מדבריו דגם קול של זמר מותר כשרגיל בה. ולפ״ז בליל שבת כשמזמרים ביחד אח ואחות או אב ובת כיון דקול רגיל בו אין כאן איסור. ובספר הליכות בת ישראל מהדורא אנגלית פרק ו׳ הערה 21 כתב כן בשם הגאון ר׳ ח.פ. שיינבערג שליט״א ללמד זכות על אלו הנוהגין כן וכתב שם דהגאון הנ״ל לא התיר רק כשמזמרים זמירות בסעודת שבת.

25. ש״ע ס׳ ר״מ ס״ו, וערוך השלחן שם סי״א.

8 / Kashrus

I. Laws Pertaining to Eating Dairy After Meat

There are varying customs among adults regarding the time one must wait after eating meat or chicken before partaking of dairy products.[1] With respect to children, the laws are as follows:

Healthy Children:

a. A child under the age of three may eat dairy products immediately after eating meat. The child's mouth should be externally cleaned of any meat residue.[2]

b. A child between the ages of three and six should wait, if possible, one hour after eating meat before partaking of dairy products.

c. After a child reaches the age of six, he or she should wait the full adult amount of time after eating meat.[3] However, if the child is thirsty and wants to drink milk or insists upon eating a dairy product, one may be lenient and have the child wait only one hour,[4] providing the child is younger than nine or ten years of age. The child should rinse his mouth to remove all meat residue.

Weaker Children:

A child who requires milk because of his weak physical condition may recite the *brocha acharonah* after his meat meal, clean his mouth, and wait only one hour.[5]

---

1. ש״ע ורמ״א סי׳ פ״ט ס״א.

2. הגאב״ד דדעברעצין נדפס בסוף ספר פתחי הלכה הלכות כשרות.

3. הנ״ל.

4. שו״ת חלקת יעקב ח״ב סי׳ פ״ח ופ״ט.

5. ערוך השלחן ס׳ פ״ט ס״ז.

II. Eating Non-Kosher Food

In Chapter One we learned that one is not required to prevent a child below the age of *chinuch* from transgressing any prohibited act. Practically, however, this does not apply to a child who is eating non-kosher food. The *Poskim* state that it is proper that a child be restrained from eating non-kosher food since it is מְטַמְטֵם אֶת הַלֵּב וְגוֹרֵם לוֹ טֶבַע רָע: *It dulls the heart and causes him to have an evil nature.*[6]

A woman who, due to health reasons (i.e. a life-threatening condition), is permitted to eat non-kosher food, should not nurse a child, in order to prevent the child from receiving non-kosher nourishment.[7]

Note: It is beyond the scope of this book to discuss the laws pertaining to a mentally ill child who is to be placed in an institution where non-kosher food is served.[8] A competent *halachic* authority should be consulted.

---

6. רמ״א יור״ד סי׳ פ״א ס״ז ועי״ש בש״ך ס״ק כ״ו.

7. רמ״א יור״ד ס׳ פ״א ס״ז.

8. ע׳ בזה בשו״ת אג״מ או״ח ח״ב סי׳ פ״ח, וע״ע בזה בשו״ת ציץ אליעזר חי״ד סי׳ ס״ט.

9 / Talmud Torah

I. Obligation

There is a מִצְוַת עֲשֵׂה מִדְאוֹרַיְיתָא (a positive Torah command-
ment)[1] for a father to teach his son Torah as it is stated in
Devarim 11:19: וְלִמַּדְתֶּם אֹתָם אֶת בְּנֵיכֶם. If the father is incapable
of teaching the child, he should hire someone to do it for him.[2]
Nowadays, the father's obligation is fulfilled by enrolling
the child in a yeshiva and paying his tuition. Even though a
child attends a yeshiva, the father should, nevertheless, set
aside time in order to learn with his son.[3] Women are not
obligated to teach Torah to their children. However, women
who help and encourage their sons and husbands to study
Torah share in the immense reward given to those who engage
in Torah study.[4]

II. When Does the Obligation Begin

A father is obligated to teach Torah to his son as soon as he
begins to talk. He begins by teaching the child to say the *posuk*
תּוֹרָה צִוָּה לָנוּ מֹשֶׁה and the first *posuk* of *Krias Shema*. As the
child progresses, he should teach the child additional sentences[5]

---

1. סמ"ג מצות עשה יב.

2. שלחן ערוך הרב הלכות תלמוד תורה פ"א ס"א בקונטרס אחרון.

3. חינוך ישראל דף רלה.

4. רמ"א יור"ד ס' רמ"ו ס"ו.

5. שו"ע יור"ד סי' רמ"ה ס"ה וע' בערוך השלחן ס' רמ"ה סי"ג שכתב וז"ל תנן באבות
(פ"ה) בן חמש למקרא בן עשר למשנה בן ט"ו לתלמוד והפוסקים לא הביאו זה ונראה
מפני שבימיהם שהיה כל המקרא כתוב בלא נקודות כס"ת שלנו והיו צריכים להיות
בקיאים בע"פ בנקודותיהם וטעמיהם וקרי וכתיב וחסרות ויתרות היו צריכים לזה חמשה
שנים משא"כ בזמנינו זה וכן המשנה היו לומדים בע"פ בכל מחלוקת התנאים משא"כ

[i.e. *pesukim* that help strengthen the belief in *Hashem.*] When the child reaches the age of three, he should be taught the letters of the *aleph bais*.[6]

III. Paying Tuition From Ma'aser Money

There is a dispute among the authorities as to whether or not one is permitted to pay for tuition with funds set aside for *ma'aser*. It is beyond the scope of this book to give a ruling on this matter. A competent halachic authority should be consulted.[7]

IV. Talmud Torah for Girls

One is obligated to assure that his daughters learn the parts of Torah that pertain to them and their responsibilities in performing *mitzvos*. This includes all prohibitions [i.e. laws of Shabbos, etc.] and all positive commandments that they are obligated to perform [i.e. reciting *kiddush*, etc.].[8] Hagaon Rav Moshe Feinstein *zt"l* ruled that it is forbidden to teach *Gemara* or *Mishnah* to a girl.[9]

Girls should be taught those portions of the Oral Torah and other writings that will enhance their piety or provide suitable spiritual inspiration.[10]

בזמה"ז והרי אנו רואים שכמעט הוא מהנמנעות לעסוק במקרא ה' שנים ובמשנה ה' שנים ועוד שהתלמוד בבלי כלול מכולם כמ"ש ר"ת בקדושין (ל') ע"ש.

6. רמ"א יור"ד ס' רמ"ה ס"ח.

7. עיין ביאורים בסוף הספר.

8. רמ"א יור"ד ס' רמ"ו ס"ו.

9. שו"ת אג"מ יור"ד ח"ג סי' פ"ז שכתב וז"ל עכ"פ משניות שהוא תורה שבע"פ צוו' חכמים שלא ילמדום והוא כאילו למדום תפלות עכ"ל ועיי"ש. וע"ע בזה בשו"ת מאזנים למשפט ח"א סי' מ"ב.

10. ליקוטי הלכות מס' סוטה דף כא.

10 / Yichud

The laws of *yichud* are also applicable to adults raising children. The laws are very complex and it is beyond the scope of this book to elaborate on all of them. We will therefore only discuss some of the basic principles and their practical applications.

Yichud is the term used to describe the seclusion of an improperly chaperoned male and female in a manner in which they are unlikely to be disturbed. The prohibition applies regardless of whether either individual is single or married.

I. Basic Rules

A. The Prohibition

Many authorities concur that *yichud* of one man and one woman is a Torah prohibition.[1] The Sages further prohibited *yichud* of one man with two women[2] (see below for further

---

1. הבאר הטיב באבן העזר סי׳ כ״ב ס״ק א כתב וז״ל תוס׳ וטור כתבו יחוד מדארייתא, וכ״כ הסמ״ג בלאו קכא, והחינוך ס׳ קפ״ח וכ״כ הטור ריש ס׳ כ״ב. ויש מחלוקת אחרונים מה הוא שיטת הרמב״ם בזה. דע׳ ברמב״ם פכ״ב מהלכות איסורי ביאה ה״ב שכתב וז״ל ואיסור יחוד הוא מדברי קבלה עכ״ל. הב״ח בריש סי׳ כ״ב למד בשיטת הרמב״ם שהוא סובר דיחוד הוא רק איסור דרבנן, אולם מהמגיד משנה שם בהלכה ג׳ משמע שהוא סובר בשיטת הרמב״ם דיחוד הוא איסור מן התורה. וראיתי באוצר הפוסקים ס׳ כ״ב ס״ק א שכתב וז״ל גם בארעא דרבנן מערכת י׳ אות רפ״ח אחר שכתב דיחוד אסור מהתורה, הוסיף דאף שהרמב״ם כתב שהוא מהקבלה, זהו לסברתו דכל דבר שאינו מפורש בכתוב לא קרי לי׳ דבר תורה וכו׳ והביא מהמבי״ט בקרית ספר שכתב איסור זה מפי הקבלה ורמזוה על המקרא וכו׳ ויחוד בעריות הוא שאסרה תורה עכ״ל ועי״ש. ויחוד עם פנוי׳ שאינה נדה לכ״ע אסור רק מדרבנן. ויחוד עם פנוי׳ נדה נחלקו האחרונים אם אסור מן התורה ע׳ ערוך השלחן ס״א ובשו״ת נודע ביהודה תנינא אבהע״ז ס׳ לז.

2. פתחי תשובה ס׳ כ״ב ס״ק א, וע׳ בשו״ת מהרש״ם ח״ג ס׳ קנ״ב שסובר דגם עם נשים הרבה יש איסור יחוד מן התורה עי״ש.

explanation), a Jewish male with a non-Jewish female, and a Jewish female with a non-Jewish male.[3]

B. Age at Which the Prohibition Begins

The age at which *yichud* is forbidden differs for males and females. A man may not be alone with a girl who is above three years of age;[4] a woman is prohibited to be secluded with a boy over nine years of age.[5] There is *no* prohibition of *yichud* between a boy below the age of thirteen and a girl below the age of twelve.[6]

---

3. ש״ע אבהע״ז סי׳ כ״ב ס״ב.

4. ש״ע סי׳ כ״ב סי״א. ועי׳ בשו״ת אג״מ אבן העזר ח״ד ס׳ ס״ה ס״ק יב וז״ל דלא אסרה תורה ולא רבנן אלא כששייך לחוש לעבירה דזנות, דהוא דוקא מבת ג׳ ולהלן דראויה לביאה, אבל אחרי שהוא דוקא כשאיכא חשש ביאה איך שייך לומר דאיכא חשש ביאה ביחוד בעלמא כשלא נמסרה לו מאביה או מאמה בפירוש כדי לבועלה דהא איכא לקטנה שרחמה צר ודאי כאב וצער גדול מאד בביאה דגדול, ולקטנה כזו אין לה תאות תשמיש שלא תרגיש בהכאב שיש לה שכתבו התוס׳ בשם הר״י בכתובות דף לט. ד״ה צער ואף גדולות בביאה ראשונה להחתן יש שצועקות מהכאב ויש גם שאין מניחות להחתן לגמור הבעילה אף שרחמן הוא ראוי לבעילה, ואף גדולות כשרחמן צר מעט מדרך שאר נשים יש שאין הבעל יכול לבעול כמפורש בתוס׳ יבמות דף סה וכו׳ וגם הא יהיה דם הרבה שגם בשביל זה תצעק ואף במקום שלא ישמע קולה הא ודאי תספר לאביה ולאמה מה שעשה לה פלוני, וגם בלא יסורים הא ברור לכל קטנה בת ג׳ ואף בת חמש ואולי עוד יותר יספרו כל מה שאירע להן אף דברים שהיה להן הנאה אם הוא דבר משונה מה שאין מצוי שיעשה לה, ואם לא תבין לומר בדברים תראה בידה על אותו המקום ויבינו מזה שבעלה, שא״כ אין לנו לחוש לאיסור יחוד שלא נאסר בשביל ביאת אונס ולא נאסר כשאפשר להודע כגון שהיה שם קטן וקטנה שידעו לספר מה שראו וא״כ כ״ש שיחוש למה שברור לו שהיא עצמה תספר לאביה ולאמה, וא״כ איך שייך לאסור יחוד עם בת ג׳ שנים ואף אם בת ד׳ וה׳ שנים ואולי גם עם בת שש ושבע שנים לא שייך לאסור היחוד דהוא כברור להמתייחד דאם יזנה עמה תספר לאביה ולאמה עכ״ל. ועי״ש שהסביר החילוק למה בזמן החז״ל אסור יחוד עם בת ג׳ ולבסוף מסיק שם אבל בזמננו ודורות אחדים שלפנינו הרי הא לא שייך לחוש כלל ולכן איני רוצה להורות בזה לא היתר ולא איסור, אבל איני מוחה באלו המקילין עכ״ל. ושמעתי ממרן זצ״ל שבעת הצורך יכולים להקל עם יחוד עד בת שבע.

5. ש״ע הנ״ל.

6. דבר הלכה פרק ב׳ הלכה ח׳ כתב וז״ל קטן שהוא פחות מבן י״ג שנה מותר להתייחד עם קטנה פחותה מבת י״ב. ובהערות כתב וז״ל זל״ק של המהרש״ל ביש״ש שלהי קדושין ס׳ כ״ב, כתב בסמ״ג לא גזרו אלא על יחוד שיהא האיש בן י״ג והאשה בת שלש ותימא אם צריכים להיות בר עונשין א״כ גבי דידה נמי תבעי י״ב שנים ויום אחד ואי לא בעי בר עונשין אלא שיהו ראוין לביאה א״כ גבי זכר נמי תסגי בט׳ שנים ויום אחד וכו׳

C. Time Period of Yichud

Many authorities agree that *yichud* is prohibited only if the man and woman remain secluded and undisturbed for a minimum amount of time.[7] Some rule that a seclusion period of five minutes or more constitutes *yichud*.[8] It is important to note that if the *possibility* of remaining undisturbed for five minutes exists, seclusion is prohibited, even if the persons involved intend to remain in seclusion for less than that total period of time.[9]

וצ״ל דהסמ״ג סבר דעכ״פ צריך שיהא אחד בר עונשין ואפ״ה אם הוא בן י״ג שנים אסור להתייחד אם אשה אפי׳ היא בת ג׳ שראוי לביאה, ואם היא בת י״ב שנים אסורה נמי להתייחד עם מי שהוא בן ט׳ שנים שראוי לביאה וכן משמע מהרמב״ם למעיין בו עכל״ק וזל״ק של הב״ח והכי נקטינן כרמב״ם דגדול בן י״ג ויום אחד אסור להתייחד עם הקטנה בת ג׳ ויום אחד, וגדולה בת י״ב שנים ויו״א אסורה להתייחד עם קטן בן ט׳ ויום אחד וכן כתב הסמ״ג עכ״ל.

וע׳ בשו״ת שבט הלוי ח״ה ס׳ ר״ד ס״ק ג אחר שהביא דברי הסמ״ג כתב ע״ז וז״ל ולע״ע לא ידעתי בענייי למה לא שייך גדר חינוך גם בקטן וקטנה מאיסור יחוד דהא חינוך שייך להלכה גם בפרישה מאיסורים, והוא ענין חמור של עריות, ואפי׳ יחוד פנויה שהוא דרבנן, והבת פחותה מבת י״ב לא הגיע עדיין לנדות מכ״מ גם בדרבנן שייך חינוך, ובפרט ענין המורגל הרבה כיחוד עכ״ל וע׳ בספר בירורי הלכות דף עא מה שהעיר ע״ז ודבריו צריכין עיון.

7. שו״ת אג״מ אבן העזר ח״ד ס׳ ס״ה ס״ק טז, הסכמת הגאון ר׳ שלמה זלמן אויערבאך שליט״א וז״ל ולענ״ד נראה דהן אמנם שיחוד במקום שאי אפשר לשהות כשיעור טומאה לאו יחוד הוא כלל ופשוט הוא כביעתא בכותחא שגם להסוברים דיחוד אסור מה״ת ואיכא עלי׳ איסור עשה אפי׳ הכי לא שייך בכגון דא לחשוש ולאסור משום חצי שיעור שהרי גם אם הפתח פתוח לרה״ר איכא נמי שעה פורתא שהם ביחידות אשר אי אפשר כלל לשום אדם לראותם ואפי״ה שרי ולכן אך למותר הוא להאריך בזה עכ״ל.

8. בשו״ת אג״מ אבה״ז ח״ד ס׳ ס״ה ס״ק כב כתב וז״ל והשיעור אם הוא גס בהאשה שנכנסה עמו הוא אסור בשיעור ביאה דהוא כדי לצלות ביצה ולגומעה וכו׳ אך צריך נוסף לזה קצת כשיעור לשכב ולפשוט מהבגדים עד כדי שיהא האפשריות לגלות את האברים וגם להלביש כמתחלה ואם מצד השכיבה נתלכלכו הבגדים לתקנם כמתחלה כדרך ההולכים בשוק, ואם אינו גס בה הא צריך עוד זמן כדי לרצותה וכו׳ שלזה לא שייך קביעות שיעור וכו׳ עי״ש. וע׳ בשו״ת מנחת יצחק ח״ד ס׳ צד שכתב דהשעור יחוד הוא ה׳ מינוט. ובספר קובץ הלכות יחוד דף ה כתב שכן הוא דעת הגאון ר׳ ט. גאלדשטיין שליט״א. וע׳ בספר דברי סופרים הלכות יחוד בס״ק ד שכתב וז״ל יש אומרים דאיסור ייחוד הוא אפי׳ באופן שאין לחוש שיבוא עליו עכשיו דמ״מ חיישינן שמחמת הייחוד תתקרב דעתם וכבר יעשו תחבולות לזנות במקום אחר, ולפי זה לכאורה אף היכא שאינם יכולים להתייחד כאן כדי ביאה אסור עי״ש וע״ע בשו״ת חלקת יעקב ח״ב סי״ד.

9. ע׳ בהסכמת הגאון ר׳ שלמה זלמן אויערבאך שליט״א לספר דבר הלכה.

II. Yichud Among Family Members

The prohibition of *yichud* does not apply to a man and his natural mother, grandmother, daughter or granddaughter. Likewise, a woman is permitted to remain alone with her natural father, grandfather, son or grandson.[10] *Yichud* between a brother and sister is also permitted,[11] but only on a temporary basis,[12] (see Hebrew footnote). Hagaon Rav Moshe Feinstein *zt''l* therefore ruled that parents should not leave siblings (e.g. a brother and sister) alone when going away for an extended period of time.[13]

Yichud is forbidden between a man and his mother-in-law, sister-in-law, daughter-in-law, aunt, niece or female cousin. Likewise, *yichud* is prohibited between a woman and her father-in-law, brother-in-law, son-in-law, uncle, nephew or male cousin.[14]

---

10. ש״ע אבה״ז ס׳ כ״ב ס״א, וע׳ ב״ח ריש סימן כ״ב שכתב וה״ה כל יוצאי חלציו.

11. ע׳ בציון 12, ובסימן כ״א בחלקת מחוקק ס״ק ט׳.

12. חלקת מחוקק ס״ק א׳ ומקור לזה הוא בקידושין דף פא: אמר רב יהודה אמר רב אסי מתייחד אדם אחותו, ורש״י כתב שם לפרקים אבל אינו דר תמיד ביחוד אצלו בבית. ויש כמה דיעות באחרונים מה נקרא קביעות שאסור להתייחד אם אחותו, בשו״ת אמרי יושר ח״ב ס׳ מ״ג כתב דעד ל׳ יום מקרי עראי ואח״כ נקרא בקיעות. מרן זצ״ל באג״מ אבע״ז ח״ד ס׳ ס״ד ס״ק ג כתב וז״ל אלא הנכון לדינא כדכתבתי שהוא שיהא ביאתו לביתה באופן הניכר שהוא רק לבקר ולהתארח וגם שלא ישהא יותר משיעור הרגילות באותו מקום להתארחות וגם יש חלוק בין בא ממקום רחוק לבא ממקום קרוב. בשו״ת שבט הלוי ח״ה ס׳ ר״א ס״ק ב דבג׳ לילות כבר נקרא דירת עראי ואסור עי״ש.

13. בשו״ת אג״מ אבהע״ז ח״ד ס׳ ס״ד ס״ק ג כתב וז״ל ואין חוששין האב והאם להניחם לבדם שעות טובא שהולכים מהבית לאיזו שמחה וגם לטיול בעלמא ולפעמים אף על איזה ימים ולכאורה הם כדרים יחד תמיד שאסור עם אחותו וכו׳ שלכן אין לאסור אלא להניחם זמן גדול שהוא יותר מהרגילות שיהיו ביחוד ומזה באו להקל אף להניחם זמן גדול שלא כדין, וצריך להזהיר לאלו שיש להם בביתם רק בן אחד ובת אחת שאם ירצו לילך לזמן גדול כנסיעה לבקר ארץ ישראל וכדומה שיראו שילינו שם עוד מהקרובים וממכירים באופן שלא יהיה יחוד.

14. יחוד עם שאר קרוביו נחלקו הפוסקים ואעתיק שיטות האחרונים בזה בגמרא קידושין דף פא: איתא אמר רב יהודה אמר רב אסי מתייחד אדם אם אחותו ודר עם אמו ועם בתו ורש״י בד״ה ודר כתב טעם ע״ז וז״ל דלא תקיף יצריה עלייהו דאהנו ביה אנשי כנסת הגדולה דלא מגרי בקרובתא מכי כחלינהו ונקרינהו לעיניה וכו׳ עכ״ל וע׳ ברש״ש

Adopted Children and Stepchildren

Most authorities rule that *yichud* is forbidden between a man and his adopted daughter or stepdaughter above the age of three, or between a woman and her adopted son or stepson above the age of nine.[15] This applies even if the child is unaware of his or her adoptive status[16] (see Hebrew footnote for the opinion of Hagaon Rav Moshe Feinstein *zt''l*).

שם שכתב דאליבא דהטעם של רש״י דאחותו דקאמר רב יהודה לאו דווקא אלא ה״ה שאר קרובות ונקט אחותו לרבותא דאף שהיא עמו ראשון בראשון כאב עם בתו ובן עם אמו אפ״ה יחוד לפרקים הוא דשרי אבל לא בתמידות עכ״ל. מבואר מדברי הרש״ש דגם שאר קרובות מותרים ביחוד וכיון דלא מחלק באיזו קרובות משמע דגם קרובות ע״י קידושין כגון חמותו וכלתו נכללים בהיתר זה. וע׳ בלבוש אבהע״ז ס׳ כ״ה ס״א שכתב אל תניחוני להתייחד עם בתי או כלתו ואף על פי שאין איסור בזה עכ״ל. וכ״כ בשו״ת שלמת יוסף סי׳ ל״ד. ודעת מרן זצ״ל באג״מ אבהע״ז ח״ד ס׳ ס״ד ס״ק א שרק אחות אביו ואחות אמו אין כאן איסור יחוד, אבל שאר קרובים יש איסור יחוד וע״ע שם בס׳ ס״ג.

אבל יש פוסקים שסוברים דרק באחותו אין כאן איסור יחוד אבל בשאר קרובות יש איסור יחוד והם, שו״ת אמרי יושר ח״ב סי׳ מ״ג וכתב על דברי הרש״ש והדבר מבהיל שבדה בלבו היתר כזה וכו׳.

וע׳ בספר קובץ הלכות יחוד דף ח שהביא עוד פוסקים שסוברים כהאמרי יושר וכתב שם וז״ל ולהלכה נקטו האחרונים לאסור יחוד בכל הקרובים עכ״ל.

15. בספר בירורי הלכה (מהרה״ג ר׳ אלעזר בריזל) בקונטרס זכרון עקידת יצחק דף קא הביא נוסח שחתמו עליו הרבה גאונים וז״ל אנחנו הח״מ מצטרפים בזה להזהיר את המאמצים ילדים או ילדות לא להשכיח מהם שמות ההורים האמיתיים ולהזהיר על איסור היחוד וחיבוק ונישוק וכו׳ עי״ש. וע׳ בספר דבר הלכה ס״ז הלכה כ׳ שכתב וז״ל והזהיר מרן החזו״א ז״ל על איסור יחוד הנער עם חורגתו כשאין שם אביו עכ״ל.

דעת מרן הגאון ר׳ משה פיינשטיין זצ״ל שונה משאר פוסקי זמנינו ביחוד עם בנים מאומצים דע׳ בשו״ת אג״מ אבהע״ז ח״ד סי׳ ס״ד ס״ק ב׳ אחר שהביא ראיה מגמרא סוטה כתב וז״ל וצריך לומר דיירא מאשתו שתהא חושדתו שבחזרתה תחקור ותדרוש לבתה ולהיתומה ויגלו לה שלכן מאלו שנמצאין בבית תדיר עמו ואם אשתו אין לאסור אף אם נזדמן איזו זמן קצר שלא היתה אשתו ונשאר הוא לבדו עם בתה ועם היתומה שמגדלין וכן להיפוך אם היא נשארה זמן קצר עם בנו ועם יתום שמגדלין. ואם מתה אשתו בעצם יש לו ליזהר שלא יתייחד עם בתה ועם היתומה.

וע׳ בשו״ת ציץ אליעזר ח״ז ס׳ מ״ד שמקיל ג״כ באיזו אופנים באיסור יחוד לבנים מאומצים עי״ש.

16. דבר הלכה ס״ז ס״ב.

III. Conditions Under Which the Yichud Prohibition May Not Apply

A. Two Men

Some authorities permit one woman to be alone with two men who are not *prutzim*[17] [according to some authorities, *prutzim* are persons who are lax in their observance of the laws governing relationships between the sexes][18] during the day and early evening hours, provided both men are awake. At night (i.e. during sleeping hours), it is only permitted with three men who are not *prutzim*,[19] even if some of the men are sleeping,[20] provided the doors are left open.

B. Three Women

Some authorities permit a man to be alone with three women during the daytime and early evening hours.[21] One should consult a Torah authority as to when to rely on these authorities.[22]

C. בַּעְלָהּ בָּעִיר – Her Husband Is in Town

It is permitted for a man to remain alone with a woman whose husband is in town.[23] According to some authorities, this leniency applies only if the husband a) knows of his

---

17. רמ״א אבהע״ז ס׳ כ״ב ס״ה וע׳ בשו״ת ציץ אליעזר ח״ו דף קעד שכתב וז״ל כל האמור יתנו עדיהן ויצדקו דאפשר לצאת בשופי ביד רמ״א ע״ש. אמנם המחבר שם חולק וסובר דלא תתייחד אשה אחת אפי׳ עם אנשים הרבה.

18. ע׳ בזה בשו״ת ציץ אליעזר ח״ו דף קעה.

19. רמ״א אבהע״ז סי׳ כ״ב ס״ה. וע׳ בבית שמואל בס״ק ט שביאור למה בענין ג׳ בלילה.

20. ע׳ בשו״ת טוב טעם ודעת במהדורא תליתאי ח״א ס״ה.

21. רמ״א סי׳ כ״ב ס״ה, אולם דעת המחבר הוא שאסור לאיש להתייחד אפי׳ עם נשים הרבה, ובשו״ת אג״מ אבהע״ז ח״ד ס׳ ס״ה ס״ק יד הכריע שם להחמיר כשיטת המחבר.

22. שו״ת אג״מ אבהע״ז ח״ד ס׳ ס״ה ס״ק כ׳ בדעת הרמ״א עי״ש.

23. ש״ע אבהע״ז סי׳ כ״ב ס״ח. אמנם יש כמה אחרונים שלכתחילה חוששין לשיטת רש״י שבעלה בעיר לא מהני להתיר איסור יחוד [עי׳ חלקת מחוקק בס״ק יב, חכמת אדם כלל קכ״ו ס״ק ב.]

wife's whereabouts;[24] and b) can appear at any time unannounced.[25]

Similarly, a man may be alone with any number of women, provided the husband of *one* of them is in town *and* the above conditions are satisfied. Since the wife will be restrained from any improper behavior, the other women will be inhibited as well.[26]

However, in both the above-mentioned cases, if a special attraction or close friendship exists between the man and the woman, particularly if they are related, this leniency (husband in town) does *not* apply.[27]

D. שׁוֹמֵר — A Chaperon

A שׁוֹמֵר (literally "watchman") is one whose presence discourages improper behavior. Therefore, a man and woman may remain together in closed quarters when accompanied by a proper chaperon.[28] The following are several examples of a שׁוֹמֵר:

---

24. ע׳ בפתחי תשובה סי׳ כ״ב ס״ק ז שמביא בשם הבינת אדם כלל קכ״ו ס״ז דההיתר של בעלה בעיר הוא דווקא בביתה שדרה שם אבל אם היא הולכת לבית אחר אע״פ שבעלה בעיר לא שייך לומר דמסתפי מבעלה כיון שאין שהוא אינו יודע היכן היא נמצאת. וע׳ בשו״ת אג״מ אבן העזר ח״ד ס׳ ס״ה ס״ק כא שכתב לבאר דברי החכמת אדם וז״ל ומש״כ החכ״א דדוקא בביתה ליכא איסור יחוד אבל כשתלך לבית אחר איכא איסור יחוד נמי הוא דווקא כשהלכה למקום שאין רגילה ללכת לשם אבל אם רגילה לילך לשם דכשלא ימצאנה בבית יש לו להבין שהלכה לשם הוא כיודע המקום שהלכה לשם ואין לאסור עכ״ל.

אולם ע׳ בספר דבר הלכה ס״ז ס״ק ד שהביא שיטות שסוברים שאפי׳ האשה בטוחה שבעלה לא יכול לבא לביתו אם הוא בעיר מותרת להתייחד עיי״ש.

25. ע׳ בזה בשו״ת אג״מ אבהע״ז ח״ד ס׳ ס״ה ס״ק ז, ובשו״ת שבט הלוי ח״ה סי׳ ר״ג ס״ק ג.

26. נתיבות לשבת סי׳ כ״ב ס״ק ד, בינת אדם כלל קכ״ו ס״ק כז. וע״ע בזה בשו״ת ציץ אליעזר ח״ו ס״מ פ״י.

27. ש״ע סי׳ כ״ב ס״ח.

28. ש״ע אבהע״ז סי׳ כ״ב ס״י. ובשו״ת מהר״ם זיסקינד סכ״ו הובא באוצר הפוסקים ס״ק מב כתב דווקא קטנים של אחרים מיקרי שומרים להתיר יחוד אבל בניהם קטנים פשיטא דלא מיקרי שמירה שאינו בושה מפניהם, אולם בשו״ת ציץ אליעזר ח״ו ס׳ מ פט״ז אות ה׳ כתב לדבר פשוט דמהני עיי״ש.

1. Children as Chaperons

Children may qualify as proper chaperons. However, the particular age at which they qualify differs for girls and boys.

a. Female Chaperon

The minimum age at which a girl may be considered a chaperon is a matter of controversy among the authorities. Some rule that the girl may be as young as three years old,[29] while others require the girl to be five years old.[30] Hagaon Rav Moshe Feinstein *zt"l* ruled that eligibility to be a chaperon begins at the age of seven.[31] This is the age accepted throughout this discussion of *yichud*.

There is also a difference of opinion as to the age at which a girl may no longer be considered a proper chaperon. Some rule that the maximum age is nine,[32] while others consider her a sufficient chaperon until she is *bas mitzvah* (twelve years old).[33] It is best to be stringent in this matter, but in case of need, one may rely on the more lenient view.[34]

b. Male Chaperon

The minimum age at which a boy may be considered an

---

29. הפלאה בספרו המקנה עמ״ס קדושין דף פב, ובספרו נתיבות לשבת ס׳ כ״ב ס״ק ז.

30. שו״ת צמח צדק אבהע״ז ח״א סי׳ ל״ט. ובשו״ת בית שלמה או״ח ס׳ מ״ח הובא בשו״ת ציץ אליעזר ח״ו דף רטו סובר דכל שבושה לעמוד ערומה לפני אנשים נקראת שומרת להתיר יחוד.

31. כן שמעתי בשם מרן הגר״מ פיינשטיין זצ״ל, ובשו״ת ישכיל עבדי ח״ה ס׳ כ״ב כתב דנראה ודאי שדבר כזה אינו תלוי בגיל, כי אין הגיל קובע בזה, אלא הדבר תלוי בהתפתחות השכל דיש תינוקות פקחים ומרגישים אפי׳ בשינוי כל דהוא מהרגיל, והולכות ומספרות בשוק מה שראו עיניהם, ויש שלא כ״כ פקחים ולא מרגישים בקל, וע״כ צריך להיות בקי ומכיר בטיב התינוקת עי״ש.

32. הפתחי תשובה בס׳ כ״ב ס״ק יב הביא כן מהב״ח, וע׳ בחכמת אדם כלל קט״ו ס״ט שכתב בנוגע לחתן שפירסה אשתו נדה דהגיל שומר הוא עד ט׳.

33. שו״ת פנים מאירות ח״ב ס׳ קל״א, וכן שמעתי בשם מרן הגר״מ פיינשטיין זצ״ל.

34. כן נראה והסכימו לי בזה כמה פוסקי זמנינו שליט״א.

adequate chaperon is also disputed.[35] Some *Poskim* rule that the boy must be five years old;[36] however, Hagaon Rav Moshe Feinstein *zt"l* ruled that the minimum age is seven.[37] This is the age accepted throughout this discussion of *yichud*.

The maximum age for a male chaperon is disputed as well. Some deem a boy as an adequate chaperon until the age of nine,[38] while others permit the boy to be a chaperon until he is *bar mitzvah*[39] (thirteen years old). In case of need, one may rely on the lenient opinion.[40]

c. How Many Chaperons Are Needed?

During the daytime, *yichud* is permitted in the presence of one child of the qualifying age.[41] At nighttime (i.e. sleeping hours), an additional child of the proper age is required. Even if both children are asleep, *yichud* is permitted, since the fear that at least one of them may awaken at any time is sufficient to serve as a restraining force.[42] This is permitted providing the doors of the rooms are open.[43]

2. Relatives as Chaperons

A man and a woman may remain together in the presence of the man's natural mother or grandmother, as well as his natural

---

35. העזר מקודש סוף סי׳ כ״ב מסתפק אם קטן דומה לקטנה שיכול להיות שומר להתיר איסור יחוד, אמנם המקנה בקידושין דף פא. ובספרו נתיבות לשבת ס׳ כ״ב ס״ק ז כתב לדבר פשוט דקטן יכול להיות שומר.

36. שו״ת חתם סופר אבהע״ז ח״ב סי׳ צ״ו.

37. כן שמעתי בשם מרן הגרמ״פ זצ״ל.

38. שו״ת פורת יוסף (להר״י צוויג) ס׳ כ״ז אות ג׳ הובא באוצר הפוסקים דף 152 חכמת אדם כלל קכ״ו ס״ט.

39. שו״ת מהר״ם זיסקינד ס׳ כ״ו, וכן שמעתי בשם מרן הגר״מ פיינשטיין זצ״ל.

40. עיין ציון 34.

41. דברי סופרים ס״ק קי.

42. דברי סופרים ס״ק קי.

43. בערוך השלחן סי׳ כ״ב ס״ו כתב וז״ל וכ״ש בבית כשיש עוד חדר דאסור עכ״ל אמנם ע׳ בשו״ת פנים מאירות ח״ב סי׳ קל״א שסובר דאפי׳ בכה״ג מהני שמירת תינוקות. ושמעתי מהגאון ר׳ יחזקאל ראטה שליט״א שהדלת צריך להיות פתוח.

sister, daughter or granddaughter.[44] In the latter cases, the girls must be at least seven years old (see D 1a). However, there is no maximum age. During the night (i.e. sleeping hours), an additional שׁוֹמֵר is required.

3. Wife as Chaperon

Yichud is permitted if the man's wife is present.[45] During the night, (i.e. sleeping hours), an additional chaperon is not required.[46]

4. Mother/Daughter or Sisters-in-Law

A man may remain alone with a woman and her husband's natural mother. *Yichud* is also permitted with two women who are sisters-in-law by virtue of the fact that they are married to two paternal brothers.[47]

E. Open Door

The *Gemara* in *Kiddushin* 81a quotes Rav Yosef's ruling that a man and woman are permitted to remain alone in a room with a door open to a public area (or any place where people pass by frequently). The fact that someone, at any time, can see into the room prevents any improper behavior. Many *Poskim* agree that if one's door is left unlocked, although closed, the same leniency applies.[48] However, the *Poskim* rule that if it is the custom not to enter another's home unannounced, the door is considered as if

---

44. שו״ת אג״מ אבהע״ז ח״ד ס׳ ס״ה ס״ק ח.

45. ש״ע סי׳ כ״ב ס״ג.

46. ע׳ אריכות בזה בשו״ת ציץ אליעזר וע׳ בשו״ת אג״מ אבהע״ז ח״ד סי׳ ס״ה ס״ק ו׳ אם אשתו בעיר מהני או דווקא באותו בית עי״ש וע״ע בזה בערוך השלחן ס׳ כ״ב סט״ו, שו״ת מהרש״ם ח״ד סי׳ קמח.

47. ש״ע ס׳ כ״ב ס״י.

48. בפתחי תשובה אבהע״ז ס׳ כ״ב ס״ק ח׳ כתב וז״ל ע׳ בתשובות רע״א ס׳ ק׳ ובתשובות הגאון בית מאיר שכתב דאיכא למידק מזה הא פתח סתום אפי׳ אינו נעול והוא פונה לר״ה או פתוח לחצר והוא עמה ביחוד בהבית הוי יחוד וכן משמע בקידושין ומה דאיתא בתשובות הרשב״א ס׳ אלף רנ״ה דאין יחוד עד שיהא הבית נעול במנעל ט״ס היא ע״ש. אכן ראיתי בתשובות הרדב״ז ח״א סי׳ קכ״א שהעתיק לשון הרשב״א הנ״ל ולא כתב שט״ס הוא עכ״ל ועי״ש והרבה אחרונים סוברים כהרדב״ז, והם: א) העזר

it is locked.[49] Therefore, leaving one's door unlocked will not necessarily permit *yichud*.

F. Uninhibited Entry

If a proper chaperon has a key and is not inhibited from entering at any time, *yichud* is permitted[50] even if the room is locked. This leniency has some very practical applications, which will be discussed in greater detail (see p. 50).

IV. Practical Applications

We will now present some practical applications of the laws of *yichud*, with special emphasis on the laws pertaining to children.

A. Babysitting

The problems and the related solutions of *yichud* issues regarding babysitting depend on the age and sex of the babysitter and child.

1. Female Babysitter

If the babysitter is younger than twelve years, and the child is a boy less than thirteen years, the prohibition of *yichud* does not apply (see above, II B).

If the babysitter is older than twelve years and the child is a

---

מקודש ס״ק ט. ב) שו״ת בנין ציון סי׳ קל״ח. ג) שו״ת מהרש״ם ח״ב ס׳ ע״ו. ד) שו״ת דובב מישרים ח״א סי׳ ה׳.

ודעת מרן זצ״ל באג״מ ח״ד ס׳ ס״ה ס״ק ד מקיל עוד יותר מהני אחרונים וז״ל שם כבר בארתי דאפי׳ נעולה הדלת כדרך כל הדלתות שדרך כו״ע בברכים לנעול מהפנים מצד שמירה, כיון שדרך כו״ע דכששומעין מי שנוקף על הדלת או שמצלצל על הפעמון שנעשה לכך בא מי שבפנים ושואל מי הוא כששומע שהוא מהמכירים אפי׳ אינו מכירו ממש פותח כשמבין שהוא סתם איש מרובא דרובא אינשי, ליכא איסור יחוד כשהוא בזמן שבאין סתם אינשי לבית אף כשלא הודיעו קודם, דמרתתי שמא ינקוף מי שהוא על הדלת ויהיה מוכרח לפתוח תיכף עכ״ל ועי״ש.

49. קונטרס היחוד הביא כן בשם הגרי״ש אלישיב שליט״א ומהגרח״פ שיינבערג שליט״א, ובאמת כן מבואר בשו״ת בנין ציון סי׳ קל״ח.

50. דבר הלכה ס״ג הלכה ג.

boy older than nine years, they are not permitted to remain alone. The following are some possible solutions:

a. If a girl between the ages of seven and nine (in case of need, until twelve; see above, 46) or a sister from age seven and upward (see 48) or a boy over the age of seven is also present, he or she may serve as a chaperon. However, if he or she goes to sleep, a second chaperon is required. Yichud is permitted even if both chaperons are asleep provided the doors of their rooms are left open.

b. If a proper chaperon is not present, one may give a house key to a neighbor, with the babysitter's knowledge, and instruct the neighbor to come in unannounced from time to time. This solution is appropriate provided it does not result in a prohibited yichud. For example, if the neighbor is a woman, her entering the premises will result in a prohibited yichud situation since the boy above nine years of age may not remain alone with two women. However, if the neighbor is a married woman, and her husband is at home during her periodic entry, she may halachically serve as a deterrent since the boy is permitted to remain alone with the two women because of the leniency of בַּעְלָה בָּעִיר (see above, III C, for the required conditions pertaining to this leniency).

If the babysitter is a married woman, and her husband is in the same city, a chaperon is not required (see above for required conditions pertaining to this leniency). However, if the husband is out of town, solutions a or b should be used to avoid the prohibitions of yichud.

2. Male Babysitter

If the babysitter is a boy younger than thirteen years of age and the child is a girl below the age of twelve, the prohibition of yichud does not apply.

If the babysitter is older than thirteen and the child is a girl above the age of three, they are not permitted to remain alone. The following are some possible solutions:

a. If another boy above the age of seven is present, he may serve as a chaperon. However, if he goes to sleep, an additional chaperon is required. Yichud is permitted even if both chaperons are asleep, provided the doors of the rooms are left open.

It should be noted that a second girl, even between the ages of seven and nine, may *not* be used as a chaperon because this results in one male remaining alone with two females. Although the older female is a proper chaperon for the three-year-old, the three-year-old may not serve as a chaperon for the seven-year-old. If both females are between the ages of seven and nine, they may serve as chaperons for each other. In such a case, the prohibitions of yichud do not apply.

b. If a proper chaperon is not available, solution "b" above — see Female Babysitter — applies here as well.

B. Friend or Relative Sleeping Over

At times, a situation arises in which a man requires a woman to sleep in his house at a time when his wife is not at home or vice versa. This commonly occurs when a woman gives birth in a hospital, and the husband needs his mother- or sister-in-law to stay in his home to help care for his other children. The following are several solutions to avoid yichud:

1. If at least two of his children are above the age of seven, regardless if the two are of the same or different sex, there is no problem of yichud provided the doors are left open.

2. If his own children are too young to meet the requirements of proper chaperons, he may ask someone else's children to sleep over. If the chaperons are two girls, they may not be older than nine years. In case of need, one may rely on the opinion that extends the chaperon age until bas mitzvah. However, if the chaperons are two boys above the age of seven, yichud is permitted.

3. He may have an adult male and one child, boy or girl of proper chaperon age, sleep over.

C. Children Playing at the Neighbors'

The following are examples of situations of yichud where a child goes to play at a neighbor's home and the possible solutions: It is forbidden for a girl above the age of three to play at a neighbor's home when the father is the only person at home. *Yichud* can be avoided if:

1. The father has a child at home above the age of seven, boy or girl (see above p. 46). In this situation, the maximum age limit does not apply.

2. The door to the house is partially open.

It is similarly forbidden for a boy above the age of nine to visit a neighbor's home when the mother is the only person at home. The above two solutions also apply in this situation. In addition, if the woman's husband is in town and may come home at any time, the prohibition of *yichud* does not apply (see above, III C).

Shabbos

11 / The Positive Commandments of Shabbos

There are two positive commandments that one is required to fulfill on Shabbos: 1. a Biblical commandment (*Shemos* 20:8): זָכוֹר אֶת יוֹם הַשַּׁבָּת לְקַדְּשׁוֹ — *Remember the Shabbos day to sanctify it*; 2. a Rabbinic commandment to honor and enjoy the Shabbos — כָּבוֹד וְעוֹנֶג שַׁבָּת. The commandment זָכוֹר, *remember*, obligates one to recite *kiddush* and, according to most authorities, also includes the recital of *havdalah*. The obligation to train a child in this commandment begins approximately at age six or seven depending on the child's intelligence. At this age, the child is capable of understanding the concept of Shabbos.[1]

The requirement to train a child in the Rabbinic commandment of כָּבוֹד וְעוֹנֶג שַׁבָּת begins when the child is approximately five or six years old since the child needs only understand that such a *mitzvah* exists and be capable of fulfilling all its details.[2]

We will now proceed to describe in detail the requirements of each of the *mitzvos* of Shabbos, as it applies to children.

I. Honoring the Shabbos

It is a *mitzvah* to prepare one's house in honor of Shabbos.[3] This includes tidying up, washing floors, making beds, etc., as well as setting the table for the Shabbos meal and other related activities. Children who have reached the age of *chinuch* [five or six years of age] should be taught to assist in these preparations.

---

1. מ״ב סי׳ שמ״ג ס״ק ב, מ״ב סי׳ רס״ט ס״ק א׳.

2. מ״ב סי׳ קכ״ח ס״ק קכ״ג. וע״ע בזה בפרק א ציון 16.

3. מ״ב סי׳ ר״נ ס״ק ג.

Another aspect of honoring Shabbos is the requirement to wear festive clothing.[4] One is therefore required to provide children of *chinuch* age [five or six years of age] with a set of Shabbos clothes.

II. Candle Lighting

As part of the commandment of כָּבוֹד וְעוֹנֶג שַׁבָּת, *honor and enjoyment of Shabbos*, there is an obligation to light candles before Shabbos.[5] This obligation applies to all adult members of a household. It would therefore seem that children of *chinuch* age [five or six] should also light candles. However, the candle-lighting obligation for an entire household can be fulfilled by having one member light candles. Accordingly, it is not necessary for children to light candles on their own.[6] Nevertheless, it is customary in some households for young girls to light their own candles.[7] It should be noted, however, that a child cannot fulfill this obligation on behalf of the adult members of her household.[8]

Ordinarily, a woman accepts the sanctity of Shabbos when she lights candles, and is forbidden to perform any *melachah* (prohibited work) after that time. Other members of the household, including children, are permitted to continue doing

---

4. ש״ע סי׳ רס״ב ס״ב ומ״ב שם. ועי׳ ביסודי ישרון חלק מערכת הלכות ע״ש עמוד ז שנסתפק אם גם מנעלים צריכים להחליף לכבוד שבת. וע״ע בזה בשו״ת רב פעלים ח״ד או״ח סי״ג.

5. כתבנו בפנים דהטעם לחיוב הדלקת נרות הוא מטעם כבוד שבת ועונג שבת ויעויין ברש״י בשבת דף כה: ד״ה חובה וז״ל כבוד שבת הוא, שאין סעודה חשובה אלא במקום אור כעין יממא. וכ״כ הרמב״ם בפ״ל מהלכות שבת ה״ה. ועי׳ בתוס׳ בשבת דף כה: ד״ה הדלקת נר בשבת חובה הוא, שכתבו שיסעוד במקום הנר משום עונג וכ״כ הרמב״ם בפ״ה מהלכות שבת ה״א. ועי׳ מה שכתבנו בספרנו כבוד ועונג שבת דף ב הערה 5.

6. שו״ע הרב ס׳ רס״ג ס״ט וקונטרס אחרון ס״ק ח. ומסתימת הפוסקים משמע שאין בני הבית צריכים לשמוע הברכות. ועי׳ בשו״ת ציץ אליעזר ח״א סכ״א מש״כ לבאר טעמא דמילתא.

7. ערוך השלחן ס׳ רס״ג ס״ז, ואז נדברו ח״ו ס׳ ס״ז וס״ח. ובהשמטות שם הביא שבבית מרן הגרי״ז זצ״ל הדליקו בנותיו בברכה באותו חדר שבירכה אמם.

8. ראבי״ה עמ״ס שבת סי׳ קצט.

melachah until sunset.[9] However, a girl who lit candles may not perform any *melachah* after candlelighting, having accepted the sanctity of Shabbos from the time of candlelighting.

III. Kiddush — Friday Night

It is a Biblical commandment — מִצְוַת עֲשֵׂה מִדְּאוֹרַיְיתָא — to verbally sanctify the Shabbos, in accordance with the verse (*Shemos* 20:8): זָכוֹר אֶת יוֹם הַשַּׁבָּת לְקַדְּשׁוֹ, *Remember the Shabbos day to sanctify it*. This commandment requires one to single out the Shabbos day with words of sanctification and praise, thus elevating it above the other days of the week.[10] To facilitate the observance of this commandment, our Sages composed a standard *kiddush* text and required that it be recited over a cup of wine prior to the Friday evening meal.[11]

Children who have reached the age of *chinuch* regarding the *mitzvah* of *kiddush* (which is six or seven[12] years old as previously explained) are required to recite or to listen to the Friday evening *kiddush*. However, unlike adults, children are permitted to eat before *kiddush* is recited.[13] A child who will not be awake for the evening meal (e.g. during the summer months),

---

9. שו״ת שבט הלוי ח״ו ס׳ לח ס״ק ג, וח״ז ס׳ קד.

10. רמב״ם פכ״ט משבת ה״א וחינוך מצוה לא. אמנם ברמב״ן על התורה (שמות כ:ח) בביאור קידוש הלילה כתב טעם אחר וז״ל וזה על קידוש הלילה לפי שכל הטעונין קידוש מתקדשין בכניסתן פעם אחת כגון קידוש החודש וקידוש היובל אבל ביום אסמכתא ואין אומר בו מקודש כלל שדינו בפעם אחת בכניסתו עכ״ל. וכן כתב המהר״ם חלוואה בפסחים דף קו. וז״ל עיקר קידוש דלילה הוא פירוש כדרך בכניסתו כדרך שבי״ד מקדשין המועדים עכ״ל.

11. במסכת פסחים דף קו. ת״ר זכור את יום השבת לקדשו זוכרהו על היין, וכתב תוס׳ שם בד״ה זוכרהו, והאי זכירה היינו קידוש, ונראה דקידוש על היין אסמכתא היא וכ״כ התוס׳ בנזיר דף ד. ד״ה מאי. אולם רש״י בברכות דף כ: ד״ה קידוש היום ושבועות דף כ: ד״ה כרב אדא, ס״ל דגם קידוש על היין הוא מדאורייתא. ובערוך השלחן בס׳ רע״א ס״ב כתב שכן הוא דעת הר״ן והאו״ז.

12. מ״ב סי׳ רס״ט ס״ק א׳, ובחוות יאיר [בספרו מקור חיים] בהגהות לסי׳ רס״ט כתב שזמן חינוך במצות קידוש הוא כבן ח׳ או ט׳.

13. מ״ב ס׳ רס״ט ס״ק א׳. וע׳ בהגהות מיימונית פכ״ט מהלכות שבת אות מ׳ שכתב וז״ל אבל יכולים להשקות לקטנים כמו שנהגו דהא דאמרינן בפרק חרש (דף קיד) דבידים לא ספינן להו היינו בלאו כגון נבילות וטריפות וכיוצא בהם דנפקא לן מלא תאכלום וכו׳

but is awake past the *plag haMinchah,** may recite *kiddush* over a cup of wine or grape juice at that time.[14] [Upon reciting *kiddush*, the child accepts the sanctity of Shabbos, and is henceforth forbidden to perform any *melachah*.] Some *Poskim* rule that if a child went to sleep Friday night without hearing or reciting *kiddush*, he should recite the text of the Friday night *kiddush* on Shabbos morning when fulfilling the *mitzvah* of Shabbos morning *kiddush*.[15]

---

*Note: *Plag haMinchah* is one and a quarter hours before sunset.[16] However, this is not measured in sixty-minute hours but rather in seasonal hours (שעות זמניות), which are calculated by dividing the daylight time into twelve equal parts. For example, on a summer day which has 15 hours (900 minutes) between sunrise and sunset, each seasonal hour is 75 minutes long.

אבל קידוש היום מצות עשה היא לא אתיא מהתם וכו׳ עכ״ל. וע״ע בזה בשו״ת ר׳ עזריאל הלדסהיימר ס׳ נ״א, ובשלחן ערוך הרב ס׳ רס״ט ס״ק ג׳.

14. כן נראה והסכים לי בזה הגאון ר׳ ח.פ. שיינבערג שליט״א.

15. בספר חינוך ישראל דף צט. כתב וז״ל נראה דאם קטן היה ישן ולא שמע קידוש בליל שבת שיש לו לקדש בשבת בבוקר בנוסח הקידוש של לילה, וכן אם לא שמע הבדלה במוצאי שבת שיש לו להבדיל ביום ראשון, אמנם נתעוררתי ממורה אחד דאולי אין ענין חיוב חינוך בדבר שאינו לכתחלה אלא בדיעבד, ושע״כ אין לומר להקטן לקדש ולא להבדיל ביום ראשון בשבת וכו׳, אבל לדידי לא נראה כן דאדרבה גם ע״ז צריכין לחנך הקטן שאם יארע לו בגדלותו כן ידע שיש לו לקדש ביום וכן להבדיל ביום א׳ וכן הסכים עמדי הגאון ר׳ חיים קנייבסקי שליט״א עכ״ל. וכן שמעתי מהגאון ר׳ ח.פ. שיינבערג שליט״א. וע׳ בשו״ת קנין תורה ח״ה ס׳ כ״א שכתב שקטנים אינם צריכים לקדש קידוש של לילה כשמקדשין מבעוד יום. ויש להביא ראיה לזה מהא דאיתא בברכות דף כ׳. קטנים פטורים מק״ש ופירוש רש״י שאפי׳ קטן שהגיע לחינוך פטור דלא הטילו על אביו לחנכו בק״ש לפי שאינו מצוי תמיד כשמגיע זמן ק״ש בערב או ישן הוא בבקר [ע׳ טור או״ח סימן ע]. מבואר מדבריו דאין אביו מחויב לחנכו בק״ש לפי שאין הקטן מצוי תמיד בזמן של ק״ש, ולכאורה ה״ה בקידוש. אולם יש לחלק דדוקא בק״ש סבירא ליה לרש״י דאין כאן חיוב חינוך דכיון דלא שייך לקיים מצות ק״ש כי אם בשחרית בזמן שהקטנים ישנים משום הכי ראו חכמים להפקיע חיוב חינוך במצוה זו, משא״כ בקידוש דלאו כל הזמנים שוים דבימות החורף הקטנים עדיין אינם ישנים, וגם בימות הקיץ אין כל המקומות שוים בזה א״כ מסתבר שלא חילקו חכמים בזה ולא הפקיעו חינוך במצוה זו. וע׳ בשו״ת בצל החכמה ח״ג ס״ג שס״ל דמי שלא קידוש בלילה דמקדש ביום היינו שמברך רק ברכת בורא פרי הגפן (ר״ל הקידוש של יום) ויכוון לצאת ולהשלים קידוש דלילה ויוצא בברכה אחת ידי שניהם עי״ש.

16. מ״ב ס׳ רס״א ס״ק כ״ה, ובאור הלכה שם ד״ה להקדים.

IV. Kiddush — Shabbos Morning

It is a *mitzvah* of Rabbinic origin to recite *kiddush* on Shabbos morning.[17] Children of *chinuch* age are obligated to hear or to recite this *kiddush*. However, unlike adults, children are permitted to eat before *kiddush* is recited. [See above, III.]

V. A Child Who Recites Kiddush

A child of *chinuch* age [six or seven] may recite *kiddush* on behalf of another child, provided that the first child has not yet fulfilled his own *kiddush* obligation.[18] However, a child cannot recite *kiddush* on behalf of an adult.[19] An adult who is unable to recite the Friday night *kiddush* alone and has a child available who is able to prompt him, must repeat each word of the *kiddush* after the child. In such an instance, it is preferable that the adult hold the cup of wine.[20]

VI. Drinking the Kiddush Wine

One who recites *kiddush* is required to drink *melo lugmav* (a cheekful) of wine from the *kiddush* cup. In the event that a child recites *kiddush*, he is also required to drink the amount of wine (or grape juice) that his cheek will contain.[21]

VII. Reciting Kiddush on Behalf of a Child

An adult who has fulfilled his or her own obligation of *kiddush* may recite the *kiddush* on behalf of a child who has

---

17. ש״ע סי׳ רפ״ט ס״א.

18. פשוט דאם הקטן עדיין לא יצא יד״ח, אז יכול להוציא אחרים, דאתי דרבנן ומפיק דרבנן, אבל כשהקטן כבר יצא יד״ח, אז א״א לו להוציא אחרים דהא דקיי״ל אם יצא מוציא הוא מדין ערבות, וקטנים ליתנהו בכלל ערבות, כן איתא בסידור דרך החיים דיני קידוש הלכה א. וע׳ בפמ״ג בפתיחה כוללת חלק השני אות יז שכתב בפשיטות דאין דין ערבות לקטנים, אבל הביאור הלכה ריש סי׳ תרפ״ט הביא דהפמ״ג מתספק בזה.

19. מ״ב סי׳ רע״א ס״ק ב, ושעה״צ ס״ק ד׳.

20. מ״ב ס׳ רע״א ס״ק ג׳.

21. באור הלכה ס׳ רע״א סי״ג ד״ה והוא.

reached *chinuch* age [six or seven], if the child is unable to do so himself.[22] If the adult does not wish to drink the wine, the child must drink it. The child should rely on the adult's blessing and not repeat the blessing of בּוֹרֵא פְּרִי הַגָּפֶן, in order that the adult's blessing not be said in vain.[23] This is particularly applicable in those communities where *kiddush* is recited on Friday night in the synagogue.

VIII. The Shabbos Meals

וַיֹּאמֶר מֹשֶׁה: אִכְלֻהוּ הַיּוֹם כִּי שַׁבָּת הַיּוֹם לַיי הַיּוֹם לֹא תִמְצָאֻהוּ בַּשָּׂדֶה — *And Moshe said: "Eat it [the manna] today, for today is Shabbos before Hashem; today you will not find it in the field"* (*Shemos* 16:25).

In this passage, the Torah refers to the gift of the double portion of the manna that fell in honor of Shabbos and instructs the Jews to eat it on Shabbos. The word 'today' is mentioned three times in this verse. Accordingly, the Rabbis require us to eat three meals on Shabbos.[24] The purpose of this requirement is to insure the enjoyment of Shabbos.[25]

Our Sages declared that one who strictly adheres to this *mitzvah* will be spared three calamities: the tribulations preceding the advent of Moshiach, the Judgment of *Gehinnom*, and the war of Gog and Magog.[26]

Parents are obligated to train their sons and daughters of *chinuch* age [five or six] to eat all three Shabbos meals. A child

---

22. מ״ב ס׳ רע״ג ס״ק ט״ז.

23. פשוט הוא.

24. שבת קיז: ונחלקו הפוסקים אם הוא מה״ת או מדרבנן ביראים מצוה צו כתב שהוא מן התורה, והחרדים פרק ד׳ (במ״ע מה״ת התלויות בושט אות ג) כתב דמשמע מלשון רש״י שבת קיז: דהוא מה״ת, וכ״כ הלבוש בס׳ רצ״א ובט״ז ס׳ תע״ב ס״ק א, ובמחצית השקל ס׳ תע״א ס״ק ה כתב דכן מבואר במג״א ס׳ רנ״ד ס״ק כב. אמנם בשו״ת מהרי״ל סי׳ צ״ד כתב דהוי רק דרבנן. וכן מוכח במרדכי במס׳ מגילה פ״ק אות תש״פ, וע״ע בספר ערך השלחן ס׳ רע״ד אות ג׳ שהביא עוד שיטות בזה.

25. מ״ב סי׳ רצ״א ס״ק ג.

26. שבת דף קיח.

who did not partake of the Friday evening meal should eat three meals during the course of the day.[27] [The Friday evening meal may be eaten from the *plag haMinchah* onward (see p. 58).]

Size of the Meals

One must eat at least a *k'zayis* (an olive-sized piece) of bread* at each of these meals. Some *Poskim* rule that one must eat a greater amount of bread — a bit more than a *k'beitzah* (an egg-sized piece). It is best to follow their opinion.[28] Children, as well, should be taught to eat at least a *k'zayis* of bread at each meal.[29]

This *mitzvah* is intended to enhance one's enjoyment of Shabbos and not to cause distress.[30] Therefore, one who does not feel up to eating need not force down the meal. Similarly, a child should not be forced to eat if he says he is too full and cannot eat anymore.

IX. Lechem Mishneh

One of the daily miracles that Hashem performed for the Jews during their forty years in the wilderness was to give them manna (מן) each day. The manna descended from heaven each morning to provide that day's sustenance. On Shabbos morning, however, manna did not fall. Instead, twice the usual daily ration fell on Friday to provide food for Friday and Shabbos. As a remembrance of this double portion, we begin each Shabbos meal with two loaves of *challah* (or bread, rolls, buns, matzoh, etc.). These two loaves are known as *lechem mishneh*.[31]

---

*Note: See *The Radiance of Shabbos*, Chapter 15 for a full discussion of this issue.

---

27. רמ״א ס׳ רצ״א ס״א ולכאורה ה״ה בקטן.

28. מ״ב סי׳ רצ״א ס״ק ב.

29. פשוט הוא ככל המצוות שהם חייבים מדין חינוך. ונראה דלקטנים מספיק אם יאכלו רק כזית פת.

30. שו״ע א׳ רצ״א ס״א ומ״ב ס״ק ג.

31. שבת דף קיז: והמג״א ס׳ רנ״ד ס״ק כג כתב דחובת לחם משנה הוי מדרבנן, אמנם הט״ז בס׳ תרע״ח כתב שהוא דאורייתא, וכן משמע מהח״ס בתשובותיו או״ח ס׳ מ״ו.

Children of *chinuch* age [five or six] are also required to begin each meal with *lechem mishneh*.[32] One person may recite the *broha* הַמּוֹצִיא לֶחֶם מִן הָאָרֶץ over the *lechem mishneh*, and all the participants — including children — who partake of the *lechem mishneh* fulfill their obligation.[33]* However, in the event that a child eats a meal alone, the parent must insure that the child begins the meal with *lechem mishneh*.

X. Havdalah

Havdalah is recited at the conclusion of Shabbos, to mark the end of the holy day, just as *kiddush* is recited to mark its beginning.

According to most authorities, the Torah commandment (*Shemos* 20:8): זָכוֹר אֶת יוֹם הַשַּׁבָּת לְקַדְּשׁוֹ, *Remember the Shabbos day to sanctify it*, requires us to sanctify the Shabbos both upon its arrival and departure.[34] This Biblical obligation is fulfilled by saying the אַתָּה חוֹנַנְתָּנוּ prayer in the *Shemoneh Esrei* of *Maariv* or by simply reciting the words בָּרוּךְ הַמַּבְדִּיל בֵּין קֹדֶשׁ לְחוֹל, *Blessed is He Who separates the holy from the secular*. However, in addition to the Biblical commandment, our Sages composed a standard *havdalah* text and required that it be recited with a cup of wine.[35]

Boys and girls of *chinuch* age [six or seven] are required to

*Note: See *The Radiance of Shabbos* p. 81 regarding the reciting of the *hamotzi* blessing by the participants.

32. פשוט ככל המצוות דקטנים חייבין בהם מדין חינוך.

33. מ״ב סי׳ קס״ז ס״ק פג. ועי׳ בזה בהגדת מועדים וזמנים דיני אכילת מצה ולחם משנה אות ג.

34. רמב״ם פכ״ט משבת ה״א וז״ל מ״ע מה״ת לקדש את יום השבת בדברים, שנאמר זכור את יום השבת לקדשו, כלומר זכרהו זכירת שבת וקידוש, וצריך לזכרהו בכניסתו וביציאתו, בכניסתו בקידוש היום וביציאתו, בהבדלה עכ״ל. והמ״מ כתב בכוונת הרמב״ם דמצות זכור קאי הן על הכניסה והן על היציאה, וכן הוא שי׳ החינוך מ״ע לא, סמ״ג מצוה כט, ושיטמ״ק ביצה דף ד:.

35. מ״ב סי׳ רצ״ו ס״ק א.

recite or listen to *havdalah*.[36] Some *Poskim* rule that if a child is asleep and does not hear *havdalah* Saturday night, he should fulfill the *havdalah* obligation before eating breakfast Sunday morning (similar to an adult who did not recite or listen to *havdalah* on Saturday night). Other authorities disagree and are of the opinion that children need not recite *havdalah* Sunday morning.[37]

XI. A Child Who Recites Havdalah

A child of *chinuch* age [six or seven] may recite *havdalah* on behalf of another child, provided that the first child has not yet heard *havdalah* or said ..בָּרוּךְ הַמַּבְדִּיל himself.[38] However, a child is not permitted to recite *havdalah* on behalf of an adult, since the adult's obligation is Biblical, while the child's obligation is Rabbinic. If an adult recited the אַתָּה חוֹנַנְתָּנוּ prayer or the words בָּרוּךְ הַמַּבְדִּיל בֵּין קֹדֶשׁ לְחוֹל, he has fulfilled the Torah obligation of *havdalah*. Nonetheless, he still lacks the

---

36. מ״ב סי׳ שמ״ג ס״ק ג, וה״ה קטנות דכיון דרוב ראשונים סברי דנשים חייבות בהבדלה והם הראבי״ה בברכות פ״ב ס״ב, נימוקי יוסף במסכת פסחים דף נד בשם הריטב״א, חינוך מצוה לא.

המחבר בסי׳ רצ״ו ס״ח כתב נשים חייבות בהבדלה כשם שחייבות בקידוש. ויש מי שחולק בזה. והרמ״א בס׳ רצ״ו ס״ח כתב דלא יבדילו נשים לעצמן רק ישמעו הבדלה מן האנשים. ובפשטות משמע מלשונו דס״ל דנשים פטורות מהבדלה, אבל בהגהות הגרע״א באו״ח סי׳ תפ״ט ס״ט כתב וז״ל, ומ״ש הרמ״א דנשים לא יבדילו לעצמן, היינו לכתחילה לחוש לחומרא להסוברים הבדלה מדרבנן ונשים פטורות, אבל מעיקר הדין מבדילין לעצמן דהבדלה דאורייתא, דזכור היינו בכניסתו וביציאתו, וממילא נשים חייבות, דכל שישנו בשמירה הן עכ״ל. והערוך השלחן ס׳ רצ״ו ס״ה כתב דרוב פוסקים ס״ל דהבדלה הוא חיוב דאורייתא וממילא נשים חייבות מה״ת. ולפי״ז יש לחנך קטנות בהבדלה כיון דאנן נקטינן דנשים חייבות בהבדלה. וכן שמעתי ממרן הגר״מ פיינשטיין זצ״ל.

37. כן שמעתי מהגאון ר׳ ח.פ. שיינבערג שליט״א, וכן שמעתי בשם הגרי״ש אלישיב שליט״א, וכן פסק בספר חינוך ישראל דף צט ובספר ששכה״כ ח״ב פרק נח הלכה כ. ושמעתי ממרן הגר״מ פיינשטיין זצ״ל דאע״ג דאין חיוב לקטן להבדיל ביום ראשון, אבל מנהג טוב אם יבדילו ביום ראשון. והמנהג ברוב תפוצות ישראל הוא שאין מבדילים ביום ראשון וכן שמעתי מפי כמה פוסקי זמנינו שליט״א.

38. פשוט דהרי חיובם שוה, ואתי דרבנן ומפיק דרבנן, אבל כשהקטן כבר יצא יד״ח, אז א״א לו להוציא אלא מכח ערבות וקטנים ליתנהו בכלל ערבות ע׳ ציון 18.

fulfillment of the Rabbinic requirement to recite *havdalah* over a cup of wine. In such an instance, the adult may have a child (who has not yet heard *havdalah* or said . . .בָּרוּךְ הַמַּבְדִּיל) recite *havdalah* on his (or her) behalf since both the child and the adult are only Rabbinically obligated. In case of necessity (i.e. there is no one available to recite *havdalah* for the adult) it is permissible to have a child recite it on behalf of the adult even if the child already said . . .בָּרוּךְ הַמַּבְדִּיל.[39] However, if the child heard *havdalah*, he cannot repeat it on behalf of an adult.

XII. Reciting Havdalah on Behalf of a Child

An adult may recite *havdalah* for a child of *chinuch* age [six or seven] even if the adult has already fulfilled his own obligation. However, this is only permissible if the child cannot recite *havdalah* himself.[40] If the adult does not wish to drink the wine, the child may drink it. However, the child should not recite the blessing בּוֹרֵא פְּרִי הַגָּפֶן, but should rely on the adult's blessing. Otherwise, the adult's blessing will have been said in vain.

---

39. פשוט, שמכיון שהגדול כבר הבדיל בתפלה או שאמר ברוך המבדיל בין קודש לחול, כבר יצא יד״ח, ומעתה חיובו מדרבנן, והקטן מחויב מדרבנן, ואתי דרבנן ומפיק דרבנן. ואפי׳ היכא שהקטן הבדיל בתפלה או שאמר ברוך המבדיל וכו׳, דמעתה הוי הקטן תרי דרבנן הרי ד״ז גופא היא מחלוקת הפוסקים [ע׳ מ״ב ס׳ קפ״ו ס״ק ז] ושמעתי מהגרח״פ שיינבערג שליט״א דבשעת הדחק אפשר לסמוך על הני פוסקים דסוברים דאתי תרי דרבנן ומפיק חד דרבנן.

40. מ״ב ס׳ רצ״ו ס״ק ל״ב לגבי בנו. והמ״ב בס׳ קס״ז ס״ק צ״ג כתב דה״ה קטנים דעלמא שאין חנוכם מוטל עליו מדין ג״כ מוטל לברך עמהם כשאינם יודעים לברך בעצמם. וה״ה בקטנה שאינה יכולה להבדיל בעצמה דמותר לגדול להבדיל עבורה, דיעויין בערוך השלחן ס׳ רצ״ו ס״ה שכתב דאם אשה אינה יכולה להבדיל בעצמה מצוה לאיש שכבר הבדיל לעשות בשבילה הבדלה וכן שמעתי ממרן הגר״מ פיינשטיין זצ״ל. ונראה דגם המ״ב יודה לזה, דהרי המ״ב בס׳ רצ״ו ס״ק לו כתב וז״ל ומ״מ למה לנו להכניס עצמן בחשש ספק לענין ברכה אחרי דהיא יכולה להבדיל בעצמה, הרי שהמ״ב כתב חומרא זו רק באופן שהיא יכולה להבדיל בעצמה, משמע דכשאינה יכולה להבדיל בעצמה, הבעל מבדיל עבורה, וא״כ ה״ה לקטנה שאם אינה יכולה להבדיל בעצמה משום מצות חינוך מותר לאיש להבדיל עבורה על אף שהוא הבדיל כבר. וע׳ בששכה״כ ח״ב פרק נח הערה פב וז״ל ושמעתי מהגרש״ז אויערבאך שליט״א, דאף האשה יכולה להוציא את הקטן בהבדלה וכו׳ עיי״ש.

An adult who recites *havdalah* on behalf of a child may recite the blessings for spices[41] (בּוֹרֵא מִינֵי בְשָׂמִים) and for the flame[42] (בּוֹרֵא מְאוֹרֵי הָאֵשׁ), even if he does not derive any benefit from these items, as long as the child does. As previously stated, one must make certain that the child relies on the adult's blessing and does not recite his or her own.

---

41. שו"ע ס' רצ"ז ס"ה.

42. חזון איש סי' ל"ה ס"ק ז.

12 / The Prohibitions of Shabbos

Parents are obligated to teach children of *chinuch* age to refrain from all prohibited activity on Shabbos. To list but a few examples: One must teach children not to turn lights on or off, not to carry anything in a public domain[1] and not to play with *muktzah* items (e.g. pebbles). As stated in Chapter One, this aspect of *chinuch* begins at an earlier age than does *chinuch* for positive commandments. Once a child can be made to understand that a particular type of activity is forbidden (from approximately four years of age), one is obligated to teach him to refrain from it.

In addition to the requirement of *chinuch*, there is another Shabbos law regarding children. The Torah states (*Shemos* 20:10): לֹא תַעֲשֶׂה כָל מְלָאכָה אַתָּה וּבִנְךָ וּבִתֶּךָ וגו׳, *Do not perform any labor, neither you nor your son nor your daughter...* We learn from this that parents must not allow their children to perform any *melachah* (forbidden act) on Shabbos. If a child does a *melachah* because he realizes that it will be beneficial to the parent, even if the parent does not instruct the child to do it, the parent is obligated to stop the child from doing so.

Since this Torah prohibition, unrelated to the law of *chinuch*, is part of the parent's own Shabbos observance, it applies even to children who are below *chinuch* age.[2]

Thus, the issue of *chinuch* and its appropriate age is relevant in regard to Shabbos prohibitions only when a child wishes to do a forbidden act for his (or her) own benefit. A parent whose child wishes to perform labor for the parent's benefit

1. עיין ביאורים בסוף הספר.

2. עיין ביאורים בסוף הספר.

must prevent the child from doing so, regardless of the child's age.

Furthermore, the Sages prohibited a child from doing a *melachah* even for the benefit of a stranger.[3] [See Chapter One, IV for conditions when the stranger must restrain the child from violating prohibitions.]

It should be noted that if a child did *melachah* for his parents or strangers, they are forbidden to derive benefit from that *melachah*.[4]

I. Instructing or Causing a Child to Violate a Prohibition

We learned in Chapter One that it is forbidden to instruct or to cause a child to violate a prohibition, even if the child is below *chinuch* age. For example, one may not tell a very young child to turn on a light even if it is for the child's own benefit. It is likewise forbidden to place the child's hand on the switch if one is certain that the child will turn it on.

However, as noted above, it is permitted to place a forbidden item *in front of* a child, even though the child will make use of that item in a forbidden manner. Accordingly, one is permitted to place a child of less than *chinuch* age in front of a light switch so that the child may turn the light on or off. Likewise, if it is not certain that the child will turn the switch, one may even place the child's hand upon it. [One must remember, though, that if switching off the light will benefit only the parent, and the child realizes that, the parent must stop the child from doing so.]

Another application of this rule: Children who have not reached *chinuch* age are permitted to play with *muktzah* items. While one may neither instruct a child to play with a *muktzah* item, nor cause a child to do so by placing the child's hand on

3. שעה"צ סי' של"ד ס"ק נ"ד.

4. מג"א סי' שכ"ה ס"ק כב.

the item, one is permitted to put a child down in front of a *muktzah* item even though the child will play with it.

II. When One May Instruct a Child to Violate a Prohibition

Some *Poskim*[5] rule that one is permitted to instruct a child who has not reached *chinuch* age[6] to violate a Rabbinic

---

5. זהו שיטת הרשב״א ביבמות דף קיד. וז״ל ומיהו משמע לי דאיסורין של דבריהם מותר לומר לו לאכול בפירוש, דהא למ״ד בשל תורה ב״ד מצווין להפרישו וכו׳ וכיון שכן כיון דקי״ל דאף בשל תורה אין ב״ד מצווין להפרישו בשל דבריהם מחתין בו דרגא אחת יותר ומתירנין בו אפילו לומר לו לאכול, ויש לי ללמוד מדאמרינן בשבת דף קלט. רב משרשי׳ יהיב פרוטה לתינוק גוי וזרע לי׳ כשותא בכרמא ואקשינן וליתן ליה לתינוק ישראל ופרקינן אתי למיסרך, ומאי קושיא ליתן לה לתינוק ישראל דכיון דישראל גדול אסור מדרבנן אף לתינוק ישראל אסור לומר לו לעבור ולזרוע, אלא ודאי כדאמרן דלא העמידו דבריהם אלא אצל גדולים שבישראל ולא אצל קטנים, ואע״ג דאסיקנא התם דאסור משום דאתי למיסרך, לא שייך ההוא טעמא דאתי למיסרך אלא בדבר שאינו לצורך התינוק אלא לצורך הגדול כההיא דרב משרשיא ולא לצורך הקטן וכו׳. ולבסוף מסיק אבל הרמב״ם ז״ל כתב סוף הלכות מאכלות אסורות שאפי׳ בשבות דרבנן אסור להאכילו בידים עכ״ל הנצרך לענינינו.

מבואר דהרשב״א ס״ל דאין איסור של לא תאכילום באיסור דרבנן כשהוא לצורך הקטן, אבל הב״י בסי׳ שמ״ג הביא תשובות הרשב״א בזה״ל ולענין איסורין דרבנן כתב הר״ן בריש יומא שכל שהוא לצרכו של תינוק אע״פ שהגיע לחינוך מאכילין אותו איסור דרבנן אפי׳ בידים וכ״כ הרשב״א ומיהו כתב בתשובה [ס׳ צ״ב] שלא אמר כן אלא להלכה אבל לא למעשה עכ״ל.

ועפי״ז מובן אמאי לא הביא הב״י בשולחנו הערוך שיטת הרשב״א דהוא סובר דהרשב״א בעצמו לא סמך על היתר זה למעשה עי״ש. אולם הריטב״א ביבמות דף קיד. הביא שיטת הרשב״א שס״ל דמותר לספות לקטן איסור דרבנן כשהוא לצורכו אבל הוא בעצמו החמיר כשיטת הרמב״ם שסובר שאסור.

והנה יש אחרונים שהביאו דברי הרשב״א להלכה ונעתיק מקצת מהם: א) משמעות המג״א ס׳ ש״מ ס״ק ה, ב) שלחן ערוך הרב ס׳ שמ״ג ס״ו, ג) תשובות רע״א סימן טו הובא בביאור הלכה ס׳ שמ״ג, ד) שו״ת הראנ״ח ס׳ קי״ב, ה) שו״ת מהר״י אסאד יור״ד ס׳ רצ״ו ד״ה וגם.

6. כתבנו בפנים דמותר לספות איסור דרבנן לצורכו של קטן שלא הגיע לחינוך במקום צורך. ואם מותר לספות גם לקטן שהגיע לחינוך, יש לנו בזה מחלוקת ראשונים דבר״ן ר״פ יום הכפורים כתב וז״ל ובשלמא אי דרבנן נינהו שפיר שכל שהוא לצרכו של תינוק אף על פי שהגיע לחינוך מאכילין אותו איסור דרבנן ואפי׳ בידים עכ״ד.

אמנם בחידושי הריטב״א יבמות דף קיד: כתב וז״ל וי״א מרבותינו דבאיסורים של דבריהם מחתינן להו חד דרגא, ומאכילין אותו בידים בקטן שלא הגיע לחינוך עי״ש [וע׳ בפרי יצחק ח״א סי״ב בביאור המחלוקת בין הר״ן והריטב״א].

prohibition if it is to the child's own benefit. One may rely on this opinion in cases of great necessity.[7]

For example, turning on a light is considered to be a Biblical prohibition. Thus, one is forbidden to tell a young child to turn on a light even if the child himself will benefit from it. However, turning a light *off* is only Rabbinically prohibited (*m'd'Rabbanan*).[8] Thus, it is permissible, in a case of great

---

ורבותינו האחרונים נחלקו ג״כ בהאי ענינא. בשלחן ערוך הרב סי׳ שמ״ג ס״ו כתב וז״ל וי״א שכל שהוא לצרכו של תינוק כגון אכילה ושתיה לא גזרו בו חכמים כלל ומותר להאכילו בידים כל דבר שאין איסורו אלא מד״ס אם צריך לכך אע״פ שהגיע לחינוך עכ״ל. וכן יש לדייק מתשובות רע״א ס׳ ט״ו שכתב ״וע״ד טלטול הספרים לבה״כ ע״י תינוק פחות מבן ט׳ שכתב מעכ״ת דיש לסמוך על הרשב״א דאיסור דרבנן ספינן ליה בידים. . .״ ואחר שכתב דההיתר של הרשב״א אינו אלא לצורכו של הקטן מסיק ״ולדעתי יש תקנה ליתן להתינוק חומש וסידור שישא לבה״כ לצורך עצמו להתפלל ולשמוע קריאת התורה וממילא יצטרף הגדול עמו להתפלל יחד.״ מבואר דדעת רע״א שמותר לקטן בן ט׳ לטלטל סידור לבית המדרש, והרי קטן בן ט׳ כבר הגיע לחינוך לכל הדיעות כדכתבנו לעיל בפרק א׳ וא״כ איך ס״ל לרע״א שמותר לו לטלטל? אלא ע״כ מוכח דרע״א ס״ל כהשלחן ערוך הרב דהרשב״א מתיר אפי׳ לקטן שהגיע לחינוך. והראוני שכן כתב לדייק בשו״ת מלמד להועיל סי׳ נ״ח מדברי הרע״א.

אולם ע׳ בשו״ת מהר״ם שיק או״ח ס׳ קע״ג ובתשובות לבושי מרדכי ח״א ס׳ ס״א, ובתשובות ר׳ אליהו גוטמאכער ס׳ ל״ג שכולם ס״ל דהרשב״א לא התיר אלא לקטן שלא הגיע לחינוך.

7. חיי אדם כלל ס״ו סעיף ו׳. ובאמת יש פוסקים שסומכים על הרשב״א אפי׳ כשאינו צורך גדול, ע׳ בשלחן ערוך הרב שכתב דאם הקטן צריך לכך מותר להאכילו איסור דרבנן ולא כתב דבעינן צורך גדול. ויש לנו לדעת מהו גדר צורך שעי״ז נתיר להאכיל לקטן איסור דרבנן? במגילת ספר סי׳ צ ס״ק ד כתב וז״ל דהרי בשו״ת הרשב״א ח״א ס׳ צ״ב מבואר שיניקת תינוק אחר כ״ד חודש אסורה הואיל ואין זה נחשב צורך הקטן שבגיל כזה כבר אינו זקוק לכך אף שיש לו הנאה מזה. מאידך גיסא מבואר בהר״ן ריש פרק יום הכפורים דרחיצה של קטן מותר לגדול לעשות לקטן דזה נחשב צורך קטן. אבל נעילת הסנדל אסור דאין זה צורך קטן. חזינן דאינו מבואר כ״כ מאי הגדר של צורך קטן עכ״ד.

8. הגם דבשו״ת בית הלוי ח״א ס׳ י״ג כתב דאפי׳ לדעת הרשב״א שמתיר לספות לקטן איסור דרבנן לצורכו של הקטן מ״מ מלאכה שאינה צריכה לגופה אסור משום דכיון דכשהוא לצורך גופו הו״ל חמירי כאיסור תורה, כעין שמצינו באמירה לעכו״ם שמלאכה שאינה צריכה לגופה חמיר מסתם איסור דרבנן [ע׳ מש״כ בספרנו הלכות אמירה לעכו״ם ביאורים ס״ד], אף על פי כן כתבנו בפנים דמותר לומר לקטן לכבות החשמל כשהוא לצורכו של קטן דכיון דלא שייך לעשות פחמים כשמכבה החשמל אין למלאכה זו חומרא כשל תורה וכן כתב הגאון ר׳ שלמה זלמן אויערבאך שליט״א בספרו מאורי אש דף פז.

necessity, to instruct a child (who is below *chinuch* age) to turn off a light (e.g. if the light is disturbing the child.)[9]

9. וע׳ בשו״ת באר משה ח״ו ס׳ י״ח, שנשאל אם מותר להניח קטנים להביא ממתקים לבית המדרש בשבת, והשיב דכשלא הגיעו לחינוך לצורך עצמם שרי. וע״ע בזה בשו״ת להורות נתן ח״ו סי׳ כ״א.

חידושי דינים בקטן במלאכת שבת

א) ראיתי בספר חינוך ישראל דף רטז שכתב וז״ל יש להסתפק בשבת אי מותר לומר לקטן לעשות דבר שאינו מתכוון אלא שפסק״ר שנעשה ע״י מלאכה דאורייתא, דלענין גדול הוא איסור תורה.

וע׳ בקובץ עם התורה מהדורא ב׳ חוברת י״ב שהגאון ר׳ ח.פ. שיינבערג שליט״א האריך בזה ולבסוף מסיק וז״ל ולדינא נלע״ד דמדמפורש בתוס׳ יומא ועוד דפ״ר חייב בתורת מתכוין ודכן מסתבר, לכן מדיש קטנים שאין בהם הכרת וכוונת תוצאות צדדיות מפעולתיהם, לכאורה יש מקום לסמוך להקל להגיד אליהם במפורש לעשות פעולות שכרוכות בהם מלאכות דאורייתא בפסיק רישיה, כשיש פעולה הכוללת שתי תוצאות, והאחת היתר גמור, והשנייה איסור מלאכה דאורייתא, והקטן עסוק לדעתו בההיתר ואיננו יודע או מכוין להאסורה כלל עכ״ל.

ב) ראיתי בספר חינוך הבנים והבנות דף לד שכתב וז״ל הרבה פעמים בשבת התינוק סוגר את האילעקטריק ויש צער לישב בחושך, או לפעמים יש שאי אפשר לפתוח את הריפרידזעדער דבפתיחתו ידלק האילעקטריק, ואין כאן גוי בסביבה, או אפילו במקום שיש גוי אין ההיתר כל כך פשוט, עיין ברמ״א סי׳ רע״ו ובפוסקים שם, וכן בסוף סי׳ רנ״ג. לענ״ד יש עצה, והיינו אם יש לו ב׳ תינוקות א׳ בגיל ג׳ וא׳ בגיל ד׳ דלא הגיעו לחינוך יש עצה לומר לתינוק א׳ לומר לתינוק הב׳ שיפתח את הריפרידזעדער או בציור כשיושבים בחושך להדליק האילעקטריק, ובתנאי שלא יבין התינוק הב׳ שהתינוק הא׳ אומר לו בשביל האב או האם, דאם יבין כן יהי׳ אסור מכח הדין דמס׳ שבת דף קכ״א ושו״ע סי׳ של״ד דקטן העושה על דעת אביו אסור וחייב כל אדם למחות בו כדמבואר בשו״ע הרב ז״ל מכח הדין דאין מאכילין בידים איסור לקטן. אבל באופן דלא יבין הקטן הב׳ זה עצה הגון לפענ״ד עכ״ל.

13 / Treatment of Children's Illnesses and Injuries

Introduction

The *Poskim*, in their discussion of the laws of treating illnesses and injuries, established four* categories: a. *Choleh Sheyeish Bo Sakana* — A sick person whose life is in danger. b. *Choleh She'ein Bo Sakana* — A sick person whose life is not in danger c. *Miktzas Choli* — A person who is suffering a local ailment which causes him discomfort. d. *Meichush Be'alma* — A person who suffers from a minor ailment which causes little or no pain.*

---

*Note: There is a fifth category known as *sakanas eiver*. This refers to a situation involving potential loss of a limb without danger to life. The laws pertaining to this category of illness as well as the laws applicable to wounds which require stitches[1] are not discussed in this book.

---

1. ראוי להעתיק כאן מה שכתב בספר נשמת אברהם ח״ד בסי׳ ש״מ וז״ל חתך עמוק שהפסיק לדמם צריך בכל זאת סגירה כדי למנוע זיהום. קיימות כמה אפשריות לסגירת החתך: א. ע״י פלסטר רגיל ב. ע״י פרפר ג. ע״י מהדקים ד. ע״י תפירה ה. ע״י נוזל מדביק. מבחינה רפואית, הדרך הטובה ביותר למנוע זיהום הוא ע״י הידוק טוב של שפות החתך, הן ע״י תפירה והן ע״י מהדקים מתכתיים. סגירה ע״י תפירה או מהדקים גם נותנת את התוצאה הטובה ביותר מבחינת הצלקת.

מבחינה הלכתית יש איסור בחיתוך של פלסטר ובחיתוך פרפר בשבת משום מלאכת מחתך, ובתפירה משום קשירה כי חייבים לקשור בקשר כפול כל תפירה ותפירה. ולכאורה אין איסור מחתך בחוט התפירה כי רק אחרי התפירה הוא חותך גם את החוט וכו׳.

ולגבי איסור תופר ראה בששכה״כ פל״ה הערה ס״ב שכתב שלכאורה לא מצאנו תופר בגוף האדם וכן כתב בספר תורת היולדת שמביא בשם הגר״י אברמסקי ז״ל שאין איסור תורה של תפירה באדם וכו׳ אך אמר לי הגרש״ז אויערבאך שליט״א שיש חשש של איסור דאורייתא של תפירה בכל הטיפולים הנ״ל שכל מטרתם לחבר את שתי שפות החתך, ע״כ. ועיי״ש מאי שהביא מכתבו של הגאון ר׳ שלמה זלמן שליט״א בזה. ובהמשך דבריו שם מביא בשם הגרי״ש אלישיב שליט״א שיש מלאכות שאסורות מדאורייתא בגוף האדם כגון כתיבה, ויש שמותרות לכתחילה, כגון כיבוס, יש שבספק

Below is a description and a synopsis of the laws pertaining to each category.

The discussion of each category will also outline the laws regarding the use of medication on Shabbos. Generally, the Sages prohibited the use of medicine on Shabbos.[2] However, in certain situations, the use of medicine is permitted.

I. Choleh Sheyeish Bo Sakana — Illness (or Injury) That Is Life Threatening

1. Definition

Choleh sheyeish bo sakana is a person who has an illness (or injury) which poses an immediate threat to his existence or to the normal functioning of his vital life processes. Included in this category are situations in which the threat to life is not definite, but the mere *possibility* exists.

כגון בונה ויש שאין בהן הכרעה, כגון תופר. לכן יש בכל תפירה או הדבקת החתך ע״י פרפר או פלסטר וכו׳ ספק איסור דאורייתא ואין היתר לעשותם בשבת אלא במצב של פיקוח נפש ע״כ. ואח״כ כתב, בחורה שיש לה חתך עמוק בפנים ואין בו כל סכנה ולכן אין לתפור או להדביק את קצוות החתך בשבת בכל אחת מהדרכים הנ״ל אלא צריכים רק לכסותו עד מוצאי שבת, אך אז עלולה להישאר עם צלקת לא יפה שתקשה עליה להשתדך זה עלול לגרום לדכאון נפשי רציני בעתיד יעו״ש מה שהביא בזה בשם בעל השמירת שבת כהלכתה ואח״כ כתב וז״ל וכתב לי הגרש״ז שליט״א: אין לעבור על איסור תורה, וכו׳ וה״נ גם כאן, רק מותר לבקש מרופא נכרי שיתפור את הפצע. מבואר מכל זה דעשיית stitches כדי לתפור פצע הרי זה כרוך באיסורי דאורייתא ולכן כשבא שאלה כזה יש לשאול מורה הוראה מובהק.

2. מקור איסור לקיחת תרופה בשבת הוא מגמרא שבת דף נג: אדם שאחזו דם מעמידים אותו במים בשביל שיצטנן אמר עולא גזירה משום שחיקת סממנים ורש״י פירש במידי דרפואה גזרו רבנן דאי שרית שום רפואה אתי למישרי שחיקת סממנים והוא איסורא דאורייתא דהוי טוחן עכ״ל. ובשלחן ערוך הרב סימן של״ב ס״ג כתב וז״ל ועל כל רפואה גזרו משום שחיקת סממנים מ״מ ברפואת בהמה לא גזרו מפני שאין אדם בהול כ״כ על רפואת בהמתו שיבא לשחוק סממנים עכ״ל.

ובספר קצות השלחן ס׳ קל״ד ס״ק ז(2) חקר אי בזמן הזה שאין אנו בקיאין איך לעשות התרופה אולי אין כאן גזירה כלל עי״ש, וע׳ בשו״ת ציץ אליעזר ח״ח ס׳ ט״ו פט״ו שהאריך בזה.

The following are a few examples:

a. A person shows indications that he may have suffered a heart attack.

b. A major blood vessel has been ruptured.

c. A person was bitten by a wild dog or a poisonous insect.

2. Laws Pertaining to a Choleh Sheyeish Bo Sakana

The *halachah* rules that one must transgress any Biblical or Rabbinic law to save someone's life.[3] The *Poskim* praise the individual who is quick to violate the Shabbos on behalf of someone whose life is in danger.[4]

[It should be noted that the *halachos* of *choleh sheyeish bo sakana* are very complex and it is beyond the scope of this book to elaborate on these *halachos*.]

II. Choleh She'ein Bo Sakana —
Illness That Is Not Life Threatening

1. Definition

A *choleh she'ein bo sakana* is a sick person whose illness is not life threatening. However, his condition must meet one of the following requirements:

A. The condition is one that requires bed rest (e.g. a person with the flu or chest congestion).[5] As long as the individual requires bed rest, he is considered *choleh she'ein bo sakana* even if he is capable of getting out of bed and walking around.[6]

B. The condition causes intense pain which weakens the entire body (e.g. a migraine headache or a severe earache).[7]

---

3. ש"ע סי' שכ"ח ס"ב.

4. ש"ע סי' שכ"ח ס"ב.

5. ש"ע סי' שכ"ח סי"ז.

6. ערוך השלחן סי' שכ"ח סי"ט.

7. רמ"א סי' שכ"ח סי"ז.

2. Laws Pertaining to a Choleh She'ein Bo Sakana

The general laws relating to this category are as follows:

A. What a Gentile Is Permitted to Do for a Choleh She'ein Bo Sakana

One may ask a gentile to perform any act on behalf of a *choleh she'ein bo sakana*, including a *melachah* which is prohibited by the Torah.[8] The following are a few examples:

a. One may ask a gentile to phone a doctor to obtain instructions in order to assist the sick person. [Later, we will discuss situations in which a Jew may phone a doctor.]

b. One may ask a gentile to drive to a pharmacy to purchase medicine for the sick person.

c. One may ask a gentile to turn on a light so that someone can attend to the needs of the sick person.

d. One may ask a gentile to cook fresh food or boil water for the sick person.

[Foods cooked by a gentile are often prohibited because of *bishul akum* (gentile cooking). This prohibition, however, does not apply to foods cooked for a sick person. Other individuals may not eat the food. Furthermore, the sick person himself may not eat these foods after Shabbos, unless other food is unavailable.[9] Concerning food in hospitals on Shabbos see *The Sanctity of Shabbos*, p. 109.]

---

8. ש״ע שם ומ״ב שם ס״ק מ״ז. וע׳ במ״ב ס״ק מ״ו שכתב ודוקא כשצריך להרפואה בשבת עצמו הא כשא״צ לה בשבת ימתין עד מו״ש.

9. הרמ״א ביור״ד סי׳ קי״ג סט״ז כתב: ,,עובד כוכבים שבשל לחולה בשבת מותר למוצאי שבת אפי׳ לבריא ואין בו משום בישולי עובד כוכבים דכל כה״ג היכרא איכא״. ועי׳ שם בט״ז ס״ק ט״ו שהביא להלכה דעת הרשב״א שחולק ע״ז וסובר דבמו״ש חוזר הדבר לאיסורו ואינו מותר אפי׳ להחולה עצמו וכל שכן לבריא עי״ש. אמנם הנקודת הכסף שם חולק על הט״ז ומחזיק דברי הרמ״א להלכה.

והמ״ב בסי׳ שי״ח סק״ד כתב דאין כאן איסור בישול עכו״ם ומותר במו״ש לבריא לאכול מזה, אמנם בסי׳ שכ״ח ס״ק ס״ג פסק דבמו״ש אסור אפי׳ להחולה לאכול משום בישול עכו״ם. ולכאורה דבריו סתרי אהדדי וכבר העיר בסתירה זו בנו של הח״ח בתולדות הח״ח שכ׳ בריש ספר מכתבי הח״ח יעו״ש. ובספר תורת היולדת (מהדורא שניה) ע׳ רמ״ח כתב לתרץ בשם החזון איש וז״ל: ,,דבסי׳ שכ״ח דמיירי בחולה שאין בו סכנה הכריע לאיסור כדעת הט״ז, אבל בסי׳ שי״ח דמיירי בחולה שיש בו סכנה הקיל כדעת

B. What a Jew Is Permitted to Do for a Choleh She'ein Bo Sakana

A Jew is forbidden to transgress a Torah law for the benefit of a *choleh she'ein bo sakana*. However, one is permitted to violate a Rabbinic law.* The act should be performed with a

---

*Note: There is an exception to this rule. One is not permitted to perform a *melachah sh'eino tzerichah legufah* (which is a Rabbinic prohibition) for a *choleh she'ein bo sakana*. *Melachah she'eino tzerichah legufah* is a *melachah* that is performed for a purpose other than the purpose for which it was performed in the Tabernacle [מִשְׁכָּן]. For example, a person turned off a light in order to darken the room. In the *Mishkan*, a flame was extinguished in order to produce carbon (ash) for use in the construction of the *Mishkan*. Therefore, turning off incandescent lights on Shabbos is *always* a Rabbinic prohibition. The *Poskim* deem a *melachah she'eino tzerichah legufah* as the most serious type of Rabbinic prohibition on Shabbos since the same action may sometimes entail a Biblical violation. Therefore, it is forbidden for a Jew to do a *melachah she'eino tzerichah legufah* for a *choleh she'ein bo sakana*.[10]

הרמ״א ביו״ד סי׳ קי״ג.״ ועי״ש שהביא אריכות בענין זה מהגאון ר׳ ח.פ. שיינבערג שליט״א.

גם בדברי הערוך השלחן מצינו סתירה בדבריו, שהרי בסי׳ שי״ח סי״ב כתב דמאכל שנתבשל ע״י נכרי בשבת מותר למו״ש מיד אפילו לבריא, ואילו בסי׳ שכ״ח סכ״ח אחר שהביא הוא עצמו דברי הרמ״א ביו״ד סי׳ קי״ג נקט להלכה דלערב אסור אפי׳ להחולה עצמו. ואולי עפ״י דבריו שכתב במקום שלישי נוכל להכריע ביניהם, שהרי ביו״ד סי׳ קי״ג סנ״ב הכריע דלכתחילה יש להחמיר, נמצא דמעיקר הדין יש להקל, אך לכתחילה יש להחמיר, ועדיין צ״ע.

ואף בדברי הגר״א יש להעיר דבסי׳ שי״ח ס״ב ד״ה בשבת כתב: „ואין בו משום בישולי נכרים כיון דלא שכיחי אין בו משום חתנות״, אבל ביו״ד שם ס״ק מ״ב כתב על הרמ״א הנ״ל: „כ״כ הרא״ה וכשיטתו דכל דלא שייך חתנות מותר, אבל הרשב״א חלק עליו, ועט״ז ופר״ח״, והיינו שהט״ז והפר״ח אוסרין התבשיל במו״ש אף לבריא, ומשמע שחושש לדעתם, ועכ״פ לא הכריע, משא״כ בסי׳ שי״ח דמסתימת לשונו משמע שהכריע כהמקילים.

ולהלכה למעשה נראה שצריכים להחמיר, שהרי כמה פוסקים החמירו בזה, ראה ש״ע הרב ס״ה, ושו״ת שואל ומשיב מהד״ת ח״ב סי׳ ט״ו, והכף החיים בסי׳ שי״ח ס״ק ל״א הביא הרבה פוסקים שהחמירו בזה, וכן הביא הדרכי תשובה ביו״ד סי׳ קי״ג ס״ק צ״ד שרוב הפוסקים מחמירים בדבר זה. וע״ע בשער הציון סי׳ שכ״ח ס״ק מ״א.

ולענין הכלים אם הם צריכים הגעלה משום בישול עכו״ם, ע׳ מ״ב סי׳ שכ״ח ס״ק ס״ג שהביא מחלוקת הפוסקים בזה ולבסוף מסיק דהרוצה לסמוך על המקילים לא הפסיד, וכ״כ הערה״ש סי׳ שכ״ח סי׳ כ״ח.

10. מ״ב סי׳ רע״ח ס״ק ג. ולכאורה משמע דגם ע״י שינוי אסור לכבות את הנר בשביל חולה

shinui (i.e. a deviation from the manner in which it is usually done).[11] This is permitted even in situations where a gentile is available to perform the same act.[12]

If the act cannot be performed with a *shinui*, a Jew is nevertheless permitted to do it. In this situation, however, if a gentile is available the gentile should be instructed to do whatever is necessary.[13]

C. Medication for a Choleh She'ein Bo Sakana

Since the prohibition against taking medication on Shabbos is only a Rabbinic prohibition, a *choleh she'ein bo sakana* is permitted to do so. The previously mentioned recommendation of performing the act with a *shinui* (i.e. with a deviation from the manner in which it is usually done) is applicable to external medication (e.g. a cream). Internal medicine (e.g. a pill) may be taken in the usual manner.[14]

שאין בו סכנה דאל״כ במה חמורה מלאכה שאינה צריכה לגופה יותר מכל מלאכה דרבנן. וע׳ בששכה״כ פל״ג הערה כב מה שכתב בזה. וע׳ בדעת תורה ס׳ רע״ח שכתב וז״ל ע׳ שו״ת גור אריה יהודה או״ח סי׳ ק״ז שפסק דגם לצורך חולה שאין בו סכנה מותר לכבות הנר ע״י שינוי כיון דהוי רק איסור דרבנן עי״ש. וע׳ מה שכתב בזה בספר מאורי אש דף פז.

11. בפנים כתבנו דמותר לישראל לעשות שבות ע״י שינוי לחולה שאין בו סכנה שכן הכריע המ״ב בס׳ שכ״ח ס״ק נ״ד. אמנם השלחן ערוך הרב בס׳ שכ״ח סי״ט כתב וז״ל וע״י שינוי מותר לעשות אפי׳ מלאכה גמורה כגון הגונח (שמותר לינק) בפיו כמו שנתבאר שכיון שמשנה בעשייתה אינה אסורה אלא מד״ס עכ״ל. וכן פסק התהלה לדוד סי׳ שכ״ח ס״ק כב, והאגלי טל מלאכת טוחן סי״ז ס״ק ל״ח (י). ובששכה״כ פל״ג הערה יז כתב בשם הגאון ר׳ שלמה זלמן שליט״א וז״ל מסתבר דיכולים להקל אם אי אפשר ע״י נכרי. ועיין ביאורים בסוף הספר.

12. מ״ב סי׳ שכ״ח ס״ק נ״ד.

13. ששכה״כ פל״ג הלכה ב. וע׳ בספר מגילת ספר סי׳ כ״ז ס״ק ב מה שהעיר בזה.

14. ברמ״א בסי׳ שכ״ח סל״ז איתא וכן אם נפל למשכב שרי עכ״ל ר״ל שמותר לו ליקח רפואה בשבת. ובמ״ב ס״ק קכ״א כתב וז״ל פירוש לאכול ולשתות דברים שאין מדרך הבריאים לאכול והוסיף המ״ב וכתב ומסתימת דברי הרמ״א משמע שא״צ אפי׳ שיהיה א״י מושיט לו אלא מותר לו ליקח בעצמו ואע״ג דפסקינן לעיל סי״ז כדעה ג׳ דשבות שיש בו מעשה אסור ע״י ישראל ואינו מותר כ״א ע״י שינוי צ״ל דשאני התם שמיירי במלאכות דרבנן או בדברים שמיחזי כעין מלאכה אבל הכא דאין בזה משום סרך מלאכה דהא לבריא מותר ורק למי שיש לו מיחוש גזרו משום שחיקת סממנים בחולה גמור לא גזרו עכ״ל. וע׳ בששכה״כ פרק לג הלכה ד.

ולכאורה מצינו כמה סתירות בדין זה דהרמ״א שם סעיף כ״ה כתב וז״ל ואסור ליתן

The *choleh she'ein bo sakana*, while taking medicines for the condition which causes this status, is not permitted to simultaneously take medicine for other minor ailments.[15]

III. Miktzas Choli

1. Definition

Miktzas choli[16] describes the condition of a person who is not bedridden but who suffers from an ailment or injury confined to a localized area which is painful and causes definite discomfort;[17] examples are a person with an average headache or hearburn.

2. Laws Pertaining to a Miktzas Choli

A Jew is forbidden to perform any Biblical or Rabbinic prohibition for the benefit of one suffering from *miktzas choli*. However, it is permitted to ask a gentile to perform an act which only involves a Rabbinic transgression.[18]

For example, one may ask a gentile to externally apply medicine [e.g. ear drops] even though the Jew may not do so himself. Similarly, he may ask a gentile to dab cream on a burn.

עליה אפר מקלה דמרפא כי אם ע״י אינו יהודי, ובמ״ב ס״ק פ״ה כתב עלה וז״ל אף דהוא איסור דרבנן מ״מ ע״י ישראל עצמו אסור בלא שינוי אפי׳ אם חלה כל גופו כיון שהוא חולה שאין בו סכנה וכדלעיל בסי״ז לפי מה דמסיק הש״ע שם עכ״ל. מבואר מזה דאסור לו ליתן רפואה על מכתו הגם דבס״ק קכ״א פירש דשיטת הרמ״א הוא דמותר לו ליקח רפואה בשבת אפי׳ בלי שינוי, וכן יעויין במ״ב שם ס״ק ק״ב שכתב דכאיב ליה טובא שמצטער כל גופו וכדלעיל בסי״ז, ועי״ש לעיל דע״י ישראל מותר דוקא ע״י שינוי עכ״ל. מבואר ג״כ דבעינן שינוי, ויעויין עוד במחבר שם סמ״ב שכתב אין מתעמלין היינו שדורס על הגוף בכח כדי שייגע ויזיע וכו׳ וע״ז כתב המ״ב בס״ק ק״ל וז״ל ודע דלפי מה דפסקינן לעיל בסי״ז דע״י ישראל אין עושין שבות דרבנן לחולה שאין בו סכנה כי אם ע״י שינוי ה״נ בענייננו אפי׳ הגיע לכלל חולה שאין בו סכנה אין עושין ד״ז כ״א ע״י שינוי וכו׳ מבואר ג״כ דבעינן דווקא שינוי. וע׳ בספר ברכת השבת דף רנו שהעיר בזה. וע״ע במגילת ספר ס׳ כ״ז ס״ק ג.

15. שו״ת אג״מ או״ח ח״ג ס׳ נג.

16. ש״ע סי׳ ש״ז ס״ה.

17. שלחן עצי שיטים דיני אמירה לעכו״ם סי״ז. ביאור הגר״א ס׳ שכ״ה סוף ס״י. וערוך השלחן ס׳ ש״ז סי״ח. וע׳ בתפארת ישראל כלכלת שבת דיני אמירה לנכרי ס״ז (א) משׁ״כ בזה.

18. ש״ע סי׳ ש״ז ס״ה.

He is, however, not permitted to ask the gentile to smear the cream on the burn because smearing violates a Torah prohibition. [See p. 90]

IV. Meichush Be'alma

1. Definition

Meichush be'alma describes the condition of a person who is suffering from a minor ailment or injury which causes little or no pain,[19] e.g. slight heartburn, minor sore throat.

2. Laws Pertaining to a Meichush Be'alma

It is forbidden to transgress any prohibition (either Torah or Rabbinic) for a person who has a *meichush be'alma*.[20]

V. Additional Halachos of Taking Medication

One is permitted to take medication on Shabbos for preventive reasons.[21] For example, if one took medication to treat a sore throat prior to Shabbos and it is now completely healed, he may continue to take the medication on Shabbos in order to prevent a recurrence of the sore throat.

It is permitted to puncture a capsule to remove the inside liquid or powder for use.[22] One may tear the wrapping around a pill but should make every effort not to tear it in a place where there is lettering.[23] It is permitted to crush or chop a pill on Shabbos.[24] Doing so does not transgress the *melachah* of grinding [טוֹחֵן].

---

19. ש"ע סי' שכ"ח ס"א.

20. הנ"ל

21. ששכה"כ פל"ד סי"ז.

22. פשוט הוא.

23. ששכה"כ פל"ג הלכה ד.

24. ששכה"כ פל"ג הלכה ד' וע' בשו"ת הר צבי או"ח ח"א דף רנט.

VI. Treating Sick (or Injured) Children on Shabbos

The previously noted categories and their related laws apply to sick or injured children as well as to adults. However, due to the naturally weaker constitution of young children, they may be viewed as being included in a more lenient category than would an adult with similar symptoms. We will therefore discuss these *halachos* according to the age of the child.

A. Newborn through Twelve Weeks Old

1. Practical Laws of an Emergency Situation

Any slight rise in temperature[25] or abnormal symptom in a newborn child may be indicative of a much more serious condition.[26] Therefore, the child might be considered a *choleh sheyeish bo sakana*, one whose life is possibly at risk.

Under such circumstances, a doctor *must* be contacted immediately. If time is of the essence, any Shabbos prohibition may be transgressed even if it involves a *melachah* prohibited by the Torah. However, if time permits, it is preferable to minimize the prohibited acts.[27] Therefore, all actions which involve a transgression should be conducted in an unusual manner. **[It must be stressed that these rules do not apply if there is any doubt whether time is of the essence.]**

Accordingly, if one must telephone the doctor,[28] the receiver of the telephone should be lifted off with one's elbow or with another object. The number should be dialed with the end of a

---

25. ע׳ בשו״ת אג״מ או״ח ח״א סי׳ קכט שכתב וז״ל ובתינוק שאין שייך זה אם רואין שמצטער ביותר וכדומה לזה מה שניכר שהוא חולה אף שהחום הוא קטן רק יותר ממאה מחללין. סוף דבר אם רק לא ברור להו להחשיב שהוא מעט חום מחללין. וע״ע בזה בחזו״א או״ח ס׳ נט ס״ק ד, ובשו״ת ציץ אליעזר ח״ח ס׳ טו פרק ז, ובשו״ת באר משה ח״ו ס׳ נח.

26. דעת הרופא.

27. ש״ע סי׳ שכ״ח סי״ב.

28. ע׳ בספר תורת היולדת פ״ט שביאר כל האיסורים הכרוכים בשיחה בטלפון בשבת.

spoon, one's little finger, the joint of a finger, etc. If further telephone calls may be necessary, the receiver may be replaced. This, too, should be preferably done in an unusual manner.

If the doctor says the baby must be seen on Shabbos, once again, the manner in which one conducts himself depends on the urgency of the situation. If time is of the essence, one should drive the baby himself. When he arrives at the doctor's office or hospital, he is not permitted to shut off the car's engine because that is not necessary for the care of the child.

If time permits, it is preferable to look for a gentile to drive the car.

A parent [or parents] should accompany the child to the doctor or hospital. In these situations, the gentile should open and close the doors of the vehicle, both when leaving the house and upon arriving at the doctor's office or hospital. This is done in order to avoid turning on and extinguishing the light inside the car. If anything must be taken along, it is preferable that the gentile carry these items to and from the car.

After the child has been treated and is able to return home, one should wait, if possible, until after Shabbos before returning home. If it is difficult for the child to wait [e.g., he needs a bed to rest, proper food to eat, he is weak], it is permitted to ask a gentile to drive the child home[29] and follow the procedures outlined above. If possible, the items that were taken to the doctor/hospital should remain there. The parent is permitted to go home with the child. [A competent halachic authority should be consulted regarding the second parent's return home.]

2. Care of the Navel (Umbilical Cord)

Even though we have previously mentioned that a newborn child is considered a *choleh sheyeish bo sakana* for minor sicknesses, this is not the case regarding normal treatment of the baby's navel. Therefore, the following *halachos* apply:

a. The umbilical cord of a newborn baby is generally treated with alcohol to dry the mucus draining from the cord. On

---

29. כן שמעתי מפוסקי זמנינו שליט״א.

Shabbos, dipping cotton swabs into alcohol or using alcohol "preps" present the problem of סְחִיטָה, *squeezing*, and they should therefore not be used. Rather, one should pour the alcohol onto the area and then rub it with the hand, or rub it lightly with a cotton swab. When using a cotton swab one must be careful to avoid squeezing liquid out of the cotton ball.

b. If the area must be treated with a cream or ointment, follow the procedure outlined on page 90 of this chapter.

c. One should not remove the remaining cord. If the area around the cord becomes red, or a foul odor emanates from the cord, a doctor should be consulted. [See above for the procedure of contacting the doctor.]

B. Children Three Months and Above

After the age of three months, a child generally has gained strength. Therefore, a small rise in temperature or slightly abnormal symptoms may not necessarily place him into the category of one whose life may be in danger. However, if a more severe symptom appears (e.g., rapid breathing, difficulty breathing, constant diarrhea, signs of dehydration, severe irritability, lethargy, high fever or persistent vomiting), one should immediately contact a doctor in the manner outlined above (see p. 80) because the child's life might be in danger.

It must be stressed that if one has any doubt as to whether or not a serious situation exists, a doctor should be contacted immediately, or anything necessary for the treatment of the child's condition should be done.

C. General Laws of a Choleh She'ein Bo Sakana for Children

Even though a child does not have any severe symptoms and is therefore not considered a *choleh sheyeish bo sakana*, he is still considered a *choleh she'ein bo sakana*. We have previously described the conditions of an adult who is a *choleh sh'ein bo sakana* (see p. 73). However, since children are more susceptible to illness, and the lack of proper care can easily have a detrimental effect on a child's health and condition, the Sages were more lenient in assigning children to this category. Therefore, a child suffering any illness or injury which causes him distress may be designated as a *choleh she'ein bo sakana*[30] with the leniencies applicable to this category permitted. However, one may only rely on these leniencies if the child's needs cannot be fulfilled in a permissible manner.[31]

D. Until What Age Is a Child Considered Choleh She'ein Bo Sakana

Generally, any child below the age of three suffering any distress causing illness or injury may be considered a *choleh she'ein bo sakana*. The classification of a child from three years through the age of nine depends upon the relative strength or weakness of the child. If he is generally weak, he may still be considered a *choleh she'ein bo sakana* in situations of distress as described above. If he is generally strong, he should not be readily classified as a *choleh she'ein bo sakana*.[32]

---

30. כתב הרמ״א סי׳ שכ״ח סי״ז וז״ל מותר לומר לא״י לעשות תבשיל לקטן שאין לו מה לאכול דסתם צרכי קטן כחולה שאין בו סכנה דמי. וע׳ בתהלה לדוד ס׳ ש״ח ס״ק מ״ז, ובס׳ שכ״ח ס״ק כ״ד שפירש דההיתר של הרמ״א איירי דווקא לגבי אוכלים אבל לגבי שאר דברים לא אמרינן דסתם קטן כחולה שאין בו סכנה, אולם בשו״ת מנחת יצחק ח״א ס׳ ע״ח כתב דה״ה בכל צרכי הקטן אמרינן הך דינא, וכדבריו מבואר בביאור הגר״א ס׳ שכ״ח סי״ז. וע״ע בזה בקצות השלחן בבדי השלחן ס׳ קל״ה ס״ק כ׳.

31. שו״ת מנחת יצחק ח״א ס׳ ע״ח.

32. בהרמ״א הנ״ל בציון 28 לא פירש באיזו גיל קטנות מיירי, אמנם בשו״ת מנחת יצחק ח״א ס׳ ע״ח כתב שהשיעור הוא עד בן ט׳ שנים, וראייתו מהרמב״ם ה׳ יוה״כ (פ״ב ה״י) שכתב שהקטן שהוא פחות מט׳ שנים אין מענין אותו, והרי כל עיקר דין שלנו שנמצא בס׳ או״ה מקורו ביומא עח: בדיני יוה״כ, הרי שלמדין שבת מיוכ״פ עכ״ד.

ברם, בקונטרס עת ללדת עמוד נז כתב ע״ז שהוא חידוש גדול, ושקשה להוציא קולא כזו מדמיון לשם, שי״ל שחלוקים בענינים, ורק שם ביומא שהנידון היא תענית, אמרו דמקילים עד ט׳ שנים אבל בשאר דברים השיעור הוא פחות הרבה, וזה שדימה האו״ה שבת ליום כפור. לא כיוון אלא להראות דבמקום בריאות התינוק לא גזרו ע״י עכו״ם ולא יותר. והוסיף שם וזה״ל ואכן שמעתי מפי הגרי״ש אלישיב שליט״א שבדרך כלל נקטינן דעד בן שתים או שלש דיני כחולה שאין בו סכנה, אבל בדברים שהמציאות הוא דחלוש אפי׳ ביותר שנים, כגון לישב בחושך וכדומה, יש להתיר אפי׳ יותר מבן ג׳ כסברת הקצות השלחן [ס׳ קל״ד בבדי השלחן אות יח] עכ״ד. ועל פי הנ״ל כתבנו בפנים דעד ג׳ שנים

Practical Applications

a. If a baby has a diaper rash which causes discomfort, one is permitted to sprinkle medicated powder or apply creams or ointments. The same rule applies to calamine lotion or antiseptic/antibacterial ointments. [See p. 90 for proper method for applying creams.]

b. It is permitted to give medicine for any type of pain to an infant. Similarly, it is permitted to continue to give the medicine that was started before Shabbos even if the child is (presently) no longer in distress.[33]

VII. Miscellaneous Laws on Children's Health Care on Shabbos

A. Taking Vitamins on Shabbos

There is a dispute among the authorities under what conditions an adult is permitted to take vitamins on Shabbos.[34] However, all children under the age of three are permitted to take vitamins on Shabbos. If a child has a weak constitution, the child is permitted to take vitamins until the age of nine.[35]

B. If One's House Is Cold

When one's home is insufficiently heated, it is probable that one will become ill. Therefore, the *Poskim* determined that one is considered a *choleh she'ein bo sakana* in areas without adequate heat. In such situations, one may ask a gentile to raise

---

אפשר להקל דלית מאן דפליג בזה, וכן למעלה מבן ט׳ כ״ע מודה דאסור, אך בין זל״ז ראוי להחמיר שהרי חלקו בו הקצה״ש והמ״י, אם לא במקום הצורך והכל לפי מזגו של הילד. וע״ע בזה בשו״ת ציץ אליעזר ח״ח ס׳ ט״ו פי״ב.

33. כיון דנחלקו הפוסקים אם מותר לגדול להמשיך ליקח תרופה בשבת באופן שאם לא יקח התרופה בשבת לא יגרם לו שום נזק ע׳ במנחת שבת ס׳ צ״א ס״ק ט, ובשו״ת אג״מ או״ח ח״ג ס׳ נ״ג, נראה דלגבי קטנים יש להקל.

34. ע׳ בזה בשו״ת אג״מ או״ח ח״ג סנ״ד, שו״ת באר משה ח״א סי׳ ל״ג, שו״ת ציץ אליעזר חי״ד ס״נ.

35. כן נראה עפ״י מה שכתבנו לעיל בחידושי הלכות, וע׳ באז נדברו ח״ו סי׳ ע״ב.

the heat. Furthermore, the gentile may also be asked to turn on the heat.

The above rule applies even when there is adequate heat for adults, yet additional heat is required for the children in the house.[36]

If an air conditioner was on, and as a result the house became too cold, it is permissible to tell a gentile to lower or turn off the air conditioner.[37]

C. Taking Out A Splinter

One may remove a splinter with a needle on Shabbos. However, one should be careful to avoid drawing blood while doing so.[38] It is forbidden to place a needle in a fire to sterilize it for the purpose of removing a splinter.[39]

D. Placing Ice on a Bump

It is permitted to place ice on a bump or apply pressure with a knife. However, the ice should be placed in a plastic bag[40] rather than a cloth bag in order to avoid the *melachah* of squeezing.

E. Using a Vaporizer on Shabbos

1. Connecting a Vaporizer on Shabbos

If a baby has bronchitis, croup, or the like and it is necessary to use a vaporizer on Shabbos, the following procedure should be followed:

If it has been determined that the situation is not life threatening to the baby, one should ask a gentile to connect the vaporizer to alleviate the child's discomfort. If one is using a

---

36. ש״ע ס׳ רע״ו ס״ה.

37. שו״ת אג״מ או״ח ח״ג ס׳ מ״ב.

38. מ״ב ס׳ שכ״ח ס״ק פ״ח.

39. הגאב״ד דדעברצין שליט״א.

40. שו״ת באר משה ח״א סי׳ לג אות יח.

hot-water vaporizer, and hot water is unavailable, one may also ask the gentile to cook water for this purpose.[41]

2. Adding Water to a Vaporizer on Shabbos

a. If a cold-water vaporizer is operating since before Shabbos, one may always add cold water on Shabbos. However, the water should be added through the spout.[42]

b. If hot water is needed for a vaporizer which has been operating since before Shabbos, it should be taken from an urn or kettle that was cooked before Shabbos, and poured through the spout.[43] If none is available, one should ask a gentile to cook water for this purpose.

F. Use of a Nebulizer

Children who have a tendency to wheeze or who have reactive airway disease or asthma may require the use of a pulmonary nebulizer on a regular or semi-regular basis during the week and on Shabbos. If one knows before Shabbos that the child needs the required prophylactic (preventative) nebulizer treatments, a Shabbos clock may be utilized to give him or her the required treatments at regular intervals on Shabbos.

If the child is having respiratory difficulty (trouble breathing) the nebulizer must be used immediately. If time is of the essence, a Jew himself should activate it, preferably with a

---

41. פשוט הוא כיון דצרכי קטן נידון כחולה שאין בו סכנה שמותר לומר לעכו״ם לעשות איסור דאורייתא.

42. ספר הלכות שבת [מהרב ר׳ שמעון איידער שליט״א] הלכות זורה דף 130 בשם הגאון ר׳ משה פיינשטיין זצ״ל, הגאון ר׳ שלמה זלמן אויערבאך שליט״א הובא בספר שלמי יהודה דף מד. וע׳ בשו״ת מנחת יצחק ח״ז ס׳ כ״א שאוסר, וע״ע שם בח״ח ס׳ כ״ח מה שכתב בזה, ובשו״ת באר משה ח״ו ס׳ נא מתיר ע״י נכרי או ע״י קטן עי״ש. וע״ע בזה בספר נשמת שבת ס׳ סג.

43. הגאון ר׳ שלמה זלמן אויערבאך שליט״א הובא בספר שלמי יהודה דף מד כתב וז״ל חושבני דמותר שפיר להוסיף מים חמים מהדוד של שבת כי אין בישול אחר בישול אע״ג שהמים מתאדים, והרי אין משתמשים בזה אלא לחולים ולצורך חולה יש לחושבו כמעביר מן האש לכירה גרופה עכ״ל. וע׳ אריכות בזה בשו״ת מגדנות אליהו ס׳ קיד.

shinui.* [See p. 76] If a child is available he should turn it on with a *shinui*.

If time is not of the essence and a gentile is easily accessible, one should ask him to turn on the machine.

G. Using Hot Water to Create Steam

If a child is wheezing or experiencing a croup-like condition, one may turn on the hot water (of a bath or shower) in order to steam up the room to relieve the symptoms.[44] It is preferable, if possible, to have the water turned on by a gentile.[45]

H. Using an Intercom on Shabbos

In certain situations one may leave an intercom on in order to monitor the welfare of a child. One should consult a halachic authority for the details of when one may follow this leniency.[46]

I. Preparation and Use of a Compress on Shabbos

If a child has a high fever, swelling, or the like, one may use a compress on Shabbos. However, the preparation of a compress on Shabbos involves halachic complications. It is, therefore, preferable to prepare the compress before Shabbos. If the necessity for a compress first arises on Shabbos, one should follow the procedure outlined below, in the order listed:

1. A cloth should be moistened with a colored liquid (e.g. apple juice). However, one may not prepare colored water on Shabbos for this purpose.[47]

2. If a colored liquid is unavailable, one should spill a clear

*Note: It should be made clear that if any doubt exists as to whether the procedure should be done right away, one should do it on his own.

44. כן נראה.

45. ע׳ בשו״ת ויברך דוד ס׳ מ״ד שכתב להתיר וע׳ בספר שערי חיים דף רא מה שכתב בזה.

46. ששכה״כ פל״ג סי״ט.

47. כן שמעתי מפוסקי זמנינו.

liquid on the floor to make it slightly dirty and then take a *clean* rag or cloth and moisten it in the water.[48]

J. Caring for a Wound on Shabbos

1. Stopping the Bleeding

When attempting to stop bleeding from a wound, care should be taken not to apply pressure to the area in a manner that will draw additional blood.[49] However, if the bleeding will only be stopped by applying pressure, it is permitted for one to apply pressure.[50]

2. Cleaning the Wound

a. One is permitted to cleanse a wound with water, alcohol, hydrogen peroxide, etc.

b. One should not use a cloth or swab soaked with any liquid, even if it is prepared before Shabbos, because it is inevitable that some liquid will be squeezed out during its application, thus transgressing the *melachah* prohibition of סְחִיטָה, *squeezing*. Instead, one should pour the liquid directly on the wound and rub it lightly with a piece of cotton or tissue.

c. One may use a swab made of nylon or a similar non-absorbent material.[51]

d. Concerning the application of creams or ointments to wounds, see section VIII.

K. Using Band-Aids on Shabbos

1. Removing a Band-Aid From Its Package

a. When removing a band-aid from its package, care should be taken not to tear any printed lettering.

b. If possible, the wrapper should be opened at the ends (in brands where they are not fastened by glue) so as to avoid

---

48. כן שמעתי מפוסקי זמנינו.

49. ש״ע ס׳ שב״ח סמ״ח.

50. פשוט הוא.

51. ששכה״ב פל״ג ס״י.

tearing the wrapper on Shabbos.[52] However, if this is not possible, the wrapper should be opened in a fashion that makes it unfit for any future use; at the same time, care should be taken not to tear any printed lettering.[53]

2. Removing the Tabs From a Band-Aid

There is a dispute among the authorities if one is permitted to remove the protective tabs from a band-aid. Hagaon Rav Moshe Feinstein *zt"l* concurred with the lenient view which permits one to remove the tabs on Shabbos.[54]

3. The Use of a Band-Aid

Attaching two objects together with an adhesive is similar to stitching two materials together. This is forbidden under the *melachah* of תּוֹפֵר, *sewing*.[55] However, according to some authorities, if the adhesion is temporary, it is permitted.[56] However, all authorities agree that one is forbidden to perma-

---

52. פשוט הוא.

53. ע׳ מה שכתבנו בזה בספרנו הלכות שבת במטבח דף 184.

54. בספר קיצור הלכות שבת במקורות לפרק מד ציון 117 כתב וז״ל שאלנו פי בעל מחבר שו״ת אגרות משה זצ״ל והוא פסק להיתר וכן שמעתי מהגאון ר׳ ח.פ. שיינבערג שליט״א. וע׳ מה שכתבנו ביאור בזה בפרק יז ציון 16. וע׳ בשו״ת מנחת יצחק חלק ה׳ ס׳ לט שאסור להפריד הגזה הדבוקה על האיספלנית. וע׳ בששכה״כ פל״ה הערה 10 שהביא כן בשם הגאון ר׳ שלמה זלמן אויערבאך שליט״א וע׳ בספר מגילת ספר סוף ס׳ כג מה שהעיר בזה. ובשו״ת מחזה אליהו ס׳ ע׳ כתב שכן פסק הגאון ר׳ יוסף שלום אלישיב שליט״א. וע״ע בציון 58.

55. ש״ע סי׳ ש״מ סי״ד.

56. בהך דינא דתפירה שאינה של קיימא מותר יש מבוכה גדולה בין הפוסקים ברמ״א סי׳ שי״ז ס״ג כתב וז״ל אע״ג דהתפירה אינה של קיימא דאין חילוק בתפירה בין של קיימא לאינה ש״ק, ויש מתירין בתפירה שאינה של קיימא ואין להתיר בפני עם הארץ עכ״ל. משמע דמעיקרא דדינא ס״ל להרמ״א כשיטת הסוברים דאין חילוק בין תפירה ש״ק לאינו ש״ק דדעה ראשונה הוא הביא סתם ודעת המתירים כתב בשם וי״א, ומכללי ההוראה הוא דסתם וי״א הלכה כסתם. וע׳ בחזו״א בהשטמות לס׳ ש״מ שהביא ראיה דכן הוא שיטת הרמ״א.

אולם מהשלחן ערוך הרב משמע דהרמ״א ס״ל כשיטת המתירים תפירה שאינה ש״ק, דע׳ בס׳ שי״ז ס״ז שכתב וז״ל ויש מתירין וכו׳ וכן עיקר ומ״מ אין להקל בפני ע״ה עכ״ל. וע׳ בשו״ת באר משה ח״ו ס׳ יד שכתב וז״ל ועוד דהלא הרמ״א לא החמיר לפני ע״ה אלא בתפירה ממש ולא לענין דבק עכ״ל עי״ש.

nently attach two objects together with an adhesive. Therefore, when using a band-aid, care must be taken that the two ends of the band-aid stick to the skin instead of to each other.[57] One should be particularly careful regarding this when bandaging a finger wound. Lack of care may cause a violation of the prohibition of sewing. If one mistakenly applies a band-aid on Shabbos in a manner that leaves the ends of the band-aid attached to one another, care must be taken not to slip it off and discard it, thus deeming the attachment permanent. Instead, the band-aid should be removed in a way that undoes the original attachment.[58] Even if the band-aid is removed *after* Shabbos, the above procedure should be followed.[59] If, however, the band-aid was attached before Shabbos, then it may be removed in any fashion.

4. Using a Bandage on Shabbos

a. A bandage that is too long should be used in its entirety without cutting it to a specific length. If it is cut, one violates the *melachah* of מְחַתֵּךְ, *cutting*.

b. Similarly, it should not be cut lengthwise.

c. One must be careful not to remove any loose threads from the bandage.

---

57. שו״ת באר משה ח״א ס׳ לו.

58. וע׳ בששכה״כ פל״ה הערה ס״ג שכתב בשם הגאון ר׳ שלמה זלמן אויערבאך שליט״א וז״ל והראיה מהא דס׳ ש״מ סי״ד, והרי אין מקפידים להסיר את האיספלנית שדבוקה על התחבושת, והר״ז דומה לאגד של לולב דחשיב קש״ק וכו׳, אע״פ שאינו מקפיד שישאר אגוד גם אחרי חג הסוכות, וע׳ גם ס׳ שי״ז במ״ב ס״ק כט. ואה״נ אם הדרך להסיר את האיספלנית בשעת פתיחת התחבושת, י״ל דהוה תפירה שאינה ש״ק, דנקטינן להקל בס׳ שי״ז ס״ג ברמ״א, וכאן שזה לצורך רפואה יש להתיר לכל אדם עכ״ל. וע׳ בשמירת שבת כהלכתה [חלק תיקונים ומלואים] מה שכתב בזה הגאון ר׳ שלמה זלמן שליט״א בדף נח וז״ל אולם יש לדון דאפשר שאין זה דומה כלל ללולב אשר שם עיקר הרצון הוא הקשר מפני שלולב צריך אגד או משום זה אלי ואנוהו, והקשר נעשה לקיום המצוה כשהם קשורים יחד, מבלי לחשוב כלל על התרת הקשר, כי לא איכפת לו כלל אם ישאר קשור או לא, משא״כ בהדבקת הנייר המכסה את האיספלנית הרי ההדבקה היא שלעת הצורך באספלנית לא יהיה הדבק מקולקל, והכל נעשה רק לצורך של הפרדה אח״כ. ואותו הדבר הוא הדבקת הנייר על גבי הדבק של החיתולים ולכן אין זה חשיב בקיימא עכ״ל ועי״ש.

59. פשוט הוא.

d. One should secure the bandage with a single knot and bow, with the intention of undoing it within twenty-four hours. This avoids transgressing the *melachah* of קוֹשֵׁר, *tying*.[60] [See chapter 17, IV]

e. One should refrain from securing the bandage with a band-aid or with tape.[61] However, if one customarily disposes of the tape each time the bandage is opened,[62] he is permitted to secure the bandage with tape. If one mistakenly secured the bandage with a band-aid or tape, he should take off the tape prior to removing the bandage.[63]

f. One may secure an "ace bandage" with the clips commonly used for this purpose.

VIII. Applying Medicinal Creams and Lotions

Introduction

In addition to the general Rabbinic prohibition forbidding one to take medicine on Shabbos (with the exception of either a *choleh sheyeish bo sakana* or a *choleh she'ein bo sakana*), another halachic complication arises with respect to applying creams and ointments.

One of the prohibited *melachos* of Shabbos is מְמַרֵחַ, *smoothing*. The Torah prohibits one from smoothing out the surface of any firm substance; this includes such substances as Desitin or substances of similar consistency. In addition, there is a Rabbinic prohibition against smoothing substances of a less thick and firm consistency, if the degree of firmness somewhat resembles at least that of substances such as Desitin (e.g. thick lotions, vaseline). Under the *melachah* of *smoothing*, it is

---

60. ששכה"כ פל"ה הלכה כא.

61. ששכה"כ פל"ה הלכה כה.

62. מגילת ספר ס' כ"א ס"ק ד.

63. ע' ציון 58.

forbidden to rub or spread such substances.[64]

However, fluids which lack this degree of firmness are excluded from this prohibition. Therefore, fluids such as ordinary oil, baby lotion or vitamin E, in spite of their viscous nature, are not subject to this prohibition.[65] They are, however, subject to the prohibition of taking medication on Shabbos.

Practical Applications

A. If a baby has slightly dry skin which generally causes no discomfort, any medicine is forbidden to be used. Although there is no prohibition of מְמַרֵחַ, *smoothing*, involved, even fluid medicine may not be applied. Since this minor irritation does not place the child in the category of a *choleh she'ein bo sakana*, he or she is subject to the prohibition of taking medication on Shabbos. Even though in this case, it is forbidden to put lotion or cream on the affected area of the skin, one may indirectly apply the cream as follows: Apply the lotion to the part of the skin which is perfectly healthy and then permit it to run down by itself onto the affected area.[66]

B. If a baby has a diaper rash or sunburn which causes discomfort, the child is considered a *choleh she'ein bo sakana*. Therefore, one may apply medication to cure the infant. However, one must try to avoid violating the prohibition of מְמַרֵחַ, *smoothing*, without infringing upon the child's needs. Therefore, the following *halachos* apply:

If the condition developed prior to Shabbos, one should smear the necessary cream or ointment onto diapers or bandages

---

64. ש״ע סי׳ שי״ד סי״א ומ״ב. וע׳ בשו״ת באר משה ח״א ס׳ ל״ו ס״ק ד שכתב וז״ל איסור דאורייתא בענין מירוח הוואזעלין בשבת דשרי לכאורה למרוח הוואזעלין לצורך תינוק שעורו נלקה באדמימות ע״י הלחלוחית וכו׳ דהאוזעלין דינו כמו שמן עב והטעם שבשמן ליכא משום ממרח דמאחר שאינו קרוש הרבה אינו צריך מירוח וכמו כן בוואזעלין באמת היה סגי להניח הוואזעלין והוא ימחה בעצמו וכו׳ אבל לקנח בדבר עב ממש כמו מה שנקרא אצלינו דעסיטין בודאי אסור בכל אופן. וע״ע מה שכתב בחלק ב סכ״ט ס״ק ג.

65. מ״ב סי׳ שי״ד ס״ק מ״ה, ומ״ב ס׳ רנ״ב ס״ק לח.

66. ש״ע ס׳ שכ״ח סכ״ב.

before Shabbos and store them in a plastic bag. This will eliminate the problems relating to the prohibition of *smoothing*. If this is not possible, and it is necessary to use a topical medication, one should treat the condition in the following manner:

1. It is preferable to use a liquid medication, thus avoiding the prohibition of *smoothing*. It should be applied in an unusual manner (e.g. with the little finger or with the back of one's hand) in order to minimize the transgression of the prohibition of using medicine on Shabbos.

2. If use of a fluid is not feasible, one should attempt to use a type of lotion whose smearing is Rabbinically prohibited [see above]. The lotion should also be applied in an unusual manner, previously described, in order to minimize the prohibitions of using medication and smearing.

3. If Desitin or the like must be used to treat the irritation, one may not directly smear the cream onto the affected area since this entails a Biblical prohibition. If the cream is in a jar, its removal inevitably involves a minimal amount of smoothing. Therefore, one should remove the cream in an unusual manner (e.g. with the handle of a spoon or fork) and place it onto the affected area.[67] Afterward, a diaper or bandage may be placed on the affected area, even though the cream will invariably be smoothed out in the process.[68] Alternatively, the cream can be removed from the jar in an unusual manner and dabbed onto a diaper or bandage, and the diaper or bandage can be placed onto the affected area.[69] If the cream is in a tube, it

67. ששכה"כ פל"ג הלכה ט"ו.

68. הנ"ל.

69. הנ"ל, אולם בספר קיצור הלכות שבת ס' ל"ב הלכה ג חולק ע"ז וכתב וז"ל על כן מי שיש לו מכה וצריך ליתן עליה איזו משחה, אסור להחליק המשחה על הבשר אלא ישליך המשחה על הגוף בכמה מקומות, ויתן עליה איזו תחבושת, ואז אף אם תוחלק אחר כן מעצמה שפיר דמי, אבל אין להתיר ליתן המשחה באופן זה על גבי חתיכת בגד, אפי' כשאינו ממרחה, שזה דומה לדין של נתינת רטייה על המכה בשבת עכ"ל. וע' בזה בשו"ת ציץ אליעזר ח"ח סי' ט"ו פי"ד.

should be squeezed out directly onto the affected area or the diaper or bandage.

4. If the child's condition requires that the cream be rubbed into the child's skin, one may rub the cream into the skin in an unusual manner (e.g. with the back of one's hand).[70]

---

70. ע׳ לעיל ציון 11 שכתבנו בשם הגרש״ז אויערבאך שליט״א דבמקום צורך סמכינן על הני פוסקים דסברי שמותר לעשות איסור דאורייתא ע״י שינוי עי״ש. לא כתבנו בפנים דעתו של המהרש״ם. דהנה המהרש״ם בס׳ שכ״ח ס׳ כ״ו כתב וז״ל נשאלתי אם מותר לשפשף על מכה וניפוח במשיחה (שקורים זאלב בלע״ז) עבה עד שנימוח ונבלע והוא חולה שאין בו סכנה, והנה י״ל דהוי ממרח וכו׳, וכן בסכ״ב כאן [דאין סכין המכה בחלב] ולעיל ס׳ שכ״ו ס״י בהגה [דאסור לרחוץ ידיו בבורית] משום נולד, ותיפוק לי׳ משום ממרח, י״ל עפימ״ש מג״א סי׳ שט״ז שם דאם רוצה שיבלע בקרקע שרי [יעו״ש בהא דשו״ע דלא ישפשף רוק ברגליו ע״ג קרקע משום דמשוה גומות וכו׳ והקשה המג״א דתיפוק לי׳ משום ממרח, ותירוץ דלא שייך ממרח אלא כשכוונתו שיתמרח דבר ע״ג חבירו אבל הכא רוצה שיבלע בקרקע ע״כ] וה״נ בנ״ד עכ״ל המהרש״ם. מבואר מדבריו דבמשיחה שקורים זאלב אין כאן איסור ממרח ולכאורה ה״ה בכל מיני משחות יש להתיר לשפשף אותן על הגוף בשבת.

אמנם בשו״ת מנחת יצחק ח״ז ס׳ כ׳ כתב על דברי המהרש״ם וז״ל אמנם נראה דכל זה במשחה שיש קפידה עפ״י דרכי הרפואה שלא להשאיר כלל בעין רק להבלע כולו בתוך הגוף, דאל״כ בוודאי משאירים ג״כ בעין, והרבה פעמים יש ג״כ תועלת לרפואה מהנשאר בעין ובאים לידי חשש מלאכה דאורייתא, וע״ע שם בח״י ס׳ ל״א ס״ק יא. ולפיכך לא הבאנו בפנים חידוש זה דרוב פעמים אין תועלת הרפואה דווקא כשהמשחה אינה בעין.

14 / Children's Food Preparation

Young children are considered to be in the category of *choleh she'ein bo sakana* (*illness which is not life threatening;* see p. 81). Accordingly, if proper food for an infant is unavailable, one is permitted to instruct a gentile to perform an act which, for a Jew, would entail a Torah or Rabbinic prohibition in order to obtain the food.[1]

For example, one may instruct a gentile to buy formula for an infant on Shabbos if there is none in the house. Furthermore, if formula is unavailable, one may request a gentile to boil milk for the baby.* Similarly, one may request a gentile to cook for such

*Note: Since it is unhealthy for an infant younger than six months to drink regular milk, the milk must be boiled first.

---

1. הרמ״א בסי׳ שכ״ח סי״ז כתב מותר לומר לא״י לעשות תבשיל לקטן שאין לו מה לאכול דסתם צרכי קטן כחולה שאין בו סכנה דמי עכ״ל. והרמ״א לא ביאר דבריו במה שכתב שאין לו מה לאכול דאם נפרש כפשוטו דמיירי שאין לו שום דבר לאכול הא בכה״ג הוא בגדר חולה שיש בו סכנה ואמאי כתב הרמ״א דהוא כחולה שאין בו סכנה ואי איירי שיש לו מה לאכול א״כ למה הוא נחשב לחולה שאין בו סכנה. ובחזו״א או״ח ס׳ נ״ט ס״ק ד העיר בזה וכתב וז״ל נראה דאיירי ברעבון של שעה מועטת דודאי לית בו סכנה, ומ״מ מותר שבות, אבל רעבון של זמן שרגילין להקפיד עליו חשיבא סכנה, ובזמנינו שמצוי מאד חלאים מתרגשות בתינוקות נראה דכל שיש ספק שיגרום לו קלקול מעיים לעצור או לשלשל, או גרם כאב מעיים, או חום כל שהו, הוא בכלל ספק סכנה שכל קלקול אפשר שיגרום חולי, וכל חולי ספק סכנה, ואפשר דכונת השו״ע ביש לו מה להאכילו, אבל כפי הצורך יש להאכילו תבשיל שזהו מזונו הטוב וגם בזה מתירין שבות של אמירה לנכרי, אבל גם בזה בזמננו הוי חסרון התבשיל גורם לקלקול מעיים, ואם יודעים בנסיון או ע״פ הרופאים שגורם קלקול במעיים, יש לחשבו לספק סכנה, ומי שמיקל בדבר אין מזניחין אותן עכ״ל. נמצא מבואר מדברי החזו״א בביאור דברי הרמ״א דתינוק נחשב לחולה שאין בו סכנה אפי׳ אם יהיה לו לאכול בעוד זמן מועט כיון שעתה אין לו מה לאכול.

זאת ועוד. חזינן מדברי החזו״א דאפי׳ אם יש לקטן מה לאכול רק שכפי הצורך יש להאכיל להתינוק מזונו הטוב מותר לומר לעכו״ם להביא לו מזונו המיוחד. ויתירה מזו יש אופנים שהתינוק נחשב לספק סכנה אם אין לו מאכלו המיוחד ומותר אף לישראל לחלל את השבת והוא חידוש להלכה.

a child. However, one must not rely on a gentile to prepare an infant's food on Shabbos. The food should be prepared prior to Shabbos.[2]

I. Warming Up an Infant's Bottle

There are several ways in which an infant's bottle may be warmed.

A. Cooked Liquids

If the bottle contains a pasteurized liquid[3] (e.g. milk) or a previously boiled liquid[4] which has cooled off, the bottle may be immersed in a *kli sheni** of hot water. However, care must be taken not to completely immerse the bottle in order to avoid the prohibition of הַטְמָנָה, *insulating*.[5]

It is also permissible to pour hot water from a *kli rishon* onto the bottle.[6] However, care must be taken that the bottle not be completely covered with hot water poured from the *kli rishon* due to the prohibition of הַטְמָנָה, *insulating*.

For additional ways of warming liquids, see *The Shabbos Kitchen*.

B. Uncooked Liquids

A bottle containing an uncooked liquid may only be immersed in a *kli shlishi*.[7]

---

*Note: For definitions of *kli rishon, kli sheni,* and *kli shlishi* see *The Shabbos Kitchen* pg. 17.

---

2. ששכה״כ פל״ז הלכה א.

3. שו״ת מנחת יצחק ח״ה סי׳ קכ״ז, שו״ת ציץ אליעזר חי״ד סי׳ ל״ב שו״ת אז נדברו חי״ב סי״ט ושו״ת חשב האפוד ח״ג סי׳ מ.

4. מ״ב סי׳ שי״ח ס״ק ל״ט.

5. מ״ב ס׳ רנ״ח ס״ק. וע׳ חזו״א או״ח סי׳ ל״ז ס״ק ל״ב ד״ה ובמ״ב שחלק ע״ז. וע״ע מש״כ בזה בשו״ת מנחת יצחק ח״ח סי״ז.

6. ע׳ מש״כ בספרנו הלכות שבת במטבח פרק ב׳ הערה 17. 21.

7. ע׳ בספרנו הלכות שבת במטבח דף 32 הערה 26.

C. Solid Foods

Previously cooked liquids which have completely cooled down may not be immersed in a *kli rishon*. Dry foods, however, that have been previously cooked and have become cold, may be immersed in a *kli rishon* which has been removed from the fire.[8]

II. Preparing an Infant's Bottle

One may prepare an infant's bottle on Shabbos in the same manner as during the week. This procedure does not involve the *melachah* of לִישָׁה, *kneading*, since the ingredients are not made into a paste. If necessary, one is permitted to measure the exact amount of formula and liquid before mixing the ingredients. [See Chapter 15]

Puncturing a nipple in order to make a hole or enlarging an existing hole is prohibited on Shabbos. If one forgot to do so before Shabbos and the nipple must be used on Shabbos, one may make a hole in the nipple in an unusual manner (e.g. biting the tip of the nipple).[9]

Cleaning the Bottle

It is permissible to wash out a baby bottle with a nylon bottle brush, provided the bristles are spaced apart from each other and do not trap water.[10]

III. Preparing Baby Cereal

A. Loose Mixtures*

Definition

A loose mixture is halachically defined as any batter or puree

---

*Note: See *The Shabbos Kitchen*, Chapter 11 for the reasons and detailed laws regarding these *halachos*.

---

8. שו״ע ס׳ שי״ח ס״ד.

9. כן שמעתי מפוסקי זמנינו שליט״א.

10. שו״ת באר משה ח״א סי׳ מ״ג, וע״ע בשו״ת חשב האפוד ח״ב ס׳ קמ״ט בזה.

that has sufficient body to be perceived as one mass, yet will flow when poured from one bowl to another.[11]

Preparation

When preparing a loose mixture, one must reverse the customary order of combining the ingredients. For example, if common practice (i.e. the practice of most people) is to pour the liquid ingredients into a bowl and then add the solid ingredients, one must reverse the order by first placing the solid ingredients into the bowl followed by the liquid ingredients.[12] Conversely, if a mixture is prepared by first placing the solid ingredients into the bowl, followed by the liquid ingredients, one must reverse the order of preparation, first placing the liquid ingredients into the bowl and then adding the solid ingredients.[13] If there is uncertainty as to the customary procedure, it is sufficient to reverse the order of the ingredients given in the instructions printed on the food package.[14] This also applies to situations where the reverse order of the printed instructions follows one's customary weekday practice.[15] In situations where

---

11. חזו״א ס׳ נ״ח ס״ק ט. וע״ע בזה בספר שביתת השבת מלאכת לש באר רחובות ס״ק ל״ו, ובקצות השלחן ס׳ ק״ל בבדי השלחן ס״ק ג.

12. שו״ע סי׳ שכ״א סי״ד.

13. בענין שינוי בסדר הנתינה היה אפשר להסתפק, האם מספיק במה שכל יחיד ישנה מן הסדר שהוא עושה בחול, וכל שמשנה מסדר הרגיל אצלו חשיב שינוי, או דלמא צריך דוקא לשנות מן הסדר שרגילין העולם לערב בו, ורק בכה״ג חשוב שינוי משום דניכר שהעירוב שונה מהסדר הרגיל אצל כל העולם בחול, ונפקא מינה היכא דליכא סדר ידוע אצל כל העולם האם חשיב שינוי במה שמשנה מן הסדר הרגיל אצלו. ויש להביא ראיה דצריך לשנות ממנהג העולם דוקא, ממ״ש הט״ז סי׳ שכ״א ס״ק י״א דאסור בשבת לערב מצה מעהל עם יין או מי דבש, ואע״ג דבעלמא מותר לעשות בלילה רכה ע״י שינוי הסדר, היינו דוקא היכא דהשינוי גלוי לכל, אבל הכא לענין מצה מעהל אין דרך ידוע מה נותן תחלה בחול כדי לידע מהו השינוי, לכן אסור בכל גווני, עכ״ד. ולכאורה קשה דהא הרבה בני אדם יש להם דרך ידוע שעושים כן בחול וא״כ ה״ל להתיר לאותן בני אדם לעשותו ע״י שינוי הסדר, שישנו מהסדר שרגילין בו בחול, ועל כרחך צ״ל דאין השינוי תלוי בכל יחיד לעצמו אלא צריך דוקא לשנות מדרך העולם, ולהכי בדבר שאין בו דרך ידוע לכל העולם לא שייך בו שינוי. וכ״כ בחיי אדם כלל י״ט ה״ג, ובחזו״א סי׳ נ״ח ס״ק ו׳ ד״ה ואם עושין.

14. כן נראה, והסכים לי בזה הגאון ר׳ ח.פ. שיינבערג שליט״א.

15. כן נראה.

there is no established common practice, and there are no instructions on the food package, one should first place the solid ingredients into the bowl and then add the liquid ingredients.[16] This may be relied upon only in cases of necessity.[17]

After the ingredients have been combined, mixing them is itself an act of *kneading*. To stir the ingredients, therefore, one must mix them in an irregular manner.[18] There are a number of permitted methods approved by the *Poskim*. We will dwell only on those which are practical.

a. שֶׁתִי וָעֵרֶב — Mixing With Crisscross Strokes

One acceptable method is to move (the fork or spoon) through the mixture in a crisscross fashion, changing direction with each stroke, rather than in the continuous circular motion commonly used.[19] When mixing in this manner, it is preferable that the fork or spoon be lifted out of the mixture with each change of direction.[20]

b. Mixing With Bare Hand

It is permissible to stir a mixture with one's bare hand or

---

16. מ״ב סי׳ שכ״א ס״ק נ״ז.

17. שו״ת אג״מ או״ח ח״ד ס׳ ע״ד בדיני לישה ס״ק ג. וע״ע בחזו״א או״ח ס׳ נ״ח ס״ק ה׳ בד״ה ולדעת.

18. שו״ע סי׳ שכ״א סי״ד, טו, וסי׳ שכ״ד ס״ג. וע׳ בספרנו הלכות שבת במטבח דף 151 ציון 25 לעוד שינוים.

19. שו״ע סי׳ שכ״ד ס״ג, וע״ש בביאור הלכה ד״ה ומעביר שהביא דברי הב״י והב״ח שמצדדים לומר דאפילו מעביר כמה פעמים שתי וערב שפיר דמי, וכ״כ בשו״ע הרב ס״ב, ובחזו״א סי׳ נ״ח סק״ו, ובאגרות משה ח״ד סי׳ ע״ד בדיני לש ס״ק ה. והנה בטעם ההיתר הזה דשתי וערב, כתב הרמב״ן בשבת דף קנו: שהוא משום דבדרך זה אין האוכל מתערב כל צרכו [ומשמע בדבריו דצריך לכוין שלא יערב כל צרכו] ולכן לא חשיב לישה גמורה. אבל בש״ע הרב סי׳ שכ״ד ס״ב כתב וז״ל מעביר בו תרווד או מקל שתי וערב אפילו כמה פעמים עד שיתערב יפה, שכיון שאינו ממרס בידו ולא יסבב התרווד או המקל בסביב דרכו בחול אלא מעביר שתי וערב הרי זה שינוי גמור עכ״ל ומבואר מדבריו דאע״פ שהאוכל מתערב כל צרכו מותר, משום דעירוב דרך שתי וערב הוי שינוי גמור, ולהכי חשוב שינוי אפילו במקום חשש איסור דאורייתא. [ובאמת צ״ע בדברי ש״ע הרב דהא בגמרא דף קנו. מפורש דע״י שתי וערב לא מתערב יפה.]

20. חזו״א ס׳ נ״ח ס״ק ו׳ ד״ה שתי, אגרות משה או״ח ח״ד דיני לש ס״ק ה.

finger.[21] However, one may not wear a glove while doing so.[22]

c. Mixing With the Handle of a Spoon

It is permissible to stir a loose mixture with the handle of a spoon or fork, or with a knife (handle or blade). This modification, however, is not valid for thick mixtures.

B. Thick Mixtures

Unlike loose-mixture cereals which may, in all instances, be prepared on Shabbos, thick-mixture cereals may be prepared only in cases of necessity (e.g. a baby will not eat a loose-mixture cereal, and the cereal cannot be prepared before Shabbos because it will lose its freshness).[23] When preparing a thick mixture cereal, one must reverse the order of placing the ingredients in the bowl.[24] In addition, the mixing must be done in an irregular manner (e.g. mixing with crisscross strokes or bare hand). (See page 98.) However, using a knife or the handle of a utensil to stir the ingredients of thick mixtures is forbidden.[25]

---

21. רמ״א סי׳ שכ״א סט״ז, ומ״ב שם ס״ק פ״ח. וע׳ בספר ברית עולם קיצור דיני לש שכתב דעיסה וכיוצב״ז שהדרך גם בימות החול לערבבה ביד לא הוי שינוי.

22. חזו״א ס׳ נ״ח סוף ס״ק ח׳ וז״ל הא דמותר ביד היינו כסברת שמואל דמאכל חמורים הוא, אבל הגיבול הוא יפה ביד, ונראה לפ״ז שאם ליבש גמי או שפופרת של מתכות על אצבעו אסור כדין טורף בבלי עי״ש.

23. ט״ז סי׳ שכ״א ס״ק יב, מ״ב שם ס״ק ס״ח ובשער הציון ס״ק פד, חזו״א או״ח ס׳ נ״ח ס״ק ו׳ וס״ק ח׳. וע״ע בזה בשו״ת מנחת יצחק ח״ט ס׳ כ״ח.

24. מ״ב סי׳ שכ״א ס״ק ס״ח.

25. כן נראה דלא סגי שינוי של קתא דסכינא לבלילה עבה שהוא אסור מן התורה וראיה לדבר דהא לענין טוחן מפורש בגמרא שבת דף קמא. דקתא דסכינא חשוב שינוי גמור להתיר איסור דאורייתא, ונפסק כן בשו״ע סי׳ שכ״א ס״ז, ואילו לענין לישה הקשה הגמרא (דק קנו) היכי משני והביאו כמה אופנים של שינוי ולא הוזכר שם שינוי זה של קתא דסכינא, וכן לא הוזכר בראשונים ובשו״ע, ומוכרח מזה דלענין לישה לא חשוב קתא דסכינא שינוי גמור להתיר איסור דאורייתא, ומה שכתבו באגרות משה ומנחת יחיאל דהוי שינוי היינו רק לענין איסור דרבנן. והסכימו לי בזה הג״ר ח״פ שיינברג שליט״א והג״ר יחזקאל ראטה שליט״א.

C. Highly Absorbent Cereals

Cereals that are highly absorbent and normally form a mass without stirring may not be made into a thick mixture on Shabbos. An example of this type of cereal is Beechnut Instant Oatmeal Cereal.[26] In order to use these types of cereals on Shabbos, they must be mixed with a large quantity of liquid in order to form a loose mixture.[27] Even then, one must reverse the order in which they are added together, and employ a modification in stirring the ingredients.

However, if no other cereal is available, and the infant will not eat a loose mixture, one may utilize the procedure outlined in the paragraph dealing with thick mixtures.[28]

---

26. כן נראה עפ״י מה שכתב בש״ע או״ח ס׳ ש״מ סי״ב וז״ל שם הנותן זרע פשתן או שומשמין וכיוצא בהם במים חייב משום לש מפני שמתערבים ונתלים זה בזה עכ״ל. ופי׳ דחייב על נתינתן למים בלבד ואע״פ שאינו מגבל מפני שמתערבים ונדבקין ע״י נתינתן למים, ובפרי מגדים (סי׳ שכ״א במשב״ז סקי״ב) הק׳ בשם עולת שבת, דבסי׳ שכ״א סט״ז נקט המחבר להלכה כדעת ר׳ יוסי בר יהודה דבלישה אינו חייב על נתינת המים לבד אלא על הגיבול, ותי׳ הפמ״ג דאפשר דזרע פשתן נעשה כל כך מדובק ע״י שרייתו במים עד שיכול ליקח בידיו ונעשה גוש אחד, ולהכי חייב על שרייתו בלבד, משא״כ בקמח ושאר דברים שאין הדיבוק עולה יפה עד שמגבל, ולהכי פטור על נתינת המים. ומבואר מדבריו דבדבר המתדבק יפה ונעשה לגוש אחד בלי גיבול חייב על נתינת המים אפילו לר׳ יוסי בר״י (וכ״כ במאמר מרדכי ס״ק ט׳, ובאגלי טל מלאכת לש ס״ג, ובמנחת חינוך במוסך השבת) ולפ״ז אסור לערב מים עם דבר המתדבק יפה, ואפילו ע״י שינוי הסדר, דהא שינוי הסדר אינו מספיק היכא דנתינת המים אסור מן התורה. ובשו״ת אג״מ (או״ח ח״ד סי׳ ע״ד דיני לש אות ז׳) כתב דאבק של תפוחי אדמה [instant potatoes] הוא כמו זרע פשתן ואסור לערבו במים בשבת. ובשמירת שבת כהלכתה (פ״ח סעיף כ״ה) הוסיף דה״ה אבקת פודינג [instant pudding] אורז מבושל, וכל שאר אבקה שנתהפך לתבשיל ראוי לאכילה ע״י הוספת משקין עליהן. ודנתי לפני הג״ר יחזקאל ראטה שליט״א. דאף כמה מיני סיריעל כגון instant oatmeal. וכדומה הם בכלל דין זה מפני שמתדבקין היטב ע״י נתינת משקה לבד, והסכים לי בזה. ואח״כ מצאתי כדברינו בשו״ת שבט הלוי ח״ז ס׳ ק״ה עי״ש.

27. ע׳ הלכות שבת במטבח דף 157.

28. כן נראה משום דאיסור דאורייתא מותר לעשות בשינוי לצורך חולה שאין בו סכנה. ע׳ לעיל פרק 13 ציון 11. ויותר על כל אפשר לומר דאין זה איסור דאורייתא בכלל דדוקא בזרע פשתן אסור שכבר כתב הפמ״ג הובא לעיל ציון 26 שנעשה כל כך מדובק ע״י שרייתו במים עד שיכול ליקחם בידו כיון שנעשו גוש אחד, משא״כ בסיריעל הללו אע״פ שלא בעינן מעשה הגיבול כיון שלא נעשה גוש אחד שיהיה דומה לזרע פשתן יש להתיר וכשהצעתי סברא זו לפני כמה פוסקי זמנינו הסכימו לי בזה וע״ע בזה בציון 18.

IV. Grinding — Mashing — Grating

One of the thirty-nine *Avos Melachos* forbidden on Shabbos is טוֹחֵן, *grinding* (i.e. breaking down a substance into small particles).[29] Included in the *melachah* are shredding, grating, chopping, mashing and cutting food into very small pieces.[30] The *melachah* of grinding applies only to foods that are produce of the earth such as fruits and vegetables.[31] The precise definition of what constitutes 'very small pieces' is unclear.[32] Accordingly, one must refrain from cutting any food matter into pieces generally considered by people to be 'very small,' even though these pieces could in turn be cut into smaller pieces.

There are conditions under which one is permitted to chop a fruit or vegetable into very small pieces. One may chop fruits and vegetables into tiny pieces by using the handle of a knife or fork.[33]* In cases of necessity, one may cut fruits or vegetables into small pieces provided the food is being prepared for immediate consumption.[34] For example, if other foods are

*Note: This is in contrast to the general rule that *melachos* were prohibited by the Sages even when performed in an unusual manner. The Sages made an exception regarding grinding with the handle of a utensil because they viewed this as a highly unusual manner of performing the act.

29. משנה שבת דף עג.

30. רמב״ם פ״ז מהלכות שבת הלכה ה.

31. ש״ע ס׳ שכ״א ס״ט ומ״ב ס״ק ל״א. ועי״ש ברמ״א שכתב.

32. ביאור הלכה סי׳ שכ״א סי״ב ד״ה המחתך הביא בשם ספר יראים דשיעור דקותן לא נודע לנו וכתב להסיק דלפי״ז צריך ליזהר בזה מאד לעשות חתיכות גדולות במקצת עי״ש. וע׳ בספר שביתת השבת בפתיחה למלאכת טוחן ס״ק א ובשו״ת פאת שדך סי׳ ל״ח ובספר אז נדברו חי״ב ס׳ כ״ב.

33. ש״ע סי׳ שכ״א ס״ז.

34. הרשב״א בח״ד ס׳ ע״ה (הובא בב״י סי׳ שכ״א) כתב וז״ל דהא דחתיכת ירק דק דק אסור היינו דוקא במחתך כדי לאכלו למחר או אף בו ביום ולאחר שעה וכו׳ הא לאוכלו מיד שרי שלא אסור על האדם לאכול מאכלו חתיכות גדולות או קטנות וכדאמרינן (שבת עד.) לענין בורר היו לפניו שני מינים בורר ואוכל לאלתר וכו׳ אע״פ שיש באותו

unavailable, one may cut a vegetable into very small pieces for the immediate use of a baby.[35] [A specialized grinding utensil may not be used to cut food.]

There is a view that the above leniency [i.e. grinding for immediate use] does not extend to mashing.[36] Therefore, if food

---

צד בעצמו חיוב חטאת כשמניח לאחר זמן עכ״ל וכ״כ הר״ן בפרק כלל גדול, וכ״כ המאירי בשבת דף קיד: וכן פסק הרמ״א סי׳ שכ״א סי״ב.

אולם המ״ב ס׳ שכ״א ס״ק מ״ה וכתב דהשלטי גבורים פקפק על דברי הרשב״א וגם בב״י כתב שאף מי שמכוין לאכול מיד ג״כ יזהר לחתוך לחתיכות גדולות קצת. וע׳ בחזו״א או״ח סי׳ נ״ז שהוכיח מהרבה ראשונים שחולקים על הרשב״א עיי״ש. וע״ע בשו״ת משכנות יעקב ס׳ קי״ד, ובשו״ת תורת רפאל סי׳ ל״א.

35. ע׳ במ״ב הנ״ל שכתב דנכון להחמיר כדעת הב״י ומ״מ הנוהגין לחתוך הבצלים והצנון דק דק [סמוך לסעודה] אין למחות בידם דיש להם על מי שיסמוכו וכו׳ עכ״ל וכ״כ בשו״ע הרב ס״י וע׳ בשו״ת אג״מ או״ח ח״ד סי׳ ע״ד בדיני טוחן אות ב׳ שהאירך בדין זה ולבסוף מסיק דמעיקר הדין אין לאסור סמוך לסעודה, אלא שאולי לבעל נפש ראוי להחמיר שלא לעשות דק דק וכו׳ אבל לצורך גדול אין להחמיר אפי׳ לבעל נפש עכ״ד. ובפנים כתבנו דבמקום צורך מותר ולא הזכרנו אודות בעל נפש, עפ״ד המ״ב ושע״ה שכתבו דהנוהגין יש להם על מי שיסמוכו, ופשוט לפ״ז דבמקום צורך יש לסמוך על דעת המקילין.

36. חזו״א אי״ש ס׳ נ״ז בד״ה ואמנם ולכן נראה דלא התיר הרשב״א [סמוך לסעודה] רק חיתוך דק דק, כיון דעיקר החיתוך הוא דרך אכילה אין חילוק בין חתיכות קטנות וגדולות, והכל מיקרי דרך אכילה, אבל ריסוק היינו כתישה כמעשה הטחינה ממש, ואין זו דרך אכילה אלא תיקון המאכל על צורה אחרת. ובסוף מסיק החזו״א נמצינו למדין דשחיקת בננות לפי התינוקות בשבת שאינם יכולים ללעוס, אפילו להאכילם לאלתר אין כאן היתר של הרשב״א וכו׳ ואין לנו להתיר רק ע״י שינוי בקתא דסכינא או קתא דכף ומזלג עכ״ל. ולכאורה י״ל בביאור דברי החזו״א דס״ל דהא דהתיר הרשב״א טוחן כדי לאכול לאלתר, היינו משום דדרך אכילה הוא לחתוך חתיכה גדולה לחתיכות קטנות ולכן מותר סמוך לאכילה, וא״כ י״ל דלא שייך היתר זה אלא במחתך, דכשעושה סמוך לסעודה מיקרי דרך אכילה, [ולא נאסר אלא כשמחתך להניח לאחר זמן, דאז לא מיקרי דרך אכילה והוי תולדה דטחינה] אבל בטחינה ממש כטחינת חיטים לעשותן קמח, שאין אדם עושה כן בתוך סעודתו, אי אפשר כלל לקרותו דרך אכילה ואסור אפי׳ לאכול לאלתר, ולכן ס״ל לחזו״א דריסוק בננות, שהוא טוחן ממש, לא הותר כלל אפילו לאכול לאלתר, ואין בו דרך היתר אלא ע״י שינוי.

וע׳ אגרות משה או״ח ח״ד סי׳ ע״ד דיני טוחן אות ב׳, שחולק על החזו״א מכמה טעמים, וכתב דדעת כל הפוסקים וגם מנהג העולם הוא דלא כהחזו״א, ולבסוף מסיק וז״ל ולכן למעשה אם אפשר לשחוק שיהיה טוב להתינוקות גם בקתא, טוב לעשות כן לצאת גם שיטת החזו״א, אבל אם הוא דבר קשה לפניה מותרת לשחוק גם במזלג עכ״ל. והנה לכאורה צ״ע בדעת החזו״א, דבדברי הרשב״א עצמו בתשובה ח״ד סי׳ ע״ה משמע להדיא דאפילו לענין כתישה התיר כדי לאכול לאלתר, שהרי הרשב״א הביא שם דברי הירושלמי דבשחיקת השום במדוכה יש בו משום טוחן, וכתב להוכיח מן הירושלמי

must be mashed for a baby (e.g. banana), it is preferable that one do so only with the handle of a utensil.[37] [For an in-depth discussion of the laws and reasons dealing with this *melachah*, see Chapter 9 of *The Shabbos Kitchen.*]

V. Removing Bones and Pits

Generally, removing fish bones from fish is prohibited because it is in violation of the *melachah* of בּוֹרֵר, *selecting*. In order to avoid this problem, one should remove the bones together with bits of fish or remove the bones from the fish while the fish is in one's mouth. If the bones have some flavor or are coated with some sauce, one may remove them provided that each bone will be immediately sucked or chewed. This same *halachah* applies to foods with pits.

When feeding a child who cannot eat foods with pits and bones, and for whom the previously mentioned options are not feasible, one may remove the pits and bones from the food immediately prior to feeding the child. [For details of these *halachos*, see Chapter 7 of *The Shabbos Kitchen*]

VI. Opening Packages

It is preferable that all containers and packages be opened before Shabbos. In the event that they were not opened before Shabbos, the following procedures should be followed:

A. Metal Cans

Metal cans (e.g. canned formula, canned fruit) may be opened in the following manner:

כשיטתו שיש חילוק בין עושה ואוכל לאלתר לבין עושה ומניח, מבואר לוזדיא בדבריו דאף בשחיקת השום איכא ההיתר של לאכול לאלתר. והבית יוסף סי׳ שכ״א שהעתיק דברי הרשב״א קיצר בו ולא הביא כל התשובה, אבל המעיין בפנים יראה כמ״ש וצע״ג.

37. חזו״א הנ״ל, שו״ת אג״מ או״ח ח״ד ס׳ ע״ד דיני טוחן אות ב׳ וע׳ מה שכתבנו בספרנו הלכות שבת במטבח דף 136 הערה 17.

a. The can should be opened only halfway.

b. The contents should be immediately removed and the container discarded.[38]

B. Wrappers

Any paper or plastic wrapper may be torn only in such a manner which destroys the wrapper. One must be careful not to tear any printed letters or pictures.[39]

C. Peel-off Seals

Seals that peel off the top of a container may be removed in the normal manner.[40]

D. Juice / Milk Cartons

According to some *Poskim,* it is forbidden to open the spout of an orange juice or milk carton. One should puncture the bottom of the container, rendering it unfit for further use, and allow the contents to drain into another vessel or pitcher. Likewise, after puncturing the container, one may place it in a vessel, open the spout, and empty it of its contents.[41]

It is permitted to remove the plastic seal around a frozen orange juice can or the like.

E. Paper and Plastic Bags

According to some *Poskim* it is forbidden to open a bag by merely separating the top of the bag. One may open it by tearing the bag in a destructive manner (without tearing any letters or pictures).

F. Cardboard Boxes

Some *Poskim* forbid the opening of sealed boxes in the manner in which they are customarily opened during the week.

---

38. שו״ת באר משה ח״ג ס׳ וע׳ מאי שכתבנו בזה בספרנו הלכות במטבח דף 187.

39. ע׳ בספרנו הלכות שבת במטבח דף 182.

40. כן נראה והסכימו לי בזה כמה פוסקי זמנינו.

41. ע׳ בכל זה בספרנו הלכות שבת במטבח פרק ט״ו.

One may, however, tear or cut open the box (without tearing any printed words or pictures) in a manner which damages the box.

[See *The Shabbos Kitchen*, Chapter 13, for procedures of preparing juice from frozen concentrate.]

15 / Measuring and Weighing

Our Sages prohibited all types of measuring and weighing on Shabbos.[1] This *halachah* has many practical applications (e.g. measuring temperature, baby food, medicine, etc.)

Taking One's Temperature

When one uses a thermometer, he is measuring body heat. Although measuring on Shabbos is generally prohibited, taking one's temperature or blood pressure on Shabbos is permitted because this is a means of determining whether or not one is sick. Therefore, our Sages considered this type of measuring a מְדִידָה שֶׁל מִצְוָה [measuring for the sake of a *mitzvah*], which is permissible on Shabbos.[2]

---

1. בתוס׳ מסכת שבת דף קכו: ד״ה מדבריהם כתבו טעמא דמילתא אמאי מדידה אסורה בשבת משום דהוי עובדא דחול ולפיכך במקום מצוה לא גזרו. וכן פסק המחבר בס׳ ש״ו ס״ז מותר למדוד בשבת מדידה של מצוה כגון למדוד אם יש במקוה מ׳ סאה ולמדוד אזור מי שהוא חולה וללחוש עליו כמו שנוהגות הנשים מותר דהוי מדידה של מצוה עכ״ל והמ״ב בס״ק ל״ה כתב דכיון דהמדידה הוה במקום מצוה לא מחזי כעובדא דחול.

ומצינו עוד טעם שאסור למדוד ולמשקול בשבת ברמב״ם פ״ב מהלכות יום טוב הלכה י״ט שכתב וז״ל דברים רבים אסרו ביו״ט משום גזירת מקח וממכר ומונה שם איסור מדידה ושקילה בכלל וע׳ בש״ע ס׳ שכ״ג ס״א. ולכאורה לפי טעם זה כיון שסיבת איסור מדידה הוא משום גזירת מקח וממכר יש לאסור אף במקום מצוה ומה שהתיר בש״ע ס׳ ש״ו ס״ז מדידה במקום מצוה זהו דווקא במדידה שאינו שייך למקח וממכר שתמן כל האיסור הוא משום עובדין דחול וממילא בכה״ג לא גזרו במקום מצוה. ונמצא לפי זה דלשקול מדה כדי לידע שיעור של מצוה יש לאסור משום דמדידה כזה שייך בעניני מקח וממכר ובכהאי גוונא לא מצינו שהותר במקום מצוה.

2. שו״ת מהר״י שטייף ס׳ קכ״ג, אג״מ או״ח ח״א סי׳ קכ״ג, מנחת יצחק ח״ג ס׳ קמ״ב. וע׳ בספר מאורי אש דף לג שכתב וז״ל ונראה דהנה ראיתי שיש מדקדקים שהם נזהרים שלא למדוד בשבת ויו״ט במד חום שהוא כלי העשוי למדוד בו מדת חום של בני אדם משום דהוי מדידה וכל המדידות אסרו חז״ל ולא שרי כי אם במקום חולי ממש. אמנם לענ״ד נראה דאין לחוש לזה דטעמא דאסור חכמים מדידות ומשקלות בשבת ויו״ט דהטעם הוא משום עובדין דחול, ונראה דלא שייך טעם זה כי אם באלו המדידות

A regular thermometer should be used when taking one's temperature on Shabbos. One is permitted to dip the thermometer in petroleum jelly.

A thermometer strip on which the temperature rises and the numbers become visible when placed on the forehead should not be used on Shabbos. However, in cases where a regular thermometer is unavailable, a strip may be used.[3]

A digital thermometer may not be used on Shabbos. Of course, in life-threatening situations, one may use a digital thermometer.[4]

One is permitted to shake a thermometer before using it in order to lower the mercury.[5] However, after usage this may not be done.

Measuring Baby Foods and Medicine

If an infant is required to eat an exact amount of food or liquid, one is permitted to measure or weigh the food with a measuring spoon or similar device. The same *halachah* applies to medicine.[6] A baby bottle may be used on Shabbos even though it contains measuring lines.[7]

והמשקלות שעפ״י רוב עוסקים בהן בימי החול בשעת מקח וממכר או שאר משא ומתן של חול וכיוצא בהם מהדברים האסורים בשבת ויו״ט. ולכך אם נתיר לו את המשקל והמדידה בשבת יבוא לעשות בהן כדרך שהוא עושה בחול והיינו דאסרום משום עובדין דחול, משא״כ מדידת חום בני אדם דלא שייכא כלל מדידה זו לעובדין דחול והוי רק עובדין דחולי לכן שרי גם בשבתות ויו״ט עכ״ל.

3. שו״ת ציץ אליעזר חי״ד סי׳ ל. ולבסוף כתב לאור כל האמור נראה דשפיר יש להתיר ההשתמשות בשבת במדחום זה לצורך חולה וכדומה ואין לו או שיש לו קושי למדוד במד חום רגיל, ובפרט לצורך תינוקות וילדים קטנים שרואים שלא מרגישים בטוב עכ״ל. וע׳ בשו״ת מנחת יצחק ח״ז סי׳ כ״ב שכתב שאסור להשתמש בזה בשבת.

4. פשוט הוא.

5. שו״ת ציץ אליעזר חלק יא סימן ל״ח. שו״ת באר משה ח״ו ס׳ נ״ו ובשו״ת אז נדברו ח״א ס׳ ס״ב. וח״ד סי׳ ל״ה וע׳ בשו״ת להורות נתן ח״ו ס׳ נ״ח ובשו״ת שבט הלוי ח״ג ס׳ כ״ח ול״ג שהחמירו בהורדת הכספית המורה על מדת החום משום סרך מלאכת מכה בפטיש.

6. ברית עולם בהוספת שבסוף הספר הלכה לב.

7. ברית עולם בהוספות שבסוף הספר הלכה לא.

16 / Bathing and Cleaning a Baby

We will discuss the general laws of bathing on Shabbos and then explain their application to children and babies.

I. Bathing in Warm Water

It is Rabbinically forbidden to bathe in warm water on Shabbos. This is so regardless of whether the water was heated up on Shabbos or before. This prohibition applies equally to showering or to any other method of washing either the entire body or a majority of it. Not only is one forbidden to bathe the majority of the body at once, but washing limb by limb is also forbidden.[1]

However, it is permissible to wash less than fifty percent of one's body in hot or warm water, provided the water was heated prior to Shabbos.[2] Water that was heated on Shabbos, but not as a result of any act performed by a person on Shabbos, is considered to have been heated before Shabbos.[3] For example, if an urn filled with water was set before Shabbos and the water became hot during Shabbos, the water may be used for washing on Shabbos. Similarly, if one, in order to obtain warm water for washing, mixed cold water with hot water that was heated before Shabbos, the warm water

---

1. ש״ע סי׳ שכ״ו ס״א.

2. ש״ע הנ״ל ומ״ב ס״ק ה.

3. הגהות רע״א על המג״א בס׳ שכ״ו ס״ק ד, ששכה״כ פי״ד ס״ג בשם הגרש״ז אויערבאך שליט״א. וע׳ בשו״ת שבט הלוי ח״א סי׳ נ״ח וח״ג ס׳ מ״ז, וח״ד ס׳ ל״א וח״ז ס׳ ל״ב שס״ל שמים שהוחמו בשבת אף שנתחממו דרך היתר אסור לרחוץ בהן בשבת עי״ש.

may be used for washing on Shabbos.[4]*

One may not wash any part of the body on Shabbos with water which was heated during Shabbos as a result of an individual's actions. This applies whether or not the prohibition of cooking was involved in heating the water. For example, if water was placed near a *blech* and as a result the water became lukewarm, even though this entails no transgression, the water may not be used on Shabbos.

II. Exceptions

In situations of discomfort, the Sages permitted one to bathe the entire body on Shabbos. Thus, if someone has chicken pox or a rash that causes discomfort, it is permissible to bathe in warm water. However, as previously noted, one may use only water that was heated prior to Shabbos.[5] A competent halachic authority should be consulted regarding the use of medicine in the bath.

III. Washing With Cold Water

The laws relating to washing in cold water are less stringent than those relating to washing with warm water. It is permitted to wash *most* of one's body (with the exception of hairy areas) with cold water. However, it is customary to refrain from washing one's *complete* body with cold water.[6] If one wishes to take a cold shower, a halachic authority should be consulted.[7]

---

*Note: See *The Shabbos Kitchen*, pages 38 and 39, for the permissible methods of mixing cold and hot liquids.

---

4. ששכה״כ פי״ד הערה טו.

5. רע״א הובא בביאור הלכה ריש ס׳ שכ״ו.

6. ע׳ מ״ב ס׳ שכ״ו ס״ק כ״א.

7. יעויין בשו״ת אג״מ או״ח ח״ד סוף ס׳ ע״ד וסימן ע״ה שדן אם מותר להתקלח בשבת במים קרים. וע״ע בזה בשו״ת באר משה ח״ו ס׳ ע״ג. וקצות השלחן ס׳ קל״ז ס״ק ח.

IV. Washing Children

If a child becomes dirty on Shabbos, it is permissible to wash the child's body with warm water. As previously noted, the water must be heated prior to Shabbos.[8]

If a child has a rash or other skin problem that causes him discomfort, the child is considered a *choleh she'ein bo sakana*. Therefore, one may tell a gentile to do a *melachah* forbidden by the Torah in order to relieve his discomfort (open the hot water or boil up water). A Jew, however, is only permitted to do a *melachah* which is Rabbinically prohibited in such cases (see above, I). The *melachah* must be done, if possible, with a *shinui*.

Even if the child is old enough not to be considered a *choleh she'ein bo sakana* [see p. 82], he is nevertheless permitted to bathe himself in hot water provided the water was heated prior to Shabbos.

V. Other Prohibitions That Apply When Bathing

When washing or bathing is permitted, one may not use a bar of soap.[9] It is permissible to use free-flowing liquid soap.[10]

---

8. ע' בשו"ת אור לציון ח"ב דף רנב שכתב וז"ל תינוק שהתלכלך וצריך לרוחצו מותר לרוחצו במים חמים, אף שהוחמו בשבת. (שאפשר להשתמש במים הבאים מדוד השמש). אבל ברחיצה שאינה להסיר הלכלוך אין להתיר אלא לתינוק שרגיל לרחוץ בכל יום ורק במים שהוחמו מערב שבת עכ"ל.

9. מ"ב ס' שכ"ו ס"ק ל. וע' בשו"ת ארץ צבי סימן א כתב שהאיסור דווקא בסבונים שהיו בימיהם שלא היו חלקים וע"י הרחיצה בהם נעשו חלקים אמנם בסבונים שלנו שבלא"ה הם חלקים אין במה שמחסר מהסבון משום ממחק עי"ש.

10. בספר שלמי יהודה דף קנח כתב וז"ל סבון נוזלי שמעתי מהגרי"ש אלישיב שליט"א שכל זמן שזה נשפך מהבקבוק מותר להשתמש בו אפי' הוא מרוכז מאד. שפכתי לפניו מבקבוק חומר נוזלי שהיה כל כך עבה שלקח זמן עד שיצא מהבקבוק ובכל זאת התיר להשתמש בו עכ"ל. וע' בספר קיצור הלכות שבת ס' ל"ב ציון 19 שכתב וז"ל ע' ברית עולם ונראה שיעור עבה לא מה שכתוב שם שהוא רק אם עב קצת, אלא שהוא עב כל כך שאין יכולים לערותו כדרך שמן ואינו זב מעצמו רק צריכים להחליקו בידים כמו שומן ובזה דומה למירוח. וכיון שאין שיעורו מפורש, אז כמו כל שיעורי דרבנן הולכים בזה להקל ואין לחדש לפרש בהם אלא דבר

Another prohibition applicable to bathing is the *melachah* of סְחִיטָה, *squeezing*. One may not use a sponge or washcloth when bathing or washing a child because one will inevitably squeeze out the water absorbed. Rather, the child should be washed by hand. This *melachah* is also applicable when drying the child's hair after a bath or shower. The best practical solution is to drape a towel over the child's head and allow it to absorb the surface liquid.[11]

VI. Cleaning a Baby Who Has a Soiled Diaper

Baby Wipes

According to many *Poskim*[12] it is forbidden to use baby wipes (moist towelettes) on Shabbos since the soapy water is inevitably squeezed out during their use, constituting the transgression of the *melachah* of סְחִיטָה, *squeezing*. The main purpose of using these towelettes is to take advantage of the liquid they contain. Nevertheless, if the towelettes contain very little liquid (e.g. they have previously been squeezed out or are manufactured with a small amount of liquid) one is permitted to use them. The criteria for such use is as follows: If the towelette will leave a sufficient amount of moisture on the baby to wet another person who touches it, its use is prohibited. On the other

---

המועט שבו וכו׳ עכ״ל ולבסוף העלה דמנהג העולם הוא להשתמש עם סבון נוזלי. ולאמיתו של דבר יש עוד אחרונים שמקילים להשתמש בסבון נוזלי והם הערוך השלחן ס׳ שכ״ו סי״ב, והבן איש חי (שנה ב׳ פרשת יתרו אות טו). אמנם בשו״ת אג״מ חלק א׳ ס׳ קי״ג החמיר בסבון נוזלי וז״ל שם אף שאפשר שבדבר לח ליכא איסור ממחק. אבל בביתי אין נוהגין היתר בזה וכן ראוי להחמיר עי״ש. וע׳ בשו״ת נשמת שבת ח״ד ס׳ תקכ״ח שהעיר על דברי האג״מ וז״ל ולא הבנתי שאין ממרחין אותו על שום דבר ואינו עומד להתקיים שם כלל רק שופכין עליו מים ומשפשפין בו ביחד עם המים ותיכף נימס לתוך המים ונוזל למי השופכין עכ״ל.

11. מ״ב ס׳ שכ״ו ס״ק כ״ה. ובספר מנחת שבת ס׳ פ״ו ס״ק ו׳, ובששכה״כ פי״ד הערה ס״ד בשם הגרש״ז אויערבאך שליט״א כתבו דליכא איסור סחיטה בשערות דרך ניגוב. ובשו״ת נשמת שבת ח״ד ס׳ ר״ס האריך בזה. וע״ע בשו״ת אז נדברו ח״א ס׳ נ״ה, ובשו״ת באר משה ח״א ס׳ ל״א.

12. ע׳ בסוף הספר דיון נרחב בענין ״בייבי ווייפס.״

hand, if the towelette will leave only a moist film on the baby that is not sufficient to wet another person touching the baby, the towelette may be used.[13]

The same rule applies to cleaning a baby with a moist washcloth or paper towel.

A practical way to clean the baby would be as follows:

1. Bring the baby to the sink and wash off the dirt by hand. One is permitted to wear a glove to avoid soiling the hands.

2. One may then pour baby oil or a lotion of loose consistency[14] on the skin, and clean the baby with a tissue along with the oil or lotion. Care should be taken lest the tissue absorb too much liquid in order to avoid transgressing the prohibition of סְחִיטָה, *squeezing*, when cleaning the child.

---

17 / Children's Clothing

I. Wet Clothing

Generally, an item unfit for use at the onset of Shabbos (i.e. during *bein hashmoshos* — the time period between sunset and nightfall) is deemed *muktzah* and may not be used the entire Shabbos.[1]* Accordingly, if laundry was wet during the period of *bein hashmoshos*, it cannot be used during Shabbos. If, however, one is certain that the clothing will dry sometime during Shabbos and be fit for use, the clothing is not *muktzah* and may be used.[2] Therefore, if laundry is washed on Friday

*Notes: This is only true if the item is *muktzah* for the entire *bein hashmoshos* period.[3]

---

1. ש״ע סי׳ ש״י ס״ג.

2. מ״ב ס׳ ש״י ס״ק י״ט וז״ל שם כתבו הפוסקים אימתי אמרינן אתקצאי לבין השמשות דוקא דברים שגמרו בידי שמים כגון גרוגרות דאין נגמרין אלא ע״י חום החמה ושמא יהיה יום ענן בשבת ואסח דעתיה מנייהו אבל דבר שנגמר בידי אדם כגון תמרים שנתן עליהם מים בע״ש אף דבודאי אינם ראוים בבין השמשות לא התמרים ולא המים דהא לא קלטו טעם התמרים שיהו ראוין לשתיה וגם התמרים לע״ע לא חזיין אפ״ה לא אסח דעתיה מנייהו על יום השבת שיהא מוקצה מחמת זה דהא בידו להשהותן עד למחר שיקלטו טעם התמרים עכ״ל. ולכאורה לפמש״כ המ״ב יש להתיר אם בשעת תליית הבגדים בע״ש היה ודאות שיגמר ייבושם בשבת דהו״ל כגמרו בידי אדם ולא הוה ליה מוקצה, ועפי״ז הקשו האחרונים (ע׳ מנחת יצחק ח״א ס׳ פ״א, ובספר מנחת שלמה סימן י׳ ובשו״ת שבט הלוי ח״א ס׳ ס״ב, והגאון ר׳ חיים פינחס שיינבערג שליט״א בקונטרס בעניני מוקצה ס׳ ל״א נדפס בסוף ספר שלמי יהודה) דהמ״ב בס׳ ש״ח ס״ק ס״ג כתב דבגד שהיה לח טופח ע״מ להטפיח בבין השמשות אסור לטלטלו כל השבת דמיגו דאתקצאי לביה״ש שהיה אסור בטלטול משום חשש סחיטה כמבואר ברמ״א ס׳ ש״א סמ״ו איתקצאי לכולי יומא, והא הוה בגדר גמרו בידי אדם ואמאי אסור לכל השבת, וכתבו הני אחרונים דצריכים לדחוק דהמ״ב מיירי בגוונא שאינו ברור שיתייבש במשך השבת אבל אם ברור הדבר שהבגד יתייבש ביום השבת ה״ז חשוב כגמרו בידי אדם ומותר. וע״ע בזה בשו״ת משנה הלכות ח״ו סימן ס״ה.

3. הפמ״ג בפתיחה להלכות יום טוב חלק שני פ״א אות ה׳ מצדד להתיר דבר שלא היה מוקצה כל בין השמשות אבל לבסוף נשאר בצ״ע, והפמ״ג בא״א סוף סי׳ רע״ט מצדד

and placed into the dryer before *bein hashmoshos** one is permitted to wear the dry clothing on Shabbos. The same is true if one hangs clothing on a clothesline before *bein hashmoshos* and is certain they will dry before the conclusion of Shabbos.[4]

If wet clothing were left unhung in the laundry room, they remain *muktzah* even after they become dry during Shabbos since one did not assume that the clothes would be dry during Shabbos.

II. Selecting Clothing on Shabbos

It is generally forbidden to select clothing from a mixture of dissimilar and different clothing. Even if the differences of the items in the mixture are due to differences in size or color, one may not select one particular item from the mixture. Doing so is a transgression of the *melachah* of בּוֹרֵר, *selecting*. Selection is permitted only if three conditions are met:**

1. The selection must be done by hand, not with a utensil which facilitates the selection.
2. The selection must be done for immediate use.
3. One must select the item that is desired rather than

---

*Notes: According to some authorities, one should not allow a dryer to operate after sunset.[5]

** For a lengthy discussion of these *halachos* see *The Shabbos Kitchen*, Chapter 9.

ג״כ להתיר ונשאר גם שם בצ״ע. וראיתי בספר קובץ מאמרים בעניני חשמל בשבת מהגאון ר׳ שלמה זלמן אויערבאך שליט״א דף 12 שכתב וז״ל ומפורש יותר בשו״ע הרב ס׳ ש״י ס״ז וז״ל וכל זה בדבר שהיה מוקצה כל ביה״ש אבל דבר שהיה ראוי בביה״ש אפי׳ במקצת לבד ואח״כ נתקלקל ואח״כ חזר ונתקן חזר להיתרו, ואין אומרים מתוך שהוקצה ונאסר כבר במקצת השבת הוקצה לשארית השבת כולה. ומסתבר שהוא הדין גם להיפך שאם בתחילת ביה״ש היה אסור, ובאמצע ביה״ש הותר שאין אומרים מגו דאיתקצאי משום תחילת ביה״ש בלבד עכ״ל. וע׳ בתהלה לדוד ס׳ ש״י ס״ק ג שסתם לדבר פשוט דבעינן אתקצאי לכל בין השמשות.

4. ע׳ ציון 3.

5. כן שמעתי ממרן הגר״מ פיינשטיין זצ״ל וע׳ בסוף הספר מש״כ ביאור בדבריו הקדושים.

removing the undesired items until only the desired item remains.[6]

Therefore, one is forbidden to remove a specific article from a mixture of a child's clothing on Friday evening in preparation for Shabbos morning. This act violates the requirement of condition 2. Likewise, one may not remove a particular pair of socks from a drawer containing socks of different colors or sizes for use later that day. Similarly, one may not select a specific pair of pajamas from among others for use later on in the evening. This holds true for any item that is grouped among others in such close proximity as to be considered a "mixture." However, if all of the socks are the same size and color or if one is not very particular as to which pair of socks or pajamas are removed, then one may remove the item, since "selecting" is not involved.

If clothing are piled on top of each other or next to one another, one may remove an unwanted item from the top of the pile in order to reach the desired item.[7]

III. Soiled Clothing

It is forbidden to pour water or any cleansing agent on soiled clothing during Shabbos in any manner (e.g. washing, spraying, soaking, etc.). To do so is a transgression of the *melachah* of כִּבּוּס, *laundering*.[8] If a child's clothing became dirty while eating or playing, one must be careful not to transgress the *melachah* of laundering when trying to clean the garment. One may remove the dirt (without the use of a liquid) which is on the surface of the garment.[9] However, one may not rub the garment with any type of cloth to remove the dirt or mud which has been absorbed by the material. Since it is very difficult to

---

remove only the surface dirt, one would do best not to clean the garment at all.

If one generally places soiled clothing into the washing machine until the laundry will be done, it is permissible to do so on Shabbos.[10]

IV. Tying and Untying Knots on Shabbos

קוֹשֵׁר, *tying a knot*, and מַתִּיר, *untying a knot*, are *melachos* that are forbidden on Shabbos. A detailed discussion of the specifics of this *melachah*, i.e., what constitutes a knot, differences between temporary and permanent knots, etc., is beyond the scope of this book. Below are some common applications of this prohibition with regard to children's clothing:

1. It is permitted to tie a shoelace with a single knot and bow on top of the knot (the standard manner of tying shoes). This is permitted only if one intends to untie this knot within twenty-four hours. Therefore, one should be careful not to tie such a knot and then slip the shoe off at the end of the day without untying the knot.[11]

2. It is forbidden to tie a knot and bow, and then knot the bow itself [the common method used on small children's shoes], as this is considered a double knot. Some *Poskim* rule that if it is common to open the knot within twenty-four hours, it is permitted to make such a double knot.[12]

3. If one *inadvertently* tied a double knot or the knot and bow became tangled into a double knot, it is permitted to untie

---

10. עפ״י שו״ת מחזה אליהו סימן ס׳.

11. ש״ע ס׳ שי״ז ס״ה ומ״ב.

12. בשערי תשובה ריש ס׳ שי״ז ס״ק א׳ כתב וז״ל וכתב בר״י בגלילותינו פשט המנהג לקשור שני קשרים בחגורתו אשר במתניו שאינו של קיימא והוא של הדיוט. וכ״כ הערוך השלחן ס׳ שי״ז ס״י. וע״ע בזה בספר תורת שבת ס׳ שי״ז ס״ק ב, ובקיצור שלחן ערוך ס״פ סמ״ה, ובשו״ת מחזה אליהו ס׳ מ״ח. ורק נשאר לנו לעיין אם השערי תשובה חולק על הרמ״א, דהרמ״א כתב בס״א דכתב דיש ליזהר שלא להתיר שום קשר שהוא שני קשרים זה על זה דאין אנו בקיאים איזה מקרי קשר של אומן וצ״ע. וע׳ בחוברת אור השבת חלק א׳ דף קלח שהאריך בענין זה.

it on Shabbos.[13] If, however, one tied a pair of shoes with a double knot before Shabbos and wishes to use them on Shabbos, the shoelaces may not be untied. If necessary, the laces may be torn.[14]

4. The same general principles apply to hair ribbons, drawstrings on jackets, etc.

V. Disposable Diapers

[Note: Since most diapers used today are refastenable and disposable, we will limit our discussion to the *halachos* relating to this type of diaper.]

It is permitted to open a new disposable diaper on Shabbos even though the sides of the diaper are sometimes sealed together.[15] Some *Poskim* rule that one is permitted to undo the adhesive tapes of the diaper in order to secure the diaper onto the baby.[16]* When securing the adhesive tape onto the diaper,[17]

*Note: Other *Poskim* require one to undo the adhesive tapes before Shabbos.[18]

13. מ״ב ס׳ שי״ז ס״ק כג. וע״ע בחזו״א סנ״ב ס״ק יז.

14. מ״ב שם ס״ק כג.

15. כן שמעתי מידידי הגאון ר׳ שמואל פעלדער שליט״א והסכימו לו בזה פוסקי זמנינו.

16. עיין מש״כ בביאורים בסוף הספר.

17. עיין מש״כ בביאורים בסוף הספר.

18. שו״ת ציץ אליעזר חט״ז ס״ו וז״ל אבל העצה היעוצה בזה על כן ליראי ה׳ לדקדק בסוגי סרטים כאלה לקרוע מעליהם את הפלסטיק הדבוק להם בע״ש סמוך לחשיכה, ותו אין קפידא אם לאחר מכן יחזור מיד וידביק אותו עליהם בחזרה, כי ההדבקה השניה הזאת הא כבר נעשית לקיום רק לפחות מיום אחד וכו׳. [ולכאורה עצה זו מהני רק לשבת אבל ליום טוב שהוא שני ימים אין עצה זו מספיק כיון דמערב יום טוב ליום טוב שני הוא יותר מיום אחד] וכ״כ בשו״ת אז נדברו ח״ז ס׳ ל״ד. ובשו״ת באר משה ח״ו סי״ד החמיר יותר מזה וז״ל בענין להשתמש ב„פעמפערס״ בשבת יסירו הפלעסטיק מהטייפ היינו ממקומו, שהדבק יתגלה ויהי׳ עומד כן מגולה מערב שבת, ולא יחזיר, הפלעסטיק שהסיר מע״ש עוד בער״ש על מנת להסירו בשבת, אלא יניחנו כך הדבק מגולה מע״ש עכ״ל.

וע׳ בשו״ת מחזה אליהו סי׳ ע׳ שהביא מכמה מגדולי ההוראה שבדורנו שליט״א שנקטו כדברינו דאסור לפתוח איספלנית בשבת והוא שווה ממש להנד״ד עכ״ל ועי״ש. וע״ע בזה בפרק יג ציון 58.

care should be taken that the tape be secured to the designated place. Otherwise, one will tear the diaper when opening it. However, if one inadvertently fastened the adhesive tapes onto a spot other than the designated place, it is still permitted to open the diaper.[19]

Permanently securing the adhesive tapes to a diaper is a prohibited act. It is a *tolodah* (corollary) of the *melachah* of תּוֹפֵר, *sewing, gluing.* Therefore, it is forbidden to simply slip the diaper off the child without actually undoing the adhesive tapes.[20] Furthermore, when disposing of a used diaper, care should be taken not to fasten the adhesives to the sides of the diaper.[21]

When one disposes of a used diaper by placing it into a plastic bag, care should be taken not to tie the bag with a double knot. This, as indicated in section IV of this chapter, is included in the *melachah* of קוֹשֵׁר, *tying.*

19. הגאון ר' חיים פנחס שיינבערג בספר הזכרון להגאון ר' אריה זאב גורביץ זצ"ל דף ריז, שו"ת ציץ אליעזר חט"ז ס"ו.

20. ע' ציון 19.

21. ע' ציון 19.

18 / Nursing

One of the prohibited *melachos* of Shabbos is דָּשׁ, *threshing*, the extraction of wheat kernels from their surrounding chaff.[1] Any process by which a food product is extracted from the encasement in which it was formed is forbidden under this *melachah*. A *toladah* [corollary] of this *melachah* is מְפָרֵק, *extraction of a liquid from its encasement*.[2] Expressing a woman's milk is included in this prohibition.[3]

According to Torah law, this *melachah* is forbidden only if it is performed in order to use the product that is extracted.[4] The Sages, however, prohibited such an act even if one intends to discard the product.[5]

---

1. משנה שבת דף עג.

2. רמב״ם פ״ח מהלכות שבת ה״י וז״ל הסוחט את הפירות להוציא מימיהן חייב משום מפרק עכ״ל. ולעיל מיניה בהלכה ז׳ כתב והמפרק הרי הוא תולדת הדש. וע׳ רש״י שבת דף עג: ד״ה מפרק שכתב גם כן שמפרק תולדה דדש.

3. במסכת שבת צה. איתא החולב חייב משום מפרק. ופירש רש״י וז״ל כמו מפרק משאוי שפורק אוכל ממקום שנתכסה בו והוי תולדת דש. וכן כתב הרמב״ם בפ״ח מהלכות שבת ה״ז. ובתוס׳ שם בד״ה החולב פירשו דברייתא זו אתיא כר״י דס״ל דיש דישה שלא בגידולי קרקע ולפיכך שייך שחולב יהא חייב משום מפרק. והנה יש לתמוה על הרמב״ם שהרי פסק בפ״ח מהלכות שבת ה״ז דאין דישה אלא בגידולי קרקע ולפי״ד איך שייך שחולב יהא חייב משום מפרק. ובספר שביתת השבת דף ד הביא מתשובות רבינו אברהם בן הרמב״ם סי״ח לתרץ דאע״ג דאין דישה אלא בגידולי קרקע מ״מ מפרק שהוא תולדה דדש חייב בין בגידולי קרקע בין שלא בגידולי קרקע. וההסבר בזה י״ל דהא דאין דישה אלא בגידולי קרקע אין הטעם משום מיעוטא דקרא אלא משום שאין דרך דישה אלא בגידולי קרקע ולכן במפרק שדרכו בכל דבר שפיר אפשר לחייבו אפי׳ שלא בגידולי קרקע עכ״ל.

וברש״י שם הנ״ל כתב טעם נוסף למה חולב חייב וז״ל ואית דאמרי תולדה דקוצר ולא היא דלאו מחובר הוא אלא פקיד ועקיר וכו׳.

והתוס׳ בדף עג: ד״ה מפרק כתבו לפרש בשם ר״ת דחולב חייב משום ממחק דכשחולב ממחק את הדד ומחליקו עכ״ל.

4. ביאור הלכה סי׳ ש״ב ד״ה יש מי שמתיר.

5. כן מבואר במ״ב סי׳ ש״ל ס״ק ל״ב.

I. Nursing

A woman is permitted to nurse a child in the normal manner.[6] Furthermore, a woman is permitted to express a few drops of milk into the child's mouth in order to entice the child to begin nursing.[7]

---

6. הנה יש לבאר האיך מותרת אשה להניק את בנה בשבת הא האשה עוברת על לאו דלא תאכילום [כיון שהיא מאכילה איסור להתינוק] דהא כשהתינוק יונק המלאכה של דישה נעשית ע״י התינוק. וראיתי בספר מחזה אליהו דף רמו שכתב קושיא זו בשם הגאון ר׳ אליעזר גורדון זצ״ל מטעלז הובא בשדי חמד סוף קונטרס באר בשדה וכתב שם וז״ל לפי דעת רוב הפוסקים דחולב הוי איסור דאורייתא דמלאכת דישה בשבת האיך תינוק יונק עד ה׳ שנים הא נותן לקטן לעבור איסור דאורייתא ועובר על לא תאכילום והגם דסתם תינוק מסוכן אצל חלב היינו עד ב׳ שנים, דהא אחר ב׳ שנים שוב אין ביניקה חשש סכנה ע״כ תוכן הקושיא. והמחזה אליהו כתב לתרץ בשני אנפי ונעתיק תירוצו השני וז״ל דנראה דדבר כזה אין בו חומר מלאכת שבת מאחר דכן דרך אכילתו וכל שהוא כדרך אכילתו הטבעית לא חל עליו עמל מלאכה וכו׳. ומצאתי שתירץ כן בחלקת יואב סי״ט ד״ה ובאמת וז״ל ובזה ניחא לי מה דשרי להניק התינוק בשבת ואין בו משום מפרק במה שהאשה מעמידה התינוק על הדד, כיון שזה אכילתו של תינוק אין זה מיקרי מפרק כלל עכ״ל. וכמו״כ כתב השש״כ פל״ו הערה סב בשם הגרש״ז שליט״א.

7. ש״ע סי׳ שכ״ח סל״ה מותר לאשה לקלח מהחלב כדי שיאחז התינוק הדד ויניק עכ״ל. ויש לבאר היתר דין זה. המג״א בס״ק מ״א כתב טעם ההיתר משום דהוה מלאכה שאינה צריכה לגופה במקום צער וכן כתב הלבוש. ובתוספת שבת הקשה ע״ז וז״ל ואנוכי לא ידעתי אם גם זה מקרי מלאכה שאינה צריכה לגופה א״כ צריכה לגופה מה היא, דהא היא צריכה לחלב לצורך התינוק עכ״ל. ומשום זה פירש התוספת שבת טעם אחר בהיתר זו וז״ל משום דהוי מפרק כלאחר יד דהא אין דרך לחלוב מדדי אשה רק לינק שפיר הוי מפרק כלאחר יד עכ״ל. ביאור דבריו דההיתר אינה משום דהוה מלאכה שאינה צריכה לגופה רק דהוה חליבה כלאחר יד שמותר במקום צורך. וע׳ בשעה״צ ס׳ שכ״ח ס״ק פ״א שהביא דברי התוס׳ שבת וכתב ע״ז עיין בשבת דף קל״ה תוד״ה מפני. וכוונתו דמדברי התוס׳ משמע דלא כהתוספת שבת, דאהא דאיתא בגמרא שם דבן שמונה הרי הוא כאבן ואסור לטלטלו אבל אמו שוחה ומניקתו מפני הסכנה כתבו התוס׳ דהרשב״א לא ידע מאי איריא מפני הסכנה דאפי׳ לא יהא אלא צערא בעלמא מותר אפי׳ היא לחלוב עצמה ולהוציא חלב שבדדין אע״פ שהיא מלאכה שאינה צריכה לגופה וכו׳ דשרינן מפני צערא עכ״ל. ולכאורה לדברי התוספת שבת עדיפא הוה ליה למימר דהויא מלאכה כלאחר יד.

והשעה״צ בעצמו פירש הדברים דאולי יש סכנה אם לא יניק. נמצא דלדעת השער הציון במקום שאין סכנה כגון שהאשה רוצה להאכיל התינוק סמוך למוצאי שבת והתינוק אינה רוצה לינק אסור לה להתיז חלבה על התינוק דאין זה סכנה דהא אפשר להמתין איזה רגעים עד מוצאי שבת ואז להאכיל התינוק. וכן בזמן הזה שיש חלב formula במקום חלב אם אין זה בכלל סכנה.

וראיתי בעם התורה חוברת י״ד עמוד נח שהגאון ר׳ משה שטערן שליט״א מתרץ

If a woman's breasts have become engorged and some milk must be expressed before the infant can begin to nurse, the procedure outlined below in section III should be followed.

II. Expressing Milk for Later Consumption

Occasionally, a situation arises in which a child in need of the mother's milk cannot be nursed in the usual fashion. One such example is a situation where the infant is confined to the hospital while the mother is at home. Normally, the mother pumps her milk at home and the milk is later bottlefed to the baby in the hospital. On Shabbos, however, pumping for later consumption constitutes a transgression of a Torah prohibition.[8] In these types of situations, the following rules apply:

קושית התוספת שבת וז״ל הנה מלאכה שצל״ג אצל החלב הוי כשמוצאין מהדד לצורך שתי׳ אבל אם מוציאין החלב לשום צורך אחר לא לשם שתי׳ הוי מלאכה שאצל״ג וכו׳ וכמו כן להניק בפי התינוק אין כוונת האשה שישתה התינוק טפת חלב זה אלא כוונתה שעי״ז יתעורר תאות ורצון התינוק להניק. א״כ אין קילוח החלב לתוך פי התינוק לצורך שתי׳ אלא לגמרי לצורך אחר הוי מלאכה שאצל״ג עי״ש שהביא ראיה ליסוד הנ״ל. וע׳ בחוברת בשבילי הרפואה ח״ד מה שהאריך בזה הגאון ר׳ ח.פ. שיינבערג שליט״א.

8. וראיתי חידוש גדול מהגאון ר׳ ח.פ. שיינבערג שליט״א שכתב בחוברת בשבילי הרפואה ח״ד וז״ל ולולי דמסתפינא הייתי אומר (לא למעשה) [שיש מקום להתיר לאשה לינק לתוך כלי אפי׳ כשאין התינוק בסכנה] וכתב שם בהמשך דבריו בזה״ל והנה כל הפוסקים נקטו לדבר פשוט ופסקו בסכינא חריפא שהחליבה לתוך כלי הוא איסור דאורייתא מדין מפרק שהוא תולדה דדש, ואפי׳ בכוונה להניק אח״כ הוולד, מ״מ בשעתו יש שם איסור מפרק. ולדעתי יש לחלק בין הענינים וכו׳ והמבואר מכ״ז שהחלב של התינוק הוא אוכל, ואין ע״ז שם משקה וא״כ אם כל עיקר ההוצאת החלב לכלי הוא רק בשביל התינוק מסתבר לכאורה שבמה שחולב אל הכלי לא מגרע זה המציאות של החלב שסוף כל סוף הוא מזונו של התינוק וכמטיף לתוך פיו של הקטן דמי, אלא שא״א עכשיו במצב כזה להניקו מהשדים ממש משום איזה סיבה, ולפי זה חשבתי לחלק שבאמת לא בכל אופן יש על החליבה בתוך כלי שם מפרק, שהכל תלוי בכוונתו, דהנה לישנא דהתוספתא הובא במחבר באו״ח סי׳ שכ״ח הוא לא תיקל אשה חלב מדדיה לתוך הכוס או לתוך הקדירה ותניק את בנה עכ״ל, וע׳ בספר שביתת השבת שהעיר וז״ל ולכאורה האי את בנה הוא מיותר, ולענ״ד חידש לנו המחבר דינא בזה והיינו שהמחבר דקדק בלשונו שהביא לשון התוספתא לא תקל אשה חלב מדדיה לתוך הכוס או לתוך הקדירה ותניק את בנה עכ״ל, ומה כוונת הלשון שלא תקל אשה חלב וכו׳ מה הנפ״מ בהסיבה של ההוצאת החלב מדדיה אם משום שרוצים להקל על עצמה, הא עיקר האיסור הוא במה שמקלחת החלב לתוך הכלי וכו׳ ולדעתי הכוונה שבאמת יכולה להניק את בנה מדדיה אלא משום שיש לה הרבה חלב רוצית להקל ע״ע ולקלח את

A. If Formula Cannot Be Substituted

If the child's doctor is of the opinion that a formula substitute, even for one day a week, may seriously affect the child's recovery or development, the mother may pump her milk. The preferable method for pumping milk is outlined below in section IV. However, if that method cannot be followed, the mother may pump her milk in the normal manner. Since the situation is viewed as life threatening to the child, a Torah-prohibited *melachah* may be performed.[9]

B. If Formula Can Be Substituted

If the doctor is of the opinion that the formula can be substituted for the day without serious consequences, the

---

החלב לתוך הכלי ואח״כ להניק את הבן וזה אסור משום שבהוצאת החלב עכשיו הוא שלא לצורך ההנקה, ויש ע״ז שם מלאכה של מפרק, וקמ״ל המחבר בזה הגם שבדעתה להניק את הבן מ״מ לא מועיל זה להתיר גוף ההנקה כיון שכוונתה נמי להקל ע״ע. ואם כנים הדברים יוצא לדינא שאם עיקר ההוצאת החלב הוא רק לצורך התינוק אלא שמשום איזה סבה א״א לה להניק בתוך פיו ומוכרחת להטיף בתוך הכלי וכמו שאם התינוק הוא בבית החולים או שיש שום פצע על הדד שיכול להזיק את התינוק אם יונק מגוף הדד, שאז לדעתי מסתבר שאין על זה שם מפרק כלל, כיון שכל עיקר כוונת ההנקה לתוך הכלי הוא לסיבת צורך התינוק עכ״ל ועי״ש שהאריך בזה.

9. פשוט דאם דעת הרופא שזה סכנה או שיותר טוב להתינוק שישתה חלב אם שצריכה האשה לחלוב חלבה אבל כתבתי דלכתחילה אם אפשר תעשה כן באופן שאין בה חילול שבת דאורייתא והיינו שתעשה באופן הנ״ל בפנים.

וראיתי בששכה״כ פל״ו הערה סב שהביא בשם הגרש״ז שליט״א, דגם אם התינוק עדיין לא התרגל לחלב אם, ג״כ מותר לחלוב עבורו לתוך כלי הואיל וזה המזון הטבעי שלו ואין להתחשב בספק סכנה בתחליף של מזון אחר עכ״ל. ר״ל דמותר לעבור על איסור דאורייתא דהויא ספק סכנה אם יתן להתינוק דבר אחר לשתות. ולא כתב שם אם בכלל צריכים לשאול דעת הרופא רק כתב לדבר פשוט שתחליף למזון אחר נחשב ספק סכנה. ונראה שבזמנינו שיש תחליפי חלב ואין בזה שום צד סכנה אם יתן להתינוק לשתות חלב כזה אם לאו יש לאסור מלבד כשהרופא אומר אחרת. וכן שמעתי מכמה רופאים. וע״כ אין להתיר לאשה לחלוב חלבה. וכעת מצאתי בספר אור לציון ח״ב דף רנז שכתב ג״כ כזה. וכן ראיתי בחוברת בשבילי הרפואה ח״ד שכן דעת הגאון ר׳ ח.פ. שיינבערג שליט״א שכתב וז״ל וכן ראיתי מביאים בשם גדול אחד שנקיט לדבר פשוט שהתינוק עלול להסתכן אם ישקוהו חלב אחר או מזון אחר, ולדעתי יש לפקפק ע״ז כהיום שבקיאים בהענין אם להשקותו חלב אחר בלי שום חשש של היזק, אם לא שהולד הוא במצב כזה שרק החלב של האם יועיל לו למצבו עכ״ל.

mother is forbidden to pump her milk in the normal manner.[10] However, she may still express her milk for the baby in the manner described below in section IV.

III. Expressing Milk to Alleviate Pain

If a woman's breasts are engorged and she is in pain, there is a method whereby she is permitted to pump the milk with a manual pump to alleviate her pain. As previously explained (p. 119), pumping milk for later use is in violation of the Torah prohibition of מְפָרֵק, *extracting a liquid*. Accordingly, for a woman to express her milk into a vessel and save it for later consumption would be a violation of a *melachah d'Oraysa*. However, expressing milk and discarding it is only a Rabbinic prohibition. The Sages permitted a woman in pain to express her milk and subsequently discard it.[11]

Some authorities rule that this leniency only applies if upon being expressed, the milk will directly go to waste. To express the milk into a vessel and dispose of it afterward is forbidden.[12]

---

10. ע׳ ציון 9.

11. ש״ע סי׳ ש״ל ס״ח וכן היא בעצמה יכולה להוציא בידה החלב המצטער אותה. ועי׳ במ״ב ס״ק ל״ב וז״ל על הארץ דאין זה כדרך מפרק כיון שהולך לאיבוד, ועוד דהוי מלאכה שאצל״ג דפטור ומשום צערא ל״ג כמו מפיס מורסא עכ״ל. מבואר דיש שני טעמים להתיר. ולכאורה יש לחלק בין הני תרי טעמי, דלטעם הראשון שהחלב הולך לאיבוד הוא דווקא כשהחלב נשפך ישר על הארץ ולא דשנשפך מתחלה לכלי אף שדעתה אח״כ להשליך את החלב דלא מיקרי הולך לאיבוד שהרי עתה הוא בכלי, משא״כ לפי טעם השני דהוה מלאכה שאצל״ג יש להתיר אפי׳ כשמוציאה החלב ע״י כלי ואח״כ שופכת את החלב. ונמצא דכיון דהמ״ב הביא שני טעמים יש להחמיר שלא לחלוב לתוך כלי אלא ישר על הרצפה. וראיתי בספר מגילת ספר סימן ז׳ ס״ק י״א וז״ל ומש״כ המ״ב שם שההיתר דוקא להוציא על הארץ נראה שאין כוונתו שילך מיד לאיבוד אלא אפי׳ באופן שלבסוף ישפכו אותו לארץ עכ״ל. וצ״ע מנין לו חידוש כזה דבפשטות ס״ל להמ״ב דבעינן שהחלב ילך לאיבוד מיד. אבל המג״א בס׳ ש״ל העתיק רק הטעם של מלאכה שאינה צריכה לגופה ולפי זה יש להתיר לחלוב החלב לתוך הכלי ואח״כ להשליכו על הארץ. אמנם הנתיב החיים הוסיף על דברי המג״א הנ״ל לתוך הקדירה או לתוך הכלי אסור, מבואר מזה דאפי׳ אם נתיר מטעם מלאכה שאצל״ג כ״ז מותר רק כשהולך מיד לאיבוד ולא לתוך כלי וזה שלא כדברינו לעיל. וע״ע בציון 14.

12. פמ״ג בא״א ס׳ ש״ל ס״ק י״ז, מ״ב סי׳ ש״ל ס״ק ל״ב, ברית עולם מלאכת דש ס״ק י״ד. וע״ע בציון 11.

Accordingly, one of the following simple procedures should be followed:

1. The milk should be expressed directly into a sink, toilet, etc.
2. The milk can be expressed into a receptacle if the receptacle contains something that will immediately render the milk unfit for consumption (e.g. salt, detergent, vinegar).[13]*
3. One may follow the procedure outlined below in section IV.

In the event that none of the previously mentioned methods can be followed, one may rely on the opinion that permits a woman to express her milk into a vessel and dispose it immediately afterward.[14]

IV. Using an Electric Pump

In situations of great need, a *melachah* may be performed through a *g'rama*. [*G'rama* is defined as a *causative* action from which a *melachah* indirectly results.] Therefore, in situations of necessity, a woman may express her milk on Shabbos and save it for later consumption. The following is a description of how this can be accomplished:

---

*Note: Since the milk is *muktzah*, one must place a non-*muktzah* item into the receptacle.

13.קונטרס עת ללדת בהערות שבסוף הספר בשם הגרי״ש אלישיב שליט״א והגאון ר׳ שמואל וואזנער שליט״א.

14. שו״ת אבני נזר סמ״ז וזהו תוכן דבריו ואף שחולב בכלי ואין המשקה הולך לאיבוד בשעת חליבה הלא הטעם כתב באור זרוע משום דהוי כבשים שסחטן לגופן, ועוד דהוה מלאכה שאצל״ג במקום צערא. וטעמים אלו ישנו גם במיקל בכלי ע״ש. וכ״כ האבני נזר שם בסי׳ ק״נ, וכ״כ להקל בשו״ת דברי מלכיאל ח״ה סי׳ רל״ח. ועי׳ בס׳ ברית עולם מלאכת דש שכתב דבמקום צורך גדול יש להקל כהאבני נזר.

אולם לכאורה צ״ע מהמג״א לפי פירושו של הנתיב חיים [שהבאנו לעיל בציון 11] שהמג״א מתיר רק כשחולב ומיד נשפך לארץ וכ״כ הפמ״ג בא״א סי׳ ש״ל ס״ק י״ז וז״ל ולתוך הכוס אסור דהוי מפרק. וא״כ איך כתב האבני נזר לדבר פשוט שמותר אפי׳ אם חולב לתוך כלי אם אח״כ ישפוך החלב. וע״כ צריכין לומר דמ״ש הנתיב חיים ודעימיה דלתוך הכוס אסור דבעינן שהחלב ילך מיד לאיבוד, על הכלל כתבו כן דסתמא דמילתא כשאין צריכין להחלב נשפך מיד על הארץ, והיכא שצריכים החלב מקבלים אותו לתוך כלי, אבל לא באו לאפוקי דלתוך הקדירה אסור אע״פ שדעתה לשפוך אח״כ החלב.

An electric pump should be connected to a timer which is set prior to Shabbos to turn on at a specific time or at specific intervals. Before the pump is activated, the woman should attach the pump's receptacle to her breast. Thus, when the pump is activated, the milk will be automatically expressed without any action on the part of the woman. The leniency of *g'rama* requires total passiveness on the part of the woman. Therefore, she cannot hold the cup in place once the machine begins pumping. This can be avoided by tying the cup to her body with a string before the machine is activated.[15]

V. Miscellaneous Laws Pertaining to Nursing Women

A. Washing the Nursing Area

A woman is permitted to wash her breasts prior to nursing. The washing should be done by hand or with a non-absorbent material instead of with a washcloth in order to avoid the prohibition of סְחִיטָה, *squeezing* liquid from fabric. [Concerning the use of hot water, see Chapter 16.]

B. Care of Infection

1. If a woman has an infection on her breast, she may apply vitamin E by piercing the capsule and smearing the liquid on the affected area. [Note: This is only permitted if the vitamin E is sufficiently liquid-like so as not to be subject to the prohibition of smearing; see p. 90.]

2. One is permitted to use medicine to heal an infection. However, if the medication is in cream form, one may not *spread* it on the infected area, because that involves the prohibition of מְמָרֵחַ, *smoothing* (see p. 90). One should follow the procedures outlined in Chapter 13.

---

15. הצעתי עצה זו לפני הגאון ר׳ ח.פ. שיינבערג שליט״א, והגאון ר׳ יחזקאל ראטה שליט״א והסכימו לזה. וע׳ בחזו״א או״ח סי׳ ל״ח סק״ד בזה.

19 / Brushing Hair

It is absolutely forbidden to brush one's hair on Shabbos with a comb or brush that has hard bristles. This prohibition applies to long hair as well as to short hair. When one combs or brushes hair, it is inevitable that some hair will be pulled out, thus violating the *melachah* of גּוֹזֵז, *shearing*.[1]* [Therefore, the comb and brush are subject to the laws of *muktzah*, being classified in the category of כְּלִי שֶׁמְּלַאכְתּוֹ לְאִיסּוּר (see *The Shabbos Kitchen*, p. 210).]

I. Permissible Method of Brushing

It is permissible to brush hair on Shabbos if one adheres to the following conditions:

1. One may use only a brush that has very soft bristles (e.g. a baby's hairbrush, a clothesbrush). [One should brush the hair before Shabbos to determine whether or not the brush pulls out hair.]

2. One may not brush excessively or forcefully. Only a few light strokes are permitted, even though they are insufficient to make the hair appear perfectly groomed.

---

*Note: Parents should restrain any child approximately four years old or older from combing his or her hair in a fashion halachically forbidden.

כדאי להעתיק כאן מה שהמ״ב בסי׳ ש״ג ס״ק פ״ו הביא מהישועות יעקב וז״ל ראיתי אנשים מקילים לסרוק ראשם בשבת וכמעט נעשה הדבר כהיתר אצלם ואוי לעינים שכך רואות לעבור בשאט נפש לחלל שבת בידים ומהראוי לכל חכם בעירו להזהיר ע״ז אולי ישמעו ויקחו מוסר עכ״ד.

1. ש״ע סי׳ ש״ג סכ״ז.

3. One may only use a brush that has been set aside specifically for Shabbos use.[2]

II. Other Forms of Hair Care

A. Braiding Hair

It is forbidden to braid hair on Shabbos.[3] It is similarly forbidden to craft the hair into any sort of structure. Undoing a braid or similar structure is likewise forbidden.

However, one may tie a ribbon to an existing braid, even if its function is to hold the braid in place. [One must, however, be careful not to tie a double knot.] Similarly, one may remove a ribbon from a braid.

B. Curling Hair

It is forbidden to curl or shape hair on Shabbos, whether with rollers or any other method. Some authorities rule that it is permitted to curl *payos* by hand on Shabbos.[4]

---

2. מ״ב סי׳ ש״ג ס״ק פ״ז. ועי״ש שכתב הלשון ונהגו שיהיה הכלי העשוי משער חזיר מיוחד לשבת כדי שלא יהיה מחזי כעובדין דחול. אבל בפנים לא כתבנו הלשון ונהגו משום דבשו״ת אגרות משה או״ח ח״ב ס׳ ע״ח כתב וצריך שיהיה ע״ז כלי מיוחד לשבת עי״ש.

3. ש״ע סי׳ ש״ג סכ״ו.

4. השש״כ פי״ד הלכה נ״ג כתב וז״ל אין לסלסל את השערות בשום אופן, וגם אין להשתמש לצורך זה בגלילין המיוחדים לכך, ובהערות כתב עי׳ קצות השלחן סי׳ קמ״ו בבדי השלחן ס״ק כ״א. ונראה שזה שאסר הקצות השלחן לסלסל שערות בשבת זהו דווקא לשיטתו אבל לשיטת המ״ב יש להתיר לסלסל שערות בשבת. וצריכין להקדים מה שכתב הרמ״א בס׳ ש״ג סכ״ו וז״ל ויש אוסרים לחלוק שערה דהיינו לעשות השייטי״ל וכן נהגו לאסור לעשות ע״י כלי אבל באצבע בעלמא נהגו להקל. והמ״ב בס״ק פ״ד פי׳ טעמם של היש אוסרים (שאסרו להחליק שערה) משום שיש חשש דכשיחליק בשערות יתלוש כמה שערות ויעבור על איסור גוזז. אמנם הקצות השלחן הנ״ל חולק על המ״ב וסובר דהטעם דאסור לחלוק שערות בשבת הוא מטעם בונה ומשום זה הוא מסיק דאסור לסלסל שערות בשבת דכמו שיש איסור בונה כשמחליק השערות ה״ה דיש איסור בונה כשמסלסל שערות. נמצא דלשיטת המ״ב יש להתיר לסלסל שערות בשבת ותמיה על השש״כ שהעתיק הקצות השלחן ולא כתב דלדעת המ״ב יש להתיר.

ובאמת גם אליבא דהקצות השלחן יש להתיר לסלסל שערות הראש שהרי המקור

C. Parting Hair

It is permissible to part hair with one's fingers or with a brush that is permitted to be used on Shabbos.[5] (See I above.)

D. Pony Tails

It is permissible to gather hair into a "pony tail" and tie it with a ribbon or barrette. [Again, one must be careful not to tie a double knot.]

E. Hair Spray

Hair spray or mousse may not be used on Shabbos.[6]

לאסור סלסול הוא מדברי הרמ״א והוא כתב דרק ע״י כלי אסור אבל באצבע מותר, אבל הקצות השלחן בבדי השלחן שם כתב דהרמ״א התיר רק באצבע אחת אבל ביד אסור ולפ״ז דווקא לחלוק שערות דאפשר באצבע אחת מותר אבל לסלסל דא״א באצבע אחת אסור. ונראה דא״א לומר כן בשיטת הרמ״א דא״כ למה כתב הרמ״א דרק בכלי אסר, היה לו לומר דגם ביד אסור שזה חידוש יותר גדול מבכלי. אלא ע״כ מוכח מזה דמאי שכתב הרמ״א דבאצבע מותר אין כוונתו לדייק ולומר דביד אסור רק הרמ״א כתב המציאות דחולקין שערות בכלי או באצבע. ועי׳ בלבוש ס׳ ש״ג שכתב וז״ל וכן נוהגות הנשים לעשותם ביד באצבע ולא בכלי עכ״ל. הרי הלבוש כתב להדיא דלא רק באצבע מותר דה״ה דביד מותר וזה שלא כשיטת הקצות השלחן.

ובאמת לא מצאתי בהפוסקים שידברו אודות סלסול שערות רק בפאות הראש, ובספר תולדות שמואל חלק שלישי כתב וז״ל והנה מה שנהגו לסלסל פאות הראש בשבת באצבעות נ״ל שאין ע״ז חשש, דמשום חשש תולש אין כאן. כנ״ל סי׳ ל״ו ס״ז ומשום שוזר ג״כ אין לחוש הגם שנתבאר לעיל בסי׳ מ״ב ס״ג בשם הרוקח שהשוזר חייב משום טווה מ״מ בנ״ד שאין זה באמת שוזר ממש כי הלא אינו מתקיים אפי׳ לשעתו וגם שהוא במחובר שאין בזה חיוב אפי׳ בטווה ממש כמבואר שם בס״א ובפרט שיש חולקין על הרוקח דאמר שהשוזר חייב משום טווה ע״כ מכל הלין טעמי אין לחוש אפי׳ לכתחילה וכ״כ לי ידידי הה״ג ר׳ יקותואל יודא הכהן נ״י מו״ץ בסאלאש ששמע כן מפי הגאון המפורסם בעל שו״ת תשורת שי.

5. ש״ע ס׳ ש״ג סכ״ו.

6. ששכה״כ פי״ד הלכה נ׳ ובהערה קל״א כתב וז״ל והרי ע״י הנוזל נדבקות השערות וזה דומה לבנין עכ״ל. וע״ע בשו״ת חשב האפוד ח״ג סי׳ ט״ו.

20 / Walking With a Child

I. Carrying a Child Who Is Holding a Muktzah Object

It is forbidden to carry a child who is holding on to a *muktzah* object even in a private domain. Therefore, if the child must be moved, the parent should wait until the child drops the *muktzah* item. Nevertheless, in a case where a child will become upset if he will be left alone and he does not want to drop the *muktzah* item, it is permitted to carry the child.[1] This leniency only applies to a non-valuable *muktzah* object which the adult would not be inclined to pick up if it were dropped. If the child is holding an article of value which an adult would pick up, it is forbidden to carry the child even if the child will become upset.[2]

II. Walking With a Child Who Is Holding a Muktzah Object

Some *Poskim* rule that when a child is holding a valuable *muktzah* item, the parent may not even take the child by the hand and walk with him, since the child may drop the item and

---

1. ש״ע ס׳ ש״ט ס״א וז״ל נוטל אדם את בנו והאבן בידו ולא חשיב מטלטל לאבן והוא שיש לו געגועין וכו׳. ויש לעיין הא כשהאב נוטל בנו הוה טלטול מן הצד לגבי האבן וקיי״ל טלטול מן הצד לצורך דבר המותר (ר״ל לצורך הבן) מותר וא״כ אמאי מותר דווקא באופן שיש להבן געגועין אפי׳ בלא זה יש להתיר. וע׳ אריכות בזה בספר שבות יצחק דף קמא. וע׳ בפמ״ג סי׳ ש״ט בא״א ס״ק ב שכתב דמדברי הלבוש משמע דלדעה א׳ בש״ע ס׳ ש״ט ס״א אסור לאחוז ביד התינוק ברשות הרבים כשנושא דבר שיש לו שווית קצת, משום דחיישינן שמא יפול מיד התינוק ויבא האב לאתויי אותו חפץ ד׳ אמות ברשות הרבים. משא״כ לדעה שניה בס׳ ש״ט ס״א מותר. וע״ע בזה במחצית השקל ס׳ ש״ח ס״ק יח.

2. ש״ע הנ״ל.

the parent may inadvertently pick it up and carry it. Others disagree with this opinion. It is best to follow the stringent view unless there is a pressing need.[3]

III. Carrying a Child in a Public Domain

It is forbidden to carry a child in an area that does not have an *eruv*, whether or not the child is able to walk.[4] This applies to all methods of transporting a child including dragging or swinging him by both hands. It is also forbidden to have a non-Jew carry a child or wheel a carriage in a public domain.[5]

One is permitted, however, to assist a child who cannot walk alone by holding his hand.[6] One is also permitted to lift a child and stand in place with him.

IV. A Child Who Refuses to Walk

If a child stops walking in the street in an area not enclosed by an *eruv* and refuses to continue walking, the following procedures should be employed:

a. Preferably a non-Jew should be asked to carry the child to its destination.

b. If this is not possible, and there are several Jews available, each Jew should carry the child a distance of less than four *amos* (approximately 7 feet) until the child reaches an area in which there is an *eruv*, or the front door of his or her

---

3. ש״ע הנ״ל, וביאור הלכה ד״ה וי״א.

4. מ״ב סי׳ ש״ח ס״ק קנד.

5. פשוט דכל דבר שאסור לישראל לעשות אסור לומר לעכו״ם לעשותו. וע׳ במ״ב סי׳ ש״ח ס״ק קנד שכתב וז״ל וע״י א״י שרי לדידן דאין מצוי אצלנו ר״ה עכ״ל. ביאור דבריו דהוה שבות דשבות שמותר ע״י עכו״ם. ולכאורה קשה דהא שבות דשבות אינה מותרת אלא במקום מצוה או מקצת חולי, אבל סתם שבות דשבות אסור, וא״כ איך כתב המ״ב לדבר פשוט דמותר. וראיתי באז נדברו ח״ו סי׳ לא שהעיר בזה וכתב וז״ל ונראה דכוונת המ״ב באופן דהילד אינו רוצה לזוז ממקומו ובוכה וזה נקרא צורך גדול מאד ודינו כדבר מצוה והתירו בו שבות דאמירה לנכרי אף שזה תימה למה המ״ב לא פירש לנו היטב כדרכו תמיד עכ״ל.

6. ש״ע סי׳ ש״ח סמ״א.

home.* Prior to entering, one should try to persuade the child to enter the *eruv*-enclosed area or the house on his own. If he refuses, then someone inside the house should reach out and the person on the outside should give the child to the person on the inside.

c. If there are only two Jewish people available, each one should alternately carry the child a distance of less than seven feet until the *eruv*-enclosed area or the front door. At that point the previously described procedure should be followed.

d. If there is only one person with the child, that person may carry the child home in small intervals, never walking a full seven feet in one spurt.[7] One is not required to put the child down at each stop; it is sufficient to merely stop walking for a moment.*

---

*Note: The above-described procedures should of course not be followed in situations which entail serious illness. See Chapter 13.

---

7. שו"ת ויברך דוד או"ח ס' מ"ט. וע' בזה בשו"ת אג'מ או"ח ח"ד סי' צ"א.

21 / Toys and Games

The holy Shabbos is a day that should be devoted to the study of Torah and other spiritual pursuits. Therefore, it is improper for adults to occupy themselves with games and other trivial matters on Shabbos. Boys who are *bar mitzvah* and girls who are *bas mitzvah* should also make an effort to refrain from playing games on Shabbos and should rather occupy their time with spiritual matters.[1]

Boys and girls who are younger than *bar* or *bas mitzvah* are permitted to play games. However, some popular games and toys are forbidden on Shabbos. The *mitzvah* of *chinuch* obligates parents to teach their children not to play with these toys and games.

Young children who are below the age of *chinuch* are permitted to play with all types of toys. Nevertheless, it is forbidden for an adult to hand a prohibited toy to young child. (See Chapter One.) It is only permissible to place the toy in front of the child, thus allowing the child to take it on his own initiative. [These toys are not considered *muktzah* for adults.]

We will now outline the various types of toys to which Shabbos prohibitions apply.

I. Toys That Make Noise

Playing musical instruments on Shabbos is Rabbinically prohibited. Since musical instruments often need repair, the

---

1. ע' בכף החיים ס' ש"ח ס"ק רנ"ט וז"ל וכל מי שיראת ה' על פניו יתבונן במ"ש ז"ל לא נתנו שבתות ויו"ט לישראל אלא לעסוק בהם בתורה וא"כ איך יעזוב ביום הקדוש הזה את התורה הקדושה וכו' לעסוק בהבלים וכו'. ובסי' של"ח ס"ק ל"ט הביא דברי המרדכי וז"ל העוסק בהם (במשחקים) הוא בנידוי שמניח חיי עולם וישובו ובניינו ועוסק בחורבנו וכ"ש ביום שבת קודש עי"ש. וע' במ"ב סי' של"ח ס"ק כ"א שהביא דעת המהר"א ששון ועוד כמה גדולים דאסור לשחוק בכל מיני שחוק שאין בו תועלת בידיעת חכמת השחוק ההוא ואף בחול יזהר משום מושב לצים עכ"ל. וע"ע מאי שכתבנו בזה בציון 11.

Sages feared that one might repair them on Shabbos in violation of the *melachah* of מַכֶּה בְּפַטִּישׁ, *completing the formation of a utensil*. All toys that make music, such as toy instruments and wind-up music boxes, are therefore prohibited.

According to some *Poskim*, this prohibition includes *any utensil* which is specifically designed to make noise, even items that are not musical instruments *per se* and items whose noise is not necessarily pleasant. For this reason one is forbidden to use a door knocker on Shabbos (even though it is not electronic).[2]

Many toys are included in this prohibition (such as whistles, rattles, talking dolls, toy telephones), as well as all other toys that are designed to emit a noise when one plays with them. We will now detail the specific *halachos* that apply to such toys.

A. Children Above the Age of Chinuch

Children above the age of *chinuch* (i.e. approximately four years old) should be taught not to use any toy which was designed to make noise. However, if its primary use does not require noise but it is augmented with a noisemaker, the child is permitted to play with the toy, provided the child is not interested in the noise-producing function of the toy.[3] For

---

2. בש״ע סי׳ של״ח ס״א איתא השמעת קול בכלי שיר אסור אבל להקיש על הדלת וכיוצא בזה כשאינו דרך שיר מותר. מבואר מדברי המחבר שחז״ל אסרו רק כלי שיר ולא כלי אחר אבל הרמ״א הוסיף בשם האגור דלאו דווקא כלי שיר אסור רק כל כלי שמיוחד להשמעת קול אסור לו לכן אסור להכות על הדלת בטבעת הקבועה בו. ויש ג׳ טעמים בפירוש שיטת האגור. הב״י הובא במ״ב ס״ק ד׳ פירש דאיסורו הוא משום דחיישינן שמא יכוין לשיר, הלבוש, הובא בשעה״צ ס״ק ו׳ פירש דטעמו משום שמא ישבר ויתקננו, והביאור הלכה ד״ה הואיל הוכיח מהפמ״ג והתוספת שבת שטעם האיסור הוא משום עובדין דחול ולכן יש להקל במקום מצוה וצורך להקיש על הדלת רק בכלי המיוחד לשבת.

3. בציון 2 כתבנו אודות שני סוגים של כלים המשמיעים קול, אבל יש עוד סוג כלי המשמיע קול וזה מחלוקת אחרונים אם מותר להשתמש בהם בשבת. דעיין במ״ב בס׳ של״ח ס״ק ו׳ וז״ל כתב הט״ז כאן ביור״ד ס׳ רפ״ב דזה מוכח דאסור לתלות בשבת אותן הפרוכת שיש בהם פעמונים להשמיע קול כשפותחין הארון וכן לתלות הפעמונים על העצי חיים של הס״ת כיון דעיקר עבידתיה לקלא והש״ך שם חולק עליו מטעם דהא קי״ל דלצורך מצוה שרי וכו׳ והכי נמי צורך מצוה וכ׳ ותו דאותו הפותח הפרוכת אין מכוין להשמיע הקול כלל כ״א ליטול הס״ת והמ״ב מסיק דבשעת הדחק נראה דיכול

example, a merry-go-round which emits a clicking sound when it spins may be used since the sound is only a secondary feature of the spinning toy. (Some *Poskim* disagree with this ruling. An adult should, therefore, not rely on the lenient ruling.)

B. Children Below the Age of Chinuch

Children below the age of *chinuch* are permitted to play with noise-making toys including talking dolls. However, one may not place the toy into the child's hand. Rather, it may be placed in front of the child in order that the child take the toy by himself.[4] (See Chapter 1:4.) If the child does not wish to take the toy by himself and is unhappy without it, it is permitted to place the toy into the child's hand. However, when doing so, one should be careful not to shake the toy or otherwise cause it to make noise.[5] In situations where this, too, is unavoidable, it is nevertheless permissible to hand the toy to the child.[6]

לסמוך על הסברא הנ״ל כיון שאינו מכוין להשמיע קול. והשלחן ערוך הרב ס׳ של״ח ס״א והערוך השולחן ס״ג כתבו כסברת כהמקילים. א״כ נראה לומר דכלי משחק שעיקר השחוק אינו עבור השמעת קול וגם אין כוונת התינוק בשביל זה, יש להתיר אפ׳ לקטן שהגיע לחינוך לשחוק בו בשבת כיון שהוא מחלוקת הפוסקים אם בכלל נאסר וכמה פוסקים פסקו להתיר. וראיתי בשו״ת באר משה ח״ו סי׳ כ״ח שהכריע כעין זה עי״ש.

4. וראיתי בששכה״כ פט״ז הלכה ג׳ וז״ל מותר ליתן בידי תינוק קטן מן הצעצועים המשמיעים קול כשהוא מנענע אותם או לוחץ עליהם, ובהערה י׳ כתב הטעם לזה וז״ל עיין סי׳ שמ״ג בביה״ל ד״ה מד״ס בשם הרע״א [כוונתו דמותר לספות איסור דרבנן לצורכו של קטן]. ולא כתבנו בפנים דלכתחילה יתן את המשחק להתינוק משום דהא דמותר לספות איסור דרבנן לצרכו של קטן זהו דווקא כשאי אפשר בענין אחר אבל כשיש עצה פשוטה לשום המשחק לפני התינוק והוא יקחנו מעצמו פשוט שצריכין לעשות כן ועי׳ בקיצור הלכות שבת סי׳ ל״ז ס״ק כ״ב אות ו׳ שכתב וז״ל אלו שמשמיעים איזה קול בעת טלטולם, וכמו פעמונים וכו׳, אין ליתן לתינוק לשחק עמהם. ואם משמיעים קול רק אם עושים בהם איזו פעולה, וכגון שמשמיעים קול כשדוחקם וכו׳, אז אין לאסור משחקם, שעל ידי טלטול בלבד לא ישמיעו שום קולו אבל יש להשגיח על התינוק שלא ידחוק וכו׳, ויבוא להשמיע קול עכ״ל.

5. עי׳ לעיל בציון 4. ועי׳ בזה בשו״ת ויברך דוד סי׳ מ״ח.

6. עי׳ בזה בשו״ת ויברך דוד סי׳ מ״ח.

C. Cases of Necessity

One is permitted to shake a rattle in order to calm a crying child, but it is preferable to shake it in an unusual manner (כִּלְאַחַר יַד).[7]

II. Games That Usually Require Writing

It is forbidden to play with any game that is normally accompanied by writing. One such game is Scrabble, in which the score is normally written down.[8]

III. Construction Toys

Toys in which different pieces are screwed together (or otherwise fastened in a permanent form) are included in the prohibition of בּוֹנֶה, *construction*. Adults as well as children above the age of *chinuch* may not play with such toys.[9]

Toys such as Lego and Tinkertoy, in which pieces are merely fit together, are permitted.[10]

---

7. שו״ת משנה הלכות ח״ו ס׳ ע״ד עפ״י מה שהביא שם בשם הגרש״ז אויערבאך שליט״א.

8. חיי אדם כלל ל״ח סי״א.

9. שש״כ פט״ז ס״ב.

10. ובשו״ת מחזה אליהו סימן ס״ט כתב דיש להסתפק בג׳ דברים כשמשחקים בלעגו בשבת (א) מצד איסור מכה בפטיש, דהיינו שבכל הרכבה עושים בנין או כלי חדש, ואולי נחשב זה כעשיית כלי חדש לכה״פ מדרבנן. (ב) מצד איסור עשיית אהל ארעי. דהיינו שכל העושה הכתלים והגג למקום שיש בתוך חללו טפח על טפח ברום טפח עובר על איסור אהל, ובתים הנעשים מאבנים אלו יש להם מדה זו ברוב פעמים, (ג) מצד איסור כתיבה, דלכאורה אסור לחתוך עוגה לתמונת סוס או לצורת כסא דהוי כמצייר בשבת דאסור משום כתיבה. ולמעשה הוא מסיק דמפני חשש ראשון [מכה בפטיש] אין כאן איסור, ע״ש. מפני חשש ב׳ [עשיית אהל] אסור. מפני חשש ג׳ [כתיבה] הוא האריך בדבר וזהו תוכן דבריו דע דיש שני מיני כלים והרכבות שעושים הילדים עם אבנים אלו. חדא שעושים כמין צעצועים שאפשר לשחוק בהם, דהיינו שעושים מכוניות וכלי רכב עם גלגלים שאפשר לשחוק בהם, וגם בונים בתים. ואופן שני הוא שעושים דברים כמו אוירונים ספינות וכדומה, דהיינו דברים שא״א לשחק בהדבר הנעשה עצמו וכל תכליתם הוי בזה שהם בתמונת אותו דבר, ונראים דומה לאוירונים וספינות. והילד משעשע עצמו במה שבונה ועושה תמונת אותם דברים, כמו שהמצייר נהנה ממה

IV. Outdoor Games

A. Ball Playing

Children are permitted to play ball on Shabbos, either indoors or outdoors, provided there is an *eruv*.[11] When playing outdoors, however, certain restrictions apply.

שמצייר איזהו ציור. וכאשר נגמר בנין דברים אלו, מניחים אותם לזמן ואח״כ מפרקים אותם. והנה בהצד הראשון פשוט שאין שום שייכות לכתיבה. דהא אינו עושה תמונת כלי רכב או תמונת בית רק עושה כלי רכב בזעיר אנפין וכ״כ עושה בית קטן. אולם בהאופן השני שעושה תמונת דברים, בזה יש להסתפק אם יש בזה איסור כתיבה או לא. והוא תולה דבר זה במחלוקות הפוסקים אם יש איסור כתיבה דווקא על נייר עור או כותל וכדומה שהכתב מונח על דבר שמאחורו והוא בסיס להכתב הוא דהוי כתב. אבל אותיות עשויות מאיזהו חומר כמתכת, והוא נכפל עד שיש לו צורת אות, ואינו אות כתוב על איזהו בסיס אינו כתב דהוא שינוי בהנפעל מכתיבה של תורה. או דדילמא גם זה בכלל כתב הוא ואין תנאי שיהיו האותיות רוכבות על איזו בסיס. וראיתי מחלוקות גדולי האחרונים בדבר זה. דבתשובת נו״ב קמא או״ח סי׳ א׳ ד״ה והנה שמבואר מדבריו שהתרת הד׳ שברצועות תפילין של ראש היה בו איסור מחיקת השם אי לאו משום שאין האותיות קרובות אלו לאלו [שהש׳ בהבית של ראש, הד׳ ברצועה של ראש, והי׳ ברצועה של יד]. ומבואר, דפשיטא ליה דאותיות פורחות שאינם על בסיס ג״כ שם כתב עליהם. והביא שם עוד אחרונים שסוברים כן ואולי יש אחרונים שחולקים ע״ז. ולבסוף הסיק ולפי זה קמה וגם ניצבה דברינו שיש בהרבה דברים שעושים עם לעגו חשש איסור כתיבה וכו׳ פשוט הוא לענ״ד שאין בידינו כח להתיר דבר זה עכ״ל. המתבאר מכל זה דלמעשה הוא חושש מפני איסור אהל ומשום כתיבה כשעושים עם הלעגו דילומו דברים. אמנם יובא להלן שיש פוסקי זמנינו שחולקים ע״ז וסוברים דאין כאן שום חשש.

בשו״ת אור לציון ח״ב דף רעב כתב וז״ל אם בונים באבני פלא [לעגו] צורה כלשהי על מנת לפרקה לאחר זמן קצר ודאי שמותר דהוי ככסוי הכלים כיון שדרכו לפרקו ולהחזירו תמיד, מותר לפרקו ולהחזירו בשבת וכו׳, ונראה שאף אם רוצים לקיים משחק זה זמן מרובה ג״כ מותר, שכיון שאין הרכבתו אלא לשם משחק בעלמא, אין עליו שם בנין ולא שם כלי ואין בו לא משום בונה ולא משום סותר ויש להתיר לשחק בהם בכל אופן עכ״ל. ועוד כתב שם בסק״ו שכל סוג הרכבה שאינו אלא למשחק בעלמא אינה אסורה בשבת, וה״ה לפאזעל, שמותר לשחק בו בשבת ואין בו משום כותב עכ״ל. מבואר מדבריו דעל משחקים אין כאן שום איסור. וכ״כ בשו״ת באר משה ח״ו ס׳ כ״ו וז״ל אבל לעיקר נראה שאין זה כתיבה כלל [ר״ל פאזעל] ושרי גם אם תוחב ברפיון תחיבה בעלמא זה בזה מאחר שידוע ונראה וניכר שלשחוק בעלמא עושים התינוקות והם רפויין וכו׳. וכן התיר בשו״ת ציץ אליעזר חי״ג סימן ל, ובשו״ת יחוה דעת להגר״י חזון ח״ג או״ח ס׳ יד, וכן שמעתי מהגאון ר׳ ח. פ. שיינבערג שליט״א דבמשחקים של קטנים כגון לעגו וכדומה לא שייך איסורים של בונה, אוהל, כתיבה, וכדומה. ועפי״ז כתבנו ההלכה בפנים.

11. עיין ביאורים בסוף הספר.

1. One should not play in an area where the ball is likely to leave the *eruv*-enclosed area.[12]

2. If a ball gets stuck in a tree or a bush, at a height of three *tefachim* (i.e. one *tefach* is 3.75 inches according to Hagaon Rav Moshe Feinstein *zt''l*), or more from the ground, it is forbidden to climb or shake the tree. It is also forbidden to poke the branches of a tree or a bush with a stick.[13]

3. Games in which a ball is rolled on the ground are forbidden. Thus, it is forbidden to play soccer or marbles outdoors. This prohibition applies only to natural surfaces such as grass or earth. It is permissible, however, to play these games on concrete.[14]

B. Sandbox

Sand and pebbles are generally *muktzah*. Therefore, children who have reached the age of *chinuch* must be taught that it is forbidden to play with sand or pebbles.[15]

This only applies to ordinary sand or pebbles. Sand in a

---

12. מ״ב סי׳ ש״ח ס״ק קנח. וע׳ בשו״ת רבי משה פרובינצאלו סימן נג וז״ל ואלו המשחקים בכדור במקום הידוע בשדה שם, פעמים רבות יוציאוהו החלונות ונמצא שבת קודש מתחלל בהוצאה ההיא מרה״י לשדה שהיא כרמלית, וכאשר יביאוהו משם אל תוך הבית ששוחקים בו, הרי חלול שני בהכנסה מכרמלית לרה״י עי״ש.

13. ש״ע ס׳ של״ו ס״א וסי״ג.

14. אעתיק כאן מה שראיתי בקובץ בית אהרן וישראל ג (לט) וז״ל הפוסקים שדנו במשחק כדו״ר וכדומה השוו אותו למש״כ בסימן שלח אין שוחקין באגוזים ותפוחים ויו״ב משום אשוויי גומות, כ״כ בשו״ת באר עשק [סימן פא] שו״ת רמ״פ [סימן נג] שו״ת זרע אמת [סימן לג] וכ״כ פוסקי זמננו - מ״ב שח ס״ק קנב, ובשו״ת שלמת חיים ח״א סימן ע״א כתב וגם משום חשש אשווי גומות כנראה שיש גם בזה. קצות השלחן סימן קי בדה״ש טז, שו״ת אורח משפט מילואים סימן קנב, וכמו שהיא נהוגה היום שעושים על ידו חפירות, שו״ת שאלי ציון ח״א סימן יא, מ״מ יש חשש אחר של אשויי גומות שבעת משחקם בריצתם ובעיטתם הם משווים גם גומות וזה ודאי ניחא להם שיהיה אשוויי גומות וזה כבר חשש של איסור תורה. אולם נ״ל דהיום בד״כ מקום המשחק מכינים אותו מיוחד שיהא נוח לשחק ואין חשש אשוויי גומות והסכים לזה הגאון ר׳ ש״ז אויערבאך שליט״א, ואולי כוונת האחרונים הוא בכדור קטן, ודרך המשחק הוא שמגלגלים אותו על הריצפה (כעין גולות) והסכים לזה הגאון רי״ש אלישיב שליט״א, ולהעיר שאפילו אנן דמחמרינן כהרמ״א בקרקע מרוצף אטו אינו מרוצף אולם היכא דרובו או כל העיר מרוצף לא גזרינן כמו שכתבו הפוסקים עכ״ל.

15. שו״ת באר משה ח״ו סי׳ לא.

sandbox is not *muktzah* because it has been designated for play by children. Nevertheless, it is fobidden to mix sand with water due to the prohibition of לִישָׁה, *kneading*.[16]

C. Snow

Snow is not *muktzah*.[17] Nevertheless, it is forbidden to make snowballs or a snowman on Shabbos.[18]

V. Other Games

A. Bicycles, Tricycles

Children should not ride bicycles on Shabbos. On the other hand, riding a tricycle is permitted within an area enclosed by an *eruv*.[19] Riding a tricycle in an area where there is no *eruv* is

---

16. הנ״ל

17. מ״ב סי׳ של״ח ס״ק ל. וע׳ בספר שלמי יהודה דף רג וז״ל וכן שמעתי מהגרי״ש אלישיב שליט״א והנה הפמ״ג בפתיחה הכוללת להלכות יו״ט דיני מוקצה ס״ק כט כתב שגשם הוא מוקצה ומקורו מתוס׳ ריש ביצה ב׳ ע״א ד״ה הא, שכתבו מיא בעיבא מיבלע בליעי והוה נולד אפי׳ לר״ש, דברי הפמ״ג מובאים במנחת שבת ס׳ פ״ח ס״ק כ׳ ע״ש. אבל באמת דברי הפמ״ג צע״ג דהרי התוס׳ ריש ביצה הוא לפי ההו״א של הגמרא בעירובין מו. אבל מסקנת הגמרא שם שגשם אינו נולד ולענ״ד נראה פשוט שגם הפמ״ג לא דיבר להלכה, והפמ״ג רק מצייר ג׳ מיני נולד ולפי הסברא דמיא מיבלע בליעי, הוא הנולד הגדול ביותר, אבל הפמ״ג לא פסק כן להלכה. ורק פלא לי על המנ״ש שמביא את הפמ״ג דגשם הוה מוקצה, וזה פשוט שהפמ״ג לא כיון לזה עכ״ל.

18. בספר מקור חיים [להבעל חוות יאיר] הובא בספר נשמת שבת דף קנו וז״ל שיש למחות ביד נערים העושים בשבת כדורי שלג וזורקין, והחריד עלינו בכותבו תיפח רוחן של עושי כדורי שלג בידן שיש בו שני מלאכות משום בנין ומשום דש. וע״ע בשו״ת באר משה ח״ו סימן ל׳ שכתב דמותר לקטנים פחות מבן ט׳ לעשות כדורי שלג, אבל אסור לעשות איש השלג [סנאו־מען].

19. ע׳ בשו״ת אור לציון ח״ב דף רעא וז״ל ומעיקר הדין היה מקום להתיר רכיבה על אופניים רגילות בשבת, שהרי אינו עושה בזה שום איסור, וגיזרות חדשות שלא גזרו חז״ל אין לנו לגזור, וכן כתב להתיר רכיבה על אופניים בשו״ת רב פעלים ח״א ס׳ כ״ה ובהשמטות שבראש הספר ע״ש. ומ״מ למעשה אין לרכוב על אופניים בשבת, שכבר נהגו שלא לרכוב עליהם, וכן כתב בכף החיים בסימן ת״ד אות ח׳ שהמנהג שלא לרכוב עליהם לא בשבת ולא ביו״ט, ולכן הוי כדברים המותרים ואחרים נהגו בהם איסור, שאין אתה רשאי להתירם בפניהם. מ״מ יש להתיר לרכב על תלת אופן, כיון שבהם לא נהגו איסור. ומשום כך גם אין התלת אופן מוקצה, ומותר בטלטול אף לגדולים עכ״ל. וכן פסק להתיר בשו״ת באר משה ח״ו ס׳ ט״ז.

forbidden because the tricycle is being transported from one place to another. One may not make any repairs to a tricycle on Shabbos.[20]

B. Wind-Up Toys

It is permissible to wind up a spring-powered toy (e.g. car) on Shabbos. However, if the toy emits sparks while being wound up, it is forbidden[21] [Wind-up music boxes may not be used, as explained above (p. 132).]

C. Battery-Operated Toys

One may not play with battery-operated toys on Shabbos, unless the batteries are removed before Shabbos. Furthermore, the batteries themselves are *muktzah*.[22]

D. Play Money

It is permissible for children to play with games in which play money is used (e.g. Monopoly).[23]

E. Balloons

One may inflate a child's balloon on Shabbos. However, it is forbidden to make a knot in order to keep the air inside the balloon.[24]

F. Puzzles

It is permitted for children to assemble a jigsaw puzzle on Shabbos even though words or pictures will be formed.

---

20. שו״ת רב פעלים ח״א סי׳ כ״ה.

21. מנחת שלמה דף עא, שו״ת באר משה ח״ו ס׳ לב, שו״ת אור לציון ח״ב דף רעב.

22. שו״ת באר משה ח״ו ס׳ לב.

23. כן שמעתי מהגאון ר׳ ח.פ. שיינבערג שליט״א. וע׳ בששכה״כ פט״ז הערה פד, ובשו״ת באר משה ח״ו סי׳ ק.

24. שו״ת באר משה ח״ב ס׳ כ, וח״ו ס׳ כג ועי״ש שמתיר אפי׳ בלון שיש בדמות צורה מסויימת. וע׳ בשו״ת מחזה אליהו סי׳ ס״ט שכתב וז״ל ולנפוח אויר לתוך בלון שהוא כבדור, ועשוי מגומי דק ביותר ומתפוצץ בקל, לא נכון אפי׳ דרכם להוציא האויר מהם דהוי בכלל דברי הרמ״א סי׳ של״ז ס״ב, וע״ש בביאור הלכה שיש זילותא דשבת אפי׳ אין פ״ר שישבר עכ״ל. וע״ע בזה בשו״ת אג״מ חושן משפט ח״ב ס׳ מ״ז ס״ק ג.

Similarly, one is permitted to play with plastic puzzles with which one forms words or pictures by shifting little plastic tiles in a plastic frame.[25]

G. Clay

It is forbidden to play with clay on Shabbos.[26]

H. Swings

Children are permitted to use a swing suspended from a frame on Shabbos. Furthermore, they are permitted to play on a swing which is indirectly suspended from a tree (e.g. it is suspended from hooks that are screwed into the tree), provided the tree will not shake when the swing is in use and the swing was set up prior to Shabbos.[27] One may attach and detach from their overhead post detachable swings which are generally removed and later reconnected. They present no problem of בּוֹנֶה, *building*, on Shabbos. Swinging on a tire tied directly to a tree is forbidden.

I. Ping-Pong

Children are permitted to play ping-pong on Shabbos.[28]

---

25. שו״ת אור לציון ח״ב דף רעב, וכן שמעתי מהגאון ר׳ ח.פ. שיינבערג שליט״א. וע״ע בזה בשו״ת באר משה ח״ו ס׳ כ״ו ובשכה״כ פט״ז סכ״ג, ובמגילת ספר פי״ח ס״ק ד. וע״ע בזה בציון 10.

26. שו״ת באר משה ח״ו סי׳ ל״ד.

27. ששכה״כ פט״ז הלכה טז, וע׳ בשו״ת באר משה ח״ו סי׳ כ״ט.

28. וע׳ בקובץ בית אהרן וישראל הנ״ל שכתב וז״ל בשו״ת באר משה [ח״ב סי׳ כז או״ד] דן במשחק פינג־פונג שלכאורה אנן קיי״ל כרמ״א שמותר לטלטל כדור בשבת, אלא א״א להתיר בשום אופן דהלא ידוע לכל ששחוק הנ״ל יש לה קול גדול ושייך בה משום השמעת קול, ודבריו תמוהים ביותר דהרי אפילו לדעת הרמ״א דאיסור השמעת קול הוא גם בקול שאינו של שיר, אולם הרי צריך להיות מיוחד לכך, ועוד הרי אינו מכוין להקול? ובנו״נ עם הגאון ר׳ ש״ז אויערבאך שליט״א הסכים לדברי עכ״ל. ועי״ש שהביא שכשהייתי אצל הגאון בעל באר משה שאלתיו את הנ״ל (ולאחר זמן מצאתי שהוא בעצמו האריך להקל בשו״ת באר משה ח״ה ס׳ פג דאין להחמיר כלל בנעלים שארוגין עליהם גזין ומשמיעין קול דמאחר שהרבה פוסקים מתירים בזמן הזה, ועוד דהקול שמשמע הגזין עיקרן שיהא שומע קול של מה בכך ויהיה טרוד עמו) ובראשונה ענה וכו׳ ולבסוף אמר שהחמיר משום פירצה בקדושת השבת.

VI. Putting Toys Away

When different types of toys are mixed together, one is not permitted to put each toy in its proper place (due to the prohibition of בּוֹרֵר, *selection*). Rather, one should put them away in a mixed-up manner, and after Shabbos rearrange them in their proper order.

22 / Opening Cribs, Carriages, Swings, etc.

I. Covering Cribs or Carriages

One of the forbidden *melachos* on Shabbos is עֲשִׂיַת אֹהֶל, *erecting a canopy*.[1] Generally, in order to transgress the *melachah*, one needs to erect walls and then place a roof on top of the walls. However, there are instances when placing a cover on top of an existing structure for protective purposes (e.g. shade, rain) will also be included under this prohibition. Therefore, it is forbidden to attach a hood on top of a baby carriage to protect the baby from the elements, even under conditions that do not involve the *melachah* of building on Shabbos [i.e. the hood was connected since before Shabbos]. The prohibition applies to any canopy that covers an area of a *tefach*[2] (approximately 3.75 inches according to Hagaon Rav Moshe Feinstein *zt″l*). In addition, there must be at least a *tefach* of space between the canopy and the object it is covering.[3] It is also forbidden to dismantle this type of canopy on Shabbos.[4] [It should be noted that these *halachos* are very complex, and it is beyond the scope of this book to discuss more than the practical issues that apply to children.]

A. Carriage Hoods

As previously mentioned, it is forbidden to attach a hood on top of a carriage on Shabbos in order to protect a baby from the elements, even in situations that do not involve the *melachah* of

---

1. ש״ע סי׳ שט״ז ס״א.
2. ש״ע סי׳ שט״ז ס״ב.
3. ש״ע סי׳ שט״ז סי״ג.
4. מ״ב סי׳ שט״ז ס״ק א׳.

building[5]. Regarding unfolding an already attached carriage hood, some *Poskim* rule that it is permitted,[6] while others disagree and rule that it is forbidden.[7] All are in agreement, however, that if the hood was opened before Shabbos, and it

---

5. עי' ציון 6.

6. החזון איש באו"ח ס' נ"ב ס"ק ו' כתב וז"ל דברי הנו"ב תנינא ס' ל בפתחית מטריה אינם מתיישבים, דזה ממש דין כסא טרסקל ואין מקום לחלק כאן בין נעשה לאהל לאין נעשה לאהל ובין עשה גם המחיצות או לא, שהרי זה חשיב כתשמיש דלת וזהו טעם ההיתר, וע"כ מיירי דאיכא גם מחיצות דבלא מחיצות לעולם מותר או דאיירי בבגד שיש בו מיתוח ומ"מ כיון שהוא גוף אחד וכן דרך תשמישו אין כאן אהל והיינו טעמא דלמד ממנו המג"א היתר פריסת החופה אע"ג דמכוון לאהל וכו' ומן האומר נלמד דעגלות של תינוקות שיש עליהן סוכה הנמתחת ונקפלת מותר למותחה ומותר לקפלה אע"ג דכשומתחה עושה גג למחיצות וגם כוונתו לצל, ויש בגג טפח מ"מ כיון דהסוכה קבועה בעגלה ועשויה לנטותה ולקפלה חשיב כדלת הסובבת על צירה וככסא טרסקל עכ"ל.

ובאמת החזו"א אינו דעה יחידאה בזה דמהרבה אחרונים מבואר דמותר לפתוח הגגון של עגלה בשבת. דע' במג"א בס' שט"ו ס"ק ח' [עמ"ש המחבר דמותר לפתוח כסא טרסקל] וז"ל דלאו מידי עביד אלא ליתובי בעלמא ומה"ט שרי להעמיד החופה ולסלקה וה"ה דף שקבוע בכותל שבבית הכנסת שמניחין עליו ספרים עכ"ל. והמ"ב שם בס"ק כ"ז כתב דאליבא דהמג"א מותר להעמיד חופה הגם דכוונתו בעשיית הגג לשם אהל. וכן מבואר במחצית השקל שם ס"ק ח', ובתוספת שבת ס"ק י"ד. ולכאורה לפי הני אחרונים מותר לפתוח הגגון של עגלת תינוק אף שמכוין לעשות גג להגן מפני החמה או הגשמים.

ובשו"ת באר משה ח"ו ס' פ"ז, ובשו"ת שרגא המאיר ח"ג ס' ל"ז כתבו להדיא דמותר לפתוח גגון בשבת.

7. באג"מ או"ח ח"ד סי' ק"ה סוף סק"ג כתב וז"ל ובדבר למתוח האהל קבוע בעגלות תינוקות שהחזון איש התיר (ע' לעיל) ויש לפקפק בדבריו במה שחולק על הנו"ב ואין עתותי לפי שעה לעיין בזה הרבה, לכן יש להחמיר שיניח מע"ש שיהיה פרוס מעט שיעור טפח וכשיצטרך בשבת ימתחם לגמרי דיהיה רק הוספת אהל עראי שמותר וכמדומני שכן נוהגין עכ"ל. כוונת מרן זצ"ל למה שכתב הנודע ביהודה מהדורא תנינא ס' ל' אודות פתיחת מטריה [umbrellas] בשבת, ובפשטות יש להתיר פתיחת המטריה בשבת, משום דבשבת דף קלח. איתא דמטה וכסא טרסקל ואסלא מותר לפותחן בשבת ורש"י בד"ה אבל כתב הטעם למה מותר לפותחן וז"ל דמטה שלנו המחוברת ועומדת אם היתה זקופה או מוטה על צדיה מותר לנטותה לישיבה על רגליה ואע"ג דהשתא עביד אהל שרי דלא מידי עביד אלא ליתובא בעלמא עכ"ל וכן מפרש רש"י למה מותר להעמיד כסא בשבת וז"ל ועליונו של עור ומקפלין אותו וכשמסלקין אותו סומכין אותו לכותל וכשרוצה לישב עליו נוטהו ויושב על ד' רגלים עכ"ל. וא"כ לכאורה היה לן להתיר פתיחת המטריה בשבת דככסא העשוי לפרקים דמי דעביד וקאי. וע"ז כתב הנו"ב דאינה דמיון דהטעם דמותר לפתוח כסא וטרסקל אינה משום שהגג והמחיצות כבר עשויות וא"צ שום מעשה בשבת אלא טעם ההיתר משום דהני כיון דאינם עשויים לצל או להגן מפני הגשמים אינם קרויים אוהל. וזה שכתב רש"י דלאו מידי עביד לא להתיר איסור אהל בא רק בא לפרש אמאי אין כאן איסור בונה וע"ז כתב רש"י דלאו מידי עביד.

covers an area of a *tefach*, one is permitted to fully extend it on Shabbos. One should, if possible, heed this stringent view and refrain from unfolding the hood of a carriage unless it has been opened at least a *tefach* before Shabbos.[8]

The same rule applies regarding folding the hood of a carriage. Some *Poskim* rule that it may be completely folded, while others rule that it must be left open at least a *tefach*. If possible, one should abide by the stringent view.

B. Umbrellas

Opening an umbrella on a baby carriage is, according to some *Poskim*, similar to opening a hood on a baby carriage.[9] (See A. above.)

מבואר מדברי הנו״ב דאין כאן היתר בדבר שנעשה לאהל [ר״ל להגין מפני החמה או הגשמים] מפני שכבר עשוי מע״ש. לפי זה אסור למתוח גגון המחובר לעגלת תינוק משום שהגג נעשה להגן מפני החמה וכדומה. ומרן ז״ל כתב דכמדומני שנוהגין להחמיר. ובאמת כדברי הנוב״י מצינו בעוד אחרונים יעויין שלחן ערוך הרב סי׳ שט״ו סי״ג שכתב וז״ל כל גג עראי שאינו מתכוין בו לעשיית אהל לא אסרו לפורסו על המחיצות שמעמיד תחתיו בשבת אלא כשלא היה הגג קבוע במחיצות מבעוד יום אבל אם היה כבר קבוע בהן מבעוד יום אלא שהיו נכפלים ומונחים מותר לפושטן ולהעמידן בשבת כגון כסא העשוי פרקים וכשרוצים לישב עליו פותחין אותו והעור נפתח ונמתח וכשמסירין אותו סוגרין אותו והעור נכפל מותר לפותחו לכתחילה בשבת אף אם יש לו מחיצות תחתיו מפני שאינו דומה לעשיית אהל כיון שאינו עושה כלום שהרי עשויים ועומדים הם כבר עם הגג והמחיצות עכ״ל. הרי מבואר להדיא בדבריו דכל ההיתר של כסא טרסקל הוא דווקא כשאינו מתכוין לאהל רק לישיבה בעלמא וזהו כדברי הנוב״י. וכן מבואר בערוך השלחן בס׳ שט״ו ס״י וז״ל כסא העשוי לפרקים וכו׳ מותר לפותחו ולסוגרו לכתחילה דאין בזה חשש אהל כיון דנעשה הכל כאחד וזהו לישיבה בעלמא ולא למתוח אהל. עכ״ל הרי מבואר ג״כ בדבריו דכל ההיתר הוא משום דנעשה לישיבה ולא לאהל וזהו כדברי הנוב״י. וכן כתב בקצות השלחן ס׳ ק״כ בבדי השלחן ס״ק טז. נמצא דלפי הני אחרונים אסור לפתוח הגגון בעגלת תינוק כיון דזה נעשה לאהל.

וכן פסק בשו״ת אור לציון ח״ב דף רכד שאסור לפתוח הגגון בשבת, וע׳ בשו״ת מנחת יצחק. ח״י ס׳ כ״ה.

8. ע׳ ציון 7.

9. ששכה״כ פכ״ד הלכה יג ובשו״ת אז נדברו חי״א ס׳ כ״ג כתב דאפשר דלשיטת החזו״א והמ״ב מותר לפתוח מטריה כשהיא מחוברת לעגלת ילדים בשבת.

וע׳ בשו״ת אבני ישפה ס׳ ע״ט ובשו״ת באר משה ח״ו ס׳ ק״ח שאסרו לפתוח המטריה בשבת.

C. Mosquito Nets

It is forbidden to cover a carriage or crib with a mosquito net on Shabbos.[10] However, if the net was placed on the carriage or crib prior to Shabbos covering at least a *tefach* of the carriage or crib, one may extend it on Shabbos.[11] Likewise, if the hood is extended to cover an area of at least a *tefach* before Shabbos, one may place a mosquito net over the carriage on Shabbos, since the canopy formed by the net is deemed merely an extension of the already extended hood-canopy. If the hood was not open prior to Shabbos, one may not place the net over the hood on Shabbos. This rule is consistent with all opinions including the authorities who permit one to open a hood on Shabbos.[12]

In the event that the hood was not partially opened before Shabbos, there is still a practical way of placing the net over the carriage without making a prohibited canopy. As previously indicated, an *ohel* is generally constructed by erecting the walls, followed by placing the roof on top of the walls. However, regarding a temporary *ohel*, if one reverses the order [i.e. first setting up the roof and then erecting the walls], the prohibition is not applicable. Therefore, while one person holds the net [i.e. the roof], another person may push the carriage under the net.[13] Regarding removal of the net, one must leave at least a *tefach* of the net on the carriage until after Shabbos in order not to transgress the *melachah* prohibition of סוֹתֵר, *demolishing*.[14]

---

10. ששכה״כ פכ״ד הלכה ט. וע׳ בספר קיצור הלכות שבת דף פא שכתב וז״ל אבל לפרוס אותה רשת על העגלה להגן מפני הזבובים יש להתיר וכו׳ כיון שהיא מליאה נקבים אין לנו ליתן על פריסתה שם עשיית אהל.

11. כנ״ל.

12. שו״ת שבט הלוי ח״ג ס׳ נד, שו״ת אבני ישפה ס׳ עט, וע׳ בששכה״כ פרק כד סי״ג שהתיר להוסיף בציור זה וכן פסק בשו״ת באר משה ח״ו ס׳ צז.

13. ש״ע סי׳ שט״ו ס״ג. וע׳ בזה בחזו״א או״ח ס׳ נ״ב ס״ק ב יז, ובשו״ת אבני נזר ס׳ רכ״ב ובספר ברכת השבת דף קנד.

14. בשו״ת אבני נזר הנ״ל. וכן שמעתי מידידי הגר״ש פעלדער שליט״א.

II. Unfolding Cribs, Playpens and Carriages

It is permissible to unfold a crib, playpen or baby carriage on Shabbos, provided that one does not tighten any screws or bolts to hold them open.[15] The same is true for dismantling and folding these items. However, one may not fold up these items in preparation for post-Shabbos usage. Folding them is only permitted for Shabbos usage (e.g. to transport them to another location or to create access to an area that they are blocking). Portable cribs whose legs need to be bolted may not be assembled on Shabbos, under the *melachah* of בּוֹנֶה, *building*.

Assembling a portable crib that has a removable bottom may involve the prohibition of making an *ohel*. If the walls of the crib reach within three *tefachim* of the ground[16] and the crib's bottom is more than a *tefach* from the ground, one may not assemble the crib in the usual manner.[17] A permissible method of assembly is to have one person hold the bottom of the crib in the air while a second person slips the walls under it.[18]

Changing a Baby Carriage into a Stroller

It is permitted to change a baby carriage into a stroller and vice versa, provided the stroller is placed into the frame and latched into place. Screws may not be used. Similarly, one may add a seat to a baby carriage if it does not require adjusting screws (e.g. the seat is held to the carriage by way of springs).[19]

---

15. שו״ת באר משה ח״ג ס׳ פה.

16. באור הלכה סי׳ שט״ו ס״ג ד״ה דפים.

17. ש״ע ס׳ שט״ו סי״ג.

18. ע׳ במגילת ספר סי׳ יז סק״ט שהעיר דבאמת יש אופנים שיש איסור בנין וז״ל ולענין מעשה נראה לאסור מצד אחר דבהנחת המזרון בין המחיצות איכא משום בונה ואף שהוא רפוי הרי יש בעריסה מ׳ סאה וזה נידון כבנין בקרקע שאסור גם ברפוי.

19. הגאב״ד דדעברצין שליט״א.

Baby Swing

According to some *Poskim*, it is permissible to wind up a baby swing on Shabbos,* provided no music plays while the swing is in motion.[20]

---

*Note: Some *Poskim* rule that it is best to first push the swing with one's hand, and then wind the swing while it is in motion.[21]

---

20. עיין ביאורים בסוף הספר.

21. ע' סיון 20.

✑§ Yomim Tovim

23 / Rosh HaShanah

One is Biblically commanded (מִצְוַת עֲשֵׂה מִדְאוֹרַיְיתָא) to hear the sound of the *shofar* on both days of Rosh HaShanah. Boys of *chinuch* age (5-6 years of age or older) should be brought to the synagogue to hear the *shofar* blasts. One should impress upon them the importance of remaining silent in the synagogue and listening carefully to the *shofar* blasts.[1] Even though adults customarily listen to 100 *shofar* blasts, it is sufficient for a child to listen to thirty.[2]

It is forbidden for an adult who has fulfilled the *mitzvah* of *shofar* to blow any extra blasts on Rosh HaShanah.[3]* Nevertheless, if a boy of *chinuch* age was unable to attend the synagogue, it is permissible for an adult to blow *shofar* for the benefit of the boy.[4] When doing so, it is best that the child recite the *brochos*.[5] However, it is forbidden for an adult who fulfilled his own obligation to blow *shofar* for the benefit of a girl who reached the age of *chinuch*. Since women are not *obligated* to listen to the *shofar*, but merely do so out of custom, a girl's

*Note: A child is permitted to blow the *shofar* even though he has fulfilled his obligation.[6]

1. מ״ב סוף ס׳ תקפ״ז
2. כן נראה והסכים לזה בזה הגאון ח.פ. שיינבערג שליט״א.
3. רמ״א ס׳ תקצ״ו.
4. חיי אדם כלל קמא ס״ז.
5. כן נראה על פי מאי שכתב הפמ״ג א״א ס׳ תקפ״ט ס״ק ד.
6. רמ״א ס׳ תקצ״ו שכתב אבל קטן אפי׳ הגיע לחינוך מותר לומר לו שיתקע ומותר לו לתקוע כל היום עב״ל.

chinuch requirement is not sufficient grounds for blowing extra blasts.[7]

A woman may blow the *shofar* on behalf of other women, but not on behalf of men, nor on behalf of boys of *chinuch* age.[8] A child who reached the age of *chinuch* may not blow *shofar* on behalf of a woman.[9]

Eating Before the Shofar Is Blown

There is disagreement among the *Poskim* as to whether or not an adult is permitted to partake of food before hearing the *shofar* blasts on Rosh HaShanah.[10] Children, however, even those of *chinuch* age, may eat before the *shofar* is blown.[11]

---

7. חנוך לנער פכ״ב הערה ז. וע׳ בספר נטעי גבריאל דף צב הערה יג שכתב וז״ל שהרי אף באשה דעת כמה פוסקים שאין לתקוע עבורם לאחר שכבר יצא וכמ״ש הפר״ח סק״ו ומט״א סי׳ תקפ״ט ס״ב ורק מטעם גדול שאינו מצווה ועושה ויש לה קצת מצוה התירו ובקטנה ל״ש כ״כ זה. אכן יש לומר להתיר עפ״י דברי השו״ע הרב סי׳ תקפ״ט ס״ב שכתב אע״פ שהנשים פטורות, מ״מ אם רצו לתקוע בעצמן הרשות בידן ואע״פ שהתקיעה ביו״ט בחנם אסורה מד״ס. מ״מ לעשות נחת רוח לנשים התירו להן איסור קל בזה שאין בו אפי׳ משום שבות גמור אלא משום עובדין דחול וכן אם אחר שיצא כבר מותר לתקוע להם עכ״ל. וא״כ כיון דאין בזה משום שבות גמור רק עובדא דחול. יש מקום להתיר אם הקטנה בר דעת שיש לה צער מזה שלא שמעה התקיעות עכ״ל.

8. תפארת ישראל למסכת ראש השנה פ״ג מ״ח אות מב, הגאון ר׳ שלמה זלמן אויערבאך שליט״א הובא בספר הליכות ביתה ס׳ ט״ט הערה צא. וע׳ מה שכתב בזה בספר חינוך ישראל ד׳ קטז.

9. כן מבואר מהתפארת ישראל הנ״ל, וכ״כ במועדים וזמנים חלק א׳ ס״ב. וע״ע בזה בספר מקראי קודש [ימים נוראים] דף עט.

10. נציין המראה מקומות באחרונים שדברו בשאלה זו. 1) שמן רוקח ח״ג ס׳ ל״ג אות ה׳, 2) מטה אפרים ס׳ תקפ״ח ס״ב 3) חיי אדם ס׳ קמ״ח סט״ז 4) שו״ת מהרש״ם ח״א ס״א 5) אז נדברו ח״א ס״י 6) שו״ת להורות נתן ח״א ס׳ כ״ט 7) מועדים וזמנים ח״א ס״ד 8) שו״ת ציץ אליעזר ח״ו ס״ג, וח״ז ס׳ ל״ב וח״ח סכ״א 9) שו״ת התעוררות תשובה ח״א ס׳ רכ״ה. וע׳ לוח עזרת תורה שיטת הגרי״א הענקין בזה.

11. ספר מועדי קודש דף קעד.

24. Yom Kippur

I. Erev Yom Kippur

It is a *mitzvah* to eat a festive meal on the day before Yom Kippur. This *mitzvah* serves to express our joy in anticipation of the upcoming day, on which our sins will be forgiven. Our Sages teach that one who eats festively on *Erev* Yom Kippur and fasts on Yom Kippur is rewarded as if he had fasted both days.

Although children below nine years of age do not fast on Yom Kippur, *chinuch* for the *mitzvah* of eating *Erev* Yom Kippur begins at (approximately) the age of five or six years, just as it does for all other positive commandments comprised only of action (not accompanied by recitation).[1]

It is customary for parents to bless their children before going to synagogue on Yom Kippur eve. The *machzorim* (prayer books for the holidays) contain the appropriate text of the blessing.[2]

II. Yom Kippur

The laws of Yom Kippur include several unique prohibitions — eating and drinking, bathing (or washing part of the body), applying ointment or oil to the body and wearing [leather] shoes. We will address the issues of *chinuch* with regard to each of the prohibitions.

---

1. חינוך ישראל דף קכ.

2. מטה אפרים ס' תרי״ט ס״ב.

A. Eating and Drinking

1. Children Above the Age of Nine

A parent is not obligated to train a child below the age of nine to fast. The parent's obligation of *chinuch* begins at the age of nine for a physically strong child and at the age of ten for a child of weaker constitution.[3] Some have a custom to train children below the age of nine to fast part of the day.[4]

Once a child reaches age nine by Yom Kippur, the parent must train the child to fast part of the day — (i.e. fast from the onset of Yom Kippur through the night, and eat breakfast an hour later than usual). As the child grows older and his (or her) strength increases, the number of hours that he (or she) fasts should be increased.[5]

If a child's health is endangered by the fast, he must immediately eat or drink. Moreover, if a child is extremely hungry or thirsty, he may eat or drink during the night.[6]

2. Children Above the Age of Eleven

Some *Poskim* are of the opinion that children who are older than eleven years should fast, if possible, the entire day, while other *Poskim* disagree. Therefore, with regard to weak children, the lenient view is accepted. *Mishnah Berurah*, however, rules that since children generally are too weak to fast the entire day, we should rely on the lenient opinion for *all* children.[7]

---

3. ש״ע ס׳ תרט״ז ס״ב ומ״ב. וע׳ בספר אלף המגן ס׳ תרט״ז ס״ק ה שכתב וז״ל ומה שנהגו המון עם שבליל יוהכ״פ מענין את התינוקות ואף כשצריכים לאכול אין נותנים להם, טעות הוא בידם. ולכן אם רוצים לאכול צריך ליתן להם לאכול ואין להחמיר להם בענין זה עכ״ל.

4. שו״ת חקרי לב ס׳ ק״ט, אשל אברהם בוטשאטש ס׳ תרט״ז.

5. ש״ע הנ״ל, וע׳ בספר חינוך ישראל דף קיט, ובספר קיצור הלכות המועדים דף קז.

6. קיצור הלכות המועדים דף קז.

7. ע׳ מ״ב ס׳ תרט״ז ס״ק ט שכתב וז״ל ומה שאין מדקדקין בזמן הזה להתענות שום תינוק בשנת י״ב משום דבזמן הזה ירדה חולשה לעולם ומן הסתם כל קטן אינו נחשב כבריא לזה אלא אם כן ידוע שהוא בריא וחזק לסבול, ומדברי א״ר משמע דאפי׳ בשנת י״ג אין נוהגין להתענות כל זמן שלא השלים שנת י״ג, עכ״ל. וע׳ ביאור הלכה שם ד״ה בנער, ובערוך השלחן ס״ז.

3. Feeding a Child Who Is Fasting

Once a child reaches the age at which he (or she) is required to fast, it is forbidden for anyone to give food to the child (during the hours that the child is fasting).[8] If the child takes food on his own, his parents are required to stop him from eating and drinking.[9] [As noted above, if a child's health is endangered by the fast, one must immediately feed the child.]

4. Kiddush and Birkas Hamazon

When a child eats on Yom Kippur, *kiddush* is not recited prior to eating.[10] A child should add יַעֲלֶה וְיָבֹא when reciting *birkas hamazon*. If Yom Kippur falls on Shabbos, he also adds רְצֵה. However, if he forgot either addition, he does not repeat the *birkas hamazon*.[11]

B. Bathing

It is forbidden to bathe (or partially wash) a child on Yom Kippur, regardless of the child's age. Even a gentile should not

---

8. מ״ב ס״ק ה בשם מג״א. וע׳ בשער הציון ס״ק ט שמפקפק על דברי המג״א וסובר דרק על אביו יש איסור להאכילו ולהשקותו, ורק כשמגיע לגיל י״א אז יש איסור על כל אחד ואחד להאכילו.

9. וע׳ במנחת חינוך סוף מצוה שיג שיש לו חומרא גדולה בנוגע קטנים ביום כיפור וז״ל ונראה לי דאף בקטן גמור תיכף ממש בשעה שנולד אסור להאכילו רק הצריך לו אבל לא יותר. אך בקטן כזה אי אפשר לצמצם, אבל קטן פחות מבן שמונה אף דאין מענין אותו מ״מ בידים אסור להאכילו אם אכל היום ויכול לסבול אסור להאכילו בידים, כן נראה לי ברור ע׳ בתוס׳ ישנים שם, ובס׳ שמ״ג במג״א ס״ק ג עכ״ל. מבואר מדבריו דהטעם דאסור להאכיל הקטן יותר מכדי חייו הוא משום לאו דלא תאכילום [ר״ל דיש איסור להאכיל קטן איסור בידים] וכיון דהקטן אינו בסכנה אסור להאכילו. אולם כבר העיר בהערה זו בשו״ת זכרון יוסף ס״ו וזהו תוכן דבריו והנראה לי בזה הוא דהטעם הטור והר״ן והר״י דס״ל דמותר להאכילם בידים הוא זה א׳ דלא דמי אכילת הקטנים ביום כיפור כלל לשאר איסורי תורה, דאילו התם שם איסור וטומאה על החתיכות משא״כ מאכלי היתר ביום כפור אין שם האיסור על החתיכה אלא איסורא אקרקפתא דגברא מונחת שמצווה לענות את נפשו וכו׳, משא״כ קטנים שאינם מצווין לענות את נפשו המאכילים לגבייהו חתיכי דהתירא נינהו עכ״ל. מבואר מדבריו דלגבי אכילה ביום כפור לא נאמר לאו דלא תאכילום. וע׳ בשו״ת מחזה אליהו ס׳ פ״ג שהאריך בזה ומוכיח מהרבה ראשונים שלא כדברי המנחת חינוך עי״ש.

10. מ״ב ס׳ תרי״ח ס״ק כט.

11. מ״ב ס׳ תרי״ח ס״ק כט.

wash the child.[12] However, if a child soiled or dirtied himself, one is permitted to wash off the dirt.[13] If a child who has reached the age of *chinuch* (i.e. over nine years of age)[14] attempts to wash himself, his parents are obligated to restrain him.

C. Wearing Shoes

It is forbidden to put leather shoes on children of any age on Yom Kippur.[15] If a child of *chinuch* age puts on leather shoes on his own, his parents are obligated to have the child remove them. A child below *chinuch* age who puts on shoes need not be stopped from wearing them.

---

12. מ״ב ס׳ תרט״ז ס״ק ג.

13. ש״ע ס׳ תרי״ג ס״א ומ״ב.

14. שלחן ערוך הרב ס׳ תרט״ז ס״ד, ומ״ב שם ס״ק ד.

15. בספר חינוך הבנים והבנות דף מו כתב וז״ל ומסתימת הפוסקים משמע דאפי׳ בקטן דלא הגיע לחינוך אסור לנועלו, דלא ספינן לקטן איסורא בידים, דכיון דאין בו צורך נכנס בגדר לא תאכילום עכ״ל ועיי״ש שהגאון מדעברעצין כתב וז״ל כבר קדמם המאירי וז״ל אבל נעילת סנדל הואיל ואין תועלת לגדולו אסור לעשות מידא ע״י גדול, אלא שאם נעל מעצמו אין מוחין בידו עכ״ל.

25 / Sukkos

It is a *mitzvah* to dwell in a *sukkah* during the entire Sukkos holiday. The Torah gives the following reason for this commandment (*Leviticus* 23:43): לְמַעַן יֵדְעוּ דֹרֹתֵיכֶם כִּי בַסֻּכּוֹת הוֹשַׁבְתִּי אֶת בְּנֵי יִשְׂרָאֵל בְּהוֹצִיאִי אוֹתָם מֵאֶרֶץ מִצְרָיִם, *In order that [all] your generations may know that I made the Children of Israel dwell in sukkos when I took them out of the land of Egypt*. The *sukkos* referred to in the verse are actually עֲנְנֵי הַכָּבוֹד, *Clouds of Glory*, that surrounded and protected the Jewish people from the elements throughout their forty-year wandering in the wilderness. To commemorate this wondrous act of kindness that *Hashem* performed for us (and to commemorate the Exodus itself), we are Biblically required to move out of our homes for seven days (eight days in lands outside of *Eretz Yisrael*) each year and dwell in a *sukkah*.[1]

I. The Sukkah Obligation

As explained above, the essence of the *mitzvah* of *sukkah* is to dwell in the *sukkah* (i.e. to make the *sukkah* one's primary residence throughout the entire holiday). This is accomplished by eating, drinking, sleeping and spending one's leisure time in the *sukkah*.[2] (Some *Poskim* adopt a lenient view, under certain conditions, towards sleeping in the *sukkah*, and rule that one is permitted to sleep in the house.[3])

---

1. ש״ע סי׳ תרכ״ה ס״א ומ״ב.

2. ש״ע סי׳ תרל״ט ס״א.

3. המחבר בס׳ תרל״ט ס״ב כתב וז״ל ואין ישנים חוץ לסוכה אפי׳ שינת ארעי אבל הרמ״א כתב שם וז״ל ומה שנוהגין להקל עכשיו בשינה שאין ישנים בסוכה רק המדקדקים במצות י״א משום צינה דיש צער לישן במקומות הקרים. ולי נראה משום דמצות סוכה איש וביתו איש ואשתו כדרך שהוא דר כל השנה ובמקום שלא יכול לישן אם אשתו שאין לו סוכה מיוחדת פטור וטוב להחמיר ולהיות שם עם אשתו כמו שהוא דר כל השנה אם אפשר להיות לו סוכה מיוחדת עכ״ל. ועי״ש במ״ב.

Under the letter of the law, one is only required to eat meals that include bread or other grain products* in the *sukkah*. Minor snacks (even grain products), fruit and drinks may be consumed outside the *sukkah*. Nevertheless, it is deemed praiseworthy to partake of minor snacks and drinks exclusively in the *sukkah*.[4]

The Requirement for Children

Parents are obligated to train children of *chinuch* age to dwell in the *sukkah*.[5] (The age of *chinuch* for this *mitzvah* is described below.) However, one is obligated to train children under *bar mitzvah* to eat in the *sukkah* only meals that include grain products. For meals that do not include grain products, as well as for snacks and drinks, one is not required to have a child enter the *sukkah*.[6]

The First Two Nights of Sukkos

With the exception of the first two nights of Sukkos, an individual is not obligated to actually be in a *sukkah* throughout the holiday. One who does not wish to eat any grain product need not enter a *sukkah* at all. However, on the first two nights of Sukkos[7]** one is obligated to eat at least a כְּבֵיצָה

---

*Notes: I.e. foods made from one of the five species of grain — wheat, barley, oats, spelt and rye.

** In *Eretz Yisrael* this rule applies only to the first night.

---

4. ש״ע ס׳ תרל״ט ס״ב.

5. ש״ע ס׳ תר״מ ס״ב.

6. בספר ישועות חכמה ס׳ קל״ה הוספה לסעיף טו כתב וז״ל קטנים וכו׳, כל שהוא מבן חמש שנים ולמעלה חייב אביו לחנכו שיאכל בסוכה, ומכל מקום כשרוצה הקטן לאכול שאר דברים חוץ מחמשת מיני דגן, אין להחמיר עליו להצריכו סוכה וכן המנהג עכ״ל.

ולכאורה בקטן שהגיע לחינוך חייב אביו לחנכו לישן בסוכה. דיעויין בפסקי תוספת מסכת חגיגה אות ב׳ שכתבו וז״ל וסוכה דמצותו בשינה שיעורו שניעור משנתו ואינו קורא אמא עכ״ל הרי מבואר מדבריהם דקטן שהגיע לחינוך מחוייב לישן בסוכה. וע״ע בזה בערוך השלחן ס׳ תר״מ ס״ב.

7. ש״ע סי׳ תרל״ט ס״ג.

(i.e. a piece equal in volume to an egg) of bread in a *sukkah.*[8] As in all obligations of eating, this must be done within *kedei achilas pas*, a time period of minimally two and maximally nine minutes. Preferably, the more stringent view should be followed. Furthermore, the Torah states that the purpose of the *mitzvah* of *sukkah* is that all generations of Jews should know that *Hashem* caused our forefathers to dwell under Clouds of Glory when He took them out of Egypt (see above, p. 157). Therefore, the *Poskim* state that one must bear this fact in mind while eating in the *sukkah* on the first two nights.[9]

Children of *chinuch* age fall under the same ruling.[10] One must make certain that they eat at least a כְּבֵיצָה of bread in the *sukkah* on the first two nights of the holiday. Furthermore, the purpose and meaning of the *mitzvah* should be explained to them.

The Age of Chinuch

The *mitzvah* of dwelling in the *sukkah* is only incumbent upon men. It is therefore presumed that women, being exempt from the *mitzvah*, spend most of their time in the house rather than in the *sukkah*. Consequently, the age at which the *chinuch* obligation for this *mitzvah* begins is described as קָטָן שֶׁאֵינוֹ צָרִיךְ לְאִמּוֹ, *a minor who no longer needs his mother's care* (i.e. a child who is mature enough to leave his mother's care for a reasonable period of time). It is at this age that a child is obligated to leave the house and dwell in the *sukkah.*[11] For the average child, this

---

8. מ״ב ס״ק כ״ב.

9. מ״ב סי׳ תרכ״ה ס״ק א׳ וז״ל וכתבו האחרונים שיכוין בישיבתה שצונו הקב״ה לישב בסוכה זכר ליציאת מצרים וגם זכר לענני כבוד שהקיפן אז עלינו להגן עלינו מן השרב והשמש. וכל זה לצאת ידי המצוה כתיקונה הא דיעבד יוצא כל שכיון לצאת לבד עכ״ל.

10. ש״ע סי׳ תר״מ ס״ב.

11. ש״ע ס׳ תר״מ ס״ב. וע׳ בחידושי הגרי״ז על מסכת ערכין דף ב׳: שביאר הטעם אמאי במצות סוכה גרידא הוי חיוב חינוך דוקא בקטן שאינו צריך לאמו וז״ל שם י״ל דהוא שיעור בדין חינוך דכשאינו צריך לאמו אז חל עליו החיוב דחינוך במצות סוכה. אמנם עיקר המבואר בזה נראה דכיון דלענין חינוך מצות הרי בעינן שיהא חזי לקיום המצוה וכמו דאמרינן גבי לולב קטן היודע לנענע וכן גבי ציצית היודע

level of maturity is achieved somewhere (depending on the intelligence of the child) between the ages of five and six years old.[12]

It is forbidden for anyone to feed or instruct a child who has reached the age of *chinuch* to eat outside of the *sukkah*. However, others (beside parents) are permitted to place the food in front of the child, even though we can be certain that he will eat it outside the *sukkah*.[13]

II. Lulav and Esrog

The Torah commands us to hold four species of plants — *esrog, lulav, hadasim* and *aravos* — on the first day of Sukkos. By Rabbinic ordinance, one is also required to do so on the other days of Sukkos. This *mitzvah* is performed by taking the Four Species in one's hands and waving them three times in each direction. A child who is old enough to properly wave the species must be trained to perform this

---

להתעטף, וכיון דבגדול עצמו הרי מצטער פטור וכשצריך לאמו הרי הוא מצטער וא״כ הרי אינו חזי לקיום המצוה ומטעם זה הוא דלא חל עליו חיובא דחשיב כאן שאינו חשוב לקיום המצוה, ושוב אף שאמו עמו פטור. דכיון דלא חזי לקיום המצוה ליכא עליו חיובא דתינוק ובכאן מיקרי דלא חזי כיון שהוא מצטער בלא אמו עכ״ל.

12. ש״ע הנ״ל ומ״ב ס׳ תר״מ ס״ב וכ״כ בשלחן ערוך הרב ס״ג, וערוך השלחן ס״ב אמנם ע׳ במ״ב ס״ק ב׳ שהביא חולקים ע״ז וז״ל ודעת כמה אחרונים דמבן חמש ולמעלה אם אביו הוא בעיר שאינו צריך אז כ״כ לאמו מחוייב אביו לחנכו בסוכה אפי׳ אם איננו חריף עכ״ל. ובשעה״צ ס״ק ה׳ הוסיף בזה וז״ל ובליתיה לאביו במתא כל השנה אפי׳ אם בא על חג הסוכות לביתו דבזה הוא מורגל עם אמו שיעורו משש שנים ומעלה עכ״ל.

13. מ״ב ס׳ תר״מ ס״ק ה. ולכאורה צ״ע דהא דאסור להאכיל קטן חוץ לסוכה הוא מפני הלאו דלא תאכילום וזה שייך אפי׳ בקטן בן יומא כדכתבנו בפרק א וא״כ למה כתבו הפוסקים דהא דאסור להאכיל קטן חוץ לסוכה הוא דווקא בקטן שהגיע לחינוך. ויש ליישב בפשיטות דיעויין לעיל ציון 11 שהבאנו דברי הגרי״ז שביאר אמאי במצות סוכה לחוד חיוב חינוך הוא דווקא בקטן שאינו צריך לאמו משום דקודם לגיל זה הוא בגדר מצטער ואפי׳ גדול בכה״ג מותר לו לאכול חוץ לסוכה. לפי״ז לא שייך הלאו דלא תאכילום בקטן שלא הגיע לחינוך כיון דמותר לו להקטן לאכול חוץ לסוכה, משא״כ כשהגיע לחינוך דאז אסור לו להקטן לאכול חוץ לסוכה אסור לכל אדם להאכילו חוץ לסוכה מפני הלאו דלא תאכילום. וע״ע בזה בשו״ת אבני נזר או״ח ס׳ תפא ס״ק ה׳. וע׳ בפרק א ציון 13 בזה.

mitzvah.[14] This age is reached at approximately between five and six years.[15] If the child is old enough to recite *Hallel*, one is obligated to train the child to wave the Four Species during the recitation of *Hallel*.[16]

The First Day of Sukkos

As noted above, the *mitzvah* of taking the Four Species on the first day of Sukkos is a Biblical commandment. One of the criteria that the Torah imposes is that the Four Species must belong to the person performing the *mitzvah.*[17] Therefore, one who gives his *lulav* to another person for the purpose of performing the *mitzvah* must grant that person the *lulav* as a gift. Upon completing the *mitzvah,* the recipient must transfer ownership back to its original owner.[18]

This requirement presents a major halachic difficulty with respect to children. According to Torah law, minors (under *bar mitzvah*) acquire ownership of property that is granted to them

---

14. סוכה דף מא הובא בש״ע ס׳ תרנ״ז קטן היודע לנענע כדינו אביו חייב לקנות לו לולב כדי לחנכו במצות עכ״ל. וע׳ בחידושי חתם סופר על מסכת סוכה דף מא. שכתב וז״ל צריך עיון אי מן התורה מדאגביה נפיק ביה בלי שום נענוע, למה לא יחנך הקטן היודע ליקח לולב בידו אפי׳ בלי נענוע ומשמע בודאי מדשיעורא דלולב שיצא מהאגד כדי לנענע, בו ואי לאו הכי לא יצא ידי חובתו, א״כ שמע מינה הלכה למשה היא שצריך לנענע על כל פנים נענוע כל שהוא דהרי שיעורים הלכה למשה מסיני, וא״כ מה היה צריך לשנויי לעיל בשהפכו או שהוציאו בכלי, תיפוק ליה אע״ג דאגביה עדיין לא נענע בו, וכעת צ״ע עכ״ל.

אולם ממש״כ בחידושי הגרי״ז ערכין דף ב: מבואר דס״ל דלא כהחתם סופר שהרי כתב בטעמא דמילתא דאין מחנכין את הקטן קודם שיודע לנענע בזה״ל ואף דנענוע אינו מעכב מ״מ לענין חינוך השיעור הוא שצריך שיהא חזי לקיום המצוה בכל דיני׳ עכ״ל. מוכח דס״ל דאין הכי נמי מן התורה יוצאים במצות לולב אף בלי נענועים וכ״כ במרומי שדה סוכה דף מב.

15. ע׳ מ״ב ס׳ תרנ״ז ס״ק א שכתב עמ״ש קטן היודע לנענע וז״ל הא אם אינו יודע אף שהוא כבר שית אינו חייב לחנכו דחינוך אינו שוה בכל המצות.

16. ע׳ בזה בשו״ת ויברך דוד סי׳ ע״ט.

17. ש״ע סי׳ תרמ״ט ס״ב.

18. במ״ב שם ס״ק ט״ו כתב וז״ל ע׳ במג״א ופמ״ג ותוכן דבריהם דודאי לכתחילה טוב שיפרט ביום ראשון שנותן לו במתנה על מנת להחזיר אבל בדיעבד אם שאל ממנו סתם ליתן לו לולבו לצאת בו דהיינו במתנה ע״מ להחזיר עכ״ל.

as a gift. However, minors cannot transfer ownership of property to another person. Thus, when one grants ownership of his *lulav* to a child for the purpose of performing the *mitzvah*, the child cannot (halachically) transfer the *lulav* back into his possession, and consequently, the adult himself may no longer perform the *mitzvah* with that *lulav*.[19]

An apparent solution to this dilemma would be that the parent first perform the *mitzvah* on the first day of Sukkos, and afterwards grant the *lulav* to his child. The *mitzvah* on the subsequent days of the holiday is Rabbinically ordained, and the requirement that one own the Four Species does not apply. Thus, one could perform the *mitzvah* with the Four Species which halachically still belong to the child.[20] However, outside *Eretz Yisrael* the requirement that one own the Four Species applies to the second day of Sukkos as well as to the first day. Consequently, after giving a child the Four Species on the first day, one is unable to perform the *mitzvah* on the second day.[21]

Due to this difficulty, Hagaon Rav Moshe Feinstein *zt"l* ruled that, if possible, one should provide a child with his own set of the Four Species.[22]

One who buys a set for his child must make certain that it is "kosher" (i.e. it meets all the criteria for the fulfillment of the *mitzvah*).[23] Although it is customary for adults to go beyond the required criteria and buy species that are מְהוּדָר [of superior quality], one need not do so for a child.[24] One who has been blessed with several children need not purchase a set for each child. The reason is that a child's *chinuch* obligation is a Rabbinic requirement, and under Rabbinic law,

---

19. המחבר בסי׳ תרנ״ח ס״ו כתב לא יתננו ביום ראשון לקטן קודם שיצא בו מפני שהקטן קונה ואינו מקנה לאחרים מן התורה ונמצא שאם החזירו לו אינו מוחזר.

20. ש״ע הנ״ל

21. מ״ב ס׳ תרנ״ח ס״ק כ״ג.

22. שו״ת אג״מ או״ח ח״ג סי׳ צ״ה.

23. ביאור הלכה ס׳ תרנ״ז כדי לחנכו במצות.

24. חינוך ישראל דף קכד.

minors can transfer ownership of their possessions to others. Thus, each child can transfer ownership of the Four Species to the next, and all will fulfill their Rabbinic obligation. Only adults, whose obligation is Biblical, may not fulfill their obligation with a *lulav* that has been in the possession of a minor.[25]

One who is unable to purchase an extra set of the Four Species for his child should not grant his own set to the child as a gift for the performance of the *mitzvah*, thus transferring ownership. Rather, he should lend it to the child. Since many *Poskim* rule that one fulfills his *chinuch* obligation even if the child does not own the Four Species, one may follow this practice in cases of necessity.[26]

---

25. נטעי גבריאל (דיני ארבעה מינים) דף קט ציון יב וז״ל כיון שפסק בשו״ע ס״ו דקטן אינו מקנה לאחריני מן התורה אבל מדרבנן שפיר מקנה, וא״כ למצות חינוך שהוא רק מדרבנן שפיר יכול קטן להקנות לחבירו ויוצא מצות חינוך. אז כ״ז בקטן שהגיע לגיל הפעוטות, אבל בקטנים שהן פחות מגיל הפעוטות, וחובת חינוך הוא גם לפני זה דהיינו כבר משיודע לנענע א״כ לא מהני שיתן קטן לקטן וחשבתי עצה אחרת עפ״י שו״ע סי׳ תרנ״ח ס״ה דשותפין שקנו לצורך מצוה א״צ אחד ליתן חלקו במתנה לשני דאדעתא דהכי קנאוהו ואמרינן יש ברירה ומג״א סק״י ובית מאיר ומ״ב ס״ק ל״ב מפלפלים בדבר זה וכתבו שבמחלוקת שנויה אי אמרינן ברירה בדאורייתא עי״ש, אבל לגבי קטנים דחיובם רק מדרבנן הרי לכו״ע יש בזה דין ברירה ושפיר יכול לעשות כן שיקנה אתרוג אחד ויקנה לבניו הקטנים בשותפות ואז יכול כל אחד ואחד לצאת בזה בלי שיצטרכו להקנות אחד לשני עכ״ל. וכ״כ הגאון ר׳ דוד פיינשטיין שליט״א בחוברת לתורה והוראה חלק י׳ דף כח.

26. הנה בהאי דינא אם קטן יכול לצאת ידי חובת ד׳ מינים כשהם שאולים הוא פלוגתא רבותא בין הפוסקים, בברכי יוסף ס׳ תרנ״ז ס״ק א, וס׳ תרנ״ח ס״ק ח׳ הביא משו״ת בתי כהונה שס״ל דאין קטן יוצא ידי חובת בד׳ מינים שאולים וכן הוא דעת המג״א בס׳ תרנ״ח ס״ק ח, ובפמ״ג שם, ואגרות משה או״ח ח״ג סי׳ צ״ה. אולם מאידך גיסא מצינו אחרונים דס״ל דקטן יוצא ידי חובתו בד׳ מינים שאולים. ע׳ ברכי יוסף בס׳ תרנ״ח ס״ק ו׳ שכתב לדייק כן מהגהות האשר״י והמרדכי, וכ״כ המ״ב בס׳ תרנ״ח ס״ק כח בשם כמה אחרונים, ועי״ש שכתב וז״ל ויש מאחרונים שסוברים דמצות חינוך מתקיים גם בשאול דהא גם בזה מתחנך הבן למצות וכן משמע במרדכי בשם ראב״ן עכ״ל. ובשער הציון ס״ק ל״ו כתב דכן הוא פשטות הלשון דשו״ע, וראיתי בשו״ת אבני ישפה או״ח סי׳ קכג שהביא בשם הגאון ר׳ יוסף שלום אלישיב שליט״א דאפשר לסמוך על דעת מקצת הפוסקים בקיום מצות חינוך. וא״כ כיון דיש שיטות שסוברים דקטן יוצא ידי חובתו בד׳ מינים שאולים אפשר לסמוך עליהם עי״ש.

וראיתי חידוש גדול בערוך השלחן סי׳ תרנ״ז ס״ג וז״ל ויש לי להסתפק הא

III. Hoshana Rabbah

It is customary to take hold of a bundle containing five willow branches (*hoshanas*) on the final day of Sukkos (Hoshana Rabbah), and to strike the bundle against the floor five times after reciting the appropriate prayers. Children who have reached the age of *chinuch* (five or six years of age) should be provided with their own bundle of *hoshanas* so that they can be trained to adhere to this custom.[27]

דקיי״ל דביום ראשון אין אדם יוצא חובתו בלולבו של חבירו וצריך להקנות לו באופן שיתבאר אם זהו ג״כ באב ובניו הגדולים וחתניו הסמוכים על שולחנו דג״כ צריך כל אחד מדינא לולב בפ״ע או דילמא כיון דמצינו בכמה דינים דכשמסוכים על שולחנו בטילים לאביהם וא״כ יכולים כולם לצאת בלולב אחד וקרינא בהו לכם משלכם וכן נלענ״ד עיקר ומ״מ יש להתיישב בזה עכ״ל.

ובחוברת לתורה והוראה ח״י דף כח כתב הגאון ר׳ דוד פיינשטיין שליט״א עצה אחרת בנתינת ד׳ מינים לקטן וז״ל ועוד נ״ל שאפי׳ ביום הראשון אם יקנה לו בתנאי שהוא יום הראשון ואם לאו אינו מקנה לו כלל וא״כ אם יום ראשון הוא הלא הגדול אינו צריך שלו למחר ומה בכך אם הוא שאול אצלו ואם יום ב׳ הוא הראשון א״כ אינו של הקטן כלל והוא של גדול ויוצא בשלו עכ״ל. וע״ע בזה בספר חינוך ישראל דף קכד.

27. ספר חינוך ישראל דף קכה ועי״ש בהערה פב שכתב וז״ל ונראה לי דלקטנים עד גיל בר מצוה סגי לקנות להם הושענה אחד (בד אחד) דעפ״י הלכה סגי בהושענה אחד, כמבואר בפוסקים דעלה אחד בבד אחד שכשרה, ורק עפ״י קבלת אריז״ל הוא דיש ליקח אגד של ה׳ בדים. וקטנים שלא הגיעו לעול המצות אין להם להתחנך בקבלת הריז״ל עכ״ל ועי״ש.

26 / Chol HaMoed

The laws of *Chol HaMoed* (the intermediate days of a festival) are very complex and are beyond the scope of this book. We will only note the basic *halachos* that are applicable to children.[1]

Haircuts

Boys under the age of *bar mitzvah* and girls under the age of *bas mitzvah* may have their hair cut during *Chol HaMoed* if its length causes them distress or discomfort.[2] Likewise, if a child's

---

1. כדאי להעתיק כאן מה שראיתי בשו״ת אבני ישפה סימן ק״י וז״ל אם מותר לילדים לצבוע ולצייר בחוה״מ, ע׳ סי׳ תקמ״ה סע׳ א׳ ומ״ב ס״ק ד׳ דיש מקילים בחוה״מ בכל כתיבה חוץ מספרים תו״מ ואפילו כתיבה מרובע הוי כמעשה הדיוט שאין אדם מקפיד לכתוב אותו כתקונו כ״כ ע״כ. וכ״כ הבה״ל שם סע׳ ה׳ ד״ה אפילו שצ״ל שלענין חוה״מ לא אסרו כי אם כתב שהוא מעשה אומן וסתם כתב לבד כתב אשורית מקרי מעשה הדיוט. ובספר מו״ק מחמיר גם בכתב משיט״א (כתב רגיל שלנו, י.פ.) בכתב ידי סופר אם עושים בלבלר נאה שהוא מעשה אומן וכו׳ ע״כ. מכל זה נלמד שהקולא שיש בסתם כתיבה הוא מצד שאינו מעשה אומן, כי אין אדם מיפה את הכתב רק דהוא כותב כדי שידעו מה היא כוונתו במכתב זה. אבל אם באים לצייר או לצבוע הרי כוונתו היא לעשות דבר של יופי ובזה מדייקים היטב כדי שיצא דבר נאה. ולפ״ז יתכן שאפילו היש מתירין של כתיבה בחוה״מ גם הם יאסור לצבוע ולצייר כי בזה יש לחשוש שהוא מעשה אומן. ואעפ״י שאין הקטן יודע עדיין איך לצייר כמעשה אומן ומעשיו הם כעת בגדר מעשה הדיוט, מ״מ כיון שכאשר יגדל אז יעשה אותם המעשים והם יהיו אסורים, כי אז יהיו בגדר מעשה אומן, לכן גם בקטנותו יש לאסור, ודומה לזה מצאנו בגמ׳ עירובין מ׳ ב׳ שאין לתת לקטן לשתות כוס של שהחיינו ביוה״כ דילמא אתי למסרך עיי״ש. ואעפ״י שבעת הקטן עושה בהיתר, עכ״פ כיון שאם יעשה כן בגדלותו יהיה בזה איסור לכן אנו אוסרים בקטנותו, וה״ה בזה. וזה נראה לי טעמו של גאון אחד שליט״א שאמר שילדים שהגיעו לחינוך אין להקל להם שיציירו או יצבעו בחול המועד, ע״כ. ויש לפרסם הלכה זו כי יש בני אדם שנותנים לילדים תעסוקה זו בחול המועד שיש בה משום חילול המועד.

2. ש״ע ס׳ תקל״א ס״ו ומ״ב ס״ק ט״ו. ובס״ק ט״ז כתב המ״ב וז״ל וע׳ בפמ״ג שמצדד דאפי׳ הוא בן כמה שנים כל שלא הגיע לי״ג שנים מותר לגלחו במועד וכן מוכח במג״א אך המג״א מסתפק דהיכי דהקטן נראה כגדול אפשר דאין להקל בפרהסיא עכ״ל.

third birthday is on *Chol HaMoed*, he is permitted to have his first haircut on that day.[3]

Laundering

Generally, laundering is prohibited on *Chol HaMoed*; however, children's clothing may be washed in special situations. The guidelines are as follows:

Children's clothing should be washed before *Yom Tov*.[4] However, since children frequently soil their clothing, it is likely that the reserve of clean clothes will become exhausted during the festival. Accordingly, the Sages permitted laundering children's clothing on *Chol HaMoed* if the available clothing are insufficient for the remainder of the festival.[5]

One is permitted to wash a child's article of clothing even though the child has another one to wear, provided the clean outfit is not as appropriate for the holiday as the dirty one.[6]

Washing is only permitted at the point during *Chol HaMoed*

---

3. בשערי תשובה ס׳ תקל״א ס״ק ז׳ כתב וז״ל ועיין בגן המלך שכתב וז״ל ומותר להשהות שמחת התגלחת שעושין לקטן כדי להגדיל השמחה במועד ומצוה נמי איכא בכך עכ״ל. וע׳ בכף החיים ס׳ תקל״א ס״ק ל שכתב וז״ל וכ״כ בספר מזבח אדמה דפעה״ק ירושלים נהגו לגלח הקטנים בבהכ״נ בשמחה גדולה והספר היה ישראל עני עכ״ל. אמנם בגן המלך כפי שהועתק בשערי תשובה כתב דהספר יהיה עני.

4. כן מבואר משו״ע ומ״ב ס׳ תקל״ד ס״א.

5. ש״ע ס׳ תקל״ד ס״א. וע׳ בשו״ת אבני ישפה ס׳ קד שכתב וז״ל ונסתפקתי מה נקרא קטנים לענין זה דכיון דהטעם הוא דמתלכלכים תדיר א״כ אף נערים בני שתים עשרה דרכן תמיד לשחק בחוץ ומתלכלכים בגדיהם תמיד. וזה ברור דלא איירינן בתינוקות שמלפפים אותם דזה דין בפ״ע כמבואר בתה״ד סי׳ פ״ח ורמ״א כאן סע׳ א׳. ולא מצאתי מי שפרש עד מתי נקרא קטנים לענין זה, והרה״ג רב פנחס שיינברג שליט״א ראש ישיבת תורת אור אמר לי שהכל תלוי בילד, דאם הוא ילד כזה שתמיד משחק בלכלוך אז אפילו בגיל עשר ושתים עשרה מותר אף שזה אינו מצוי. אמנם לי העני נראה יותר כדעת גאון אחד שליט״א שאמר שרק עד גיל שש ושבע מותר לכבס להם. וצריך לומר שטעמו הוא משום שחז״ל התירו עד הגיל שדרך הקטנים להתלכלך תמיד, ולא תלוי בכל ילד וילד שהרי א״כ נתת תורת כל אחד ואחד בידו.

6. פסקי מרן הגר״מ פיינשטיין זצ״ל הובא בספר הלכות חול המועד [זכרון שלמה] דף לה הלכה יא. וע׳ בספר חול המועד כהלכתו דף קסח שהאריך בזה והשאיר בצ״ע בזה.

when a particular item of the child's clothing becomes unavailable.[7] However, once such washing is permitted, any of the child's other clothing that will be needed for the remainder of *Yom Tov*, even though they are not needed immediately, may be washed.[8] When washing children's clothing, garments that are not needed may not be added to the washing machine.[9]

---

7. חול המועד כהלכתו דף קסח הלכה כד.

8. שו״ת באר משה ח״ז סי׳ ל״ב.

9. פסקי מרן הגר״מ פיינשטיין זצ״ל הובא בספר הלכות חול המועד [זכרון שלמה] דף לד הלכה ט. אמנם ע׳ בחוברת עם התורה מהדורא ב׳ חוברת יד שהגאון ר׳ ח.פ. שיינבערג שליט״א האריך בזה ולבסוף מסיק וז״ל ולכן נלענ״ד שמותר להוסיף בגדי גדולים עם בגדי קטנים במכנות כביסה בחוה״מ עיי״ש.

27 / Chanukah and Purim

I. Chanukah

It is a מִצְוָה מִדְּרַבָּנָן — a positive Rabbinic commandment — to kindle a light each night of Chanukah.[1] This *mitzvah* is customarily enhanced by kindling one light the first night and adding one additional light each successive night.[2]

The *mitzvah* of kindling Chanukah lights is incumbent on men and women alike.[3] However, the widely followed custom is that the head of the household kindles the lights and thereby exempts all female members of his household.[4] It is recommended that women be present at the time of kindling and listen to the head of the household recite the blessings.[5]

A. The Chinuch Obligation

Parents are obligated to train their children (from the age of five or six depending on the child's intelligence) in the

---

1. רמב״ם פ״ג מהלכות חנוכה הלכה ג.

2. ש״ע סי׳ תרע״א ס״ב.

3. שו״ע סי׳ תרע״ה ס״ג. וע׳ בשו״ת חוות יאיר ס׳ קי״ט שהקשה אמאי הוצרכו הטעם לחייב נשים מטעם אף הן היו באותו הנס, תיפוק ליה דכל דרבנן יש בו לאו דלא תסור ובלאוין גם נשים חייבות עי״ש וע״ע בזה בשו״ת שאילת יעבץ ח״ב סי׳ ק״ב.

4. ע׳ באה״ר ס׳ תרע״א ס״ק ג׳ שהביא משו״ת שער אפרים שתמה וז״ל למה אין נוהגין שאשה מדלקת כשהבעל בביתו מ״ש משאר בני בית ע״ש וז״ל דאשתו כגופו ואינו בכלל מהדרין וכו׳ דדוקא כשאין לה בעל או כשאין הבעל בעיר מדלקת עכ״ל וכ״כ המ״ב בס׳ תרע״א ס״ק ט עמ״ש הרמ״א די״א דכל אחד מבני הבית ידליק וז״ל לבד מאשתו דהיא כגופו, ע״כ. ושנה דבריו בס׳ תרע״ה ס״ק ט.

5. מ״ב סי׳ תרע״ה ס״ק ט, וע׳ בספר בירור הלכה ס׳ תרע״ה מה שכתב בזה.

performance of this *mitzvah*.[6] It is customary for boys of *chinuch* age to kindle their own lights.[7] Girls, however, fulfill their obligation in the manner of adult women, through the candlelighting of the head of the household.[8] It is therefore preferable that they be present at the kindling.

---

6. רמ״א סי׳ תרע״ה ס״ג. ועי׳ מה שכתבתי בזה בפרק א ציון 14 דחינוך בשאר מצות מתחיל בערך בגיל חמש ושש וכ״כ המ״ב בס׳ קכ״ח ס״ק קכ״ג, ורק באלו מצות שכל מצוותם הוא הברכה בזה ס״ל להמ״ב דזמן חינוך מתחיל בגיל שש או שבע עיי״ש. ולפיכך יש לתמוה על מה שראיתי בספר הלכות חג בחג [חנוכה דף כד] וז״ל וכן היודע מענין נר החנוכה ופרסום הנס שבהדלקה חייב לחנכו בנר חנוכה, והוא שיהא יודע להדליק הנר בעצמו עכ״ל ובהערה 20 כתב וז״ל ושיעור הגיע לחינוך הוא במ״ב שמ״ג ס״ק ג ועי׳ במ״ב ס׳ רס״ט ס״ק א שסתם דגיל קטן שהגיע לחינוך כבן שש או כבן שבע לפי חריפותו, ושם מיירי לענין קידוש וצ״ע עכ״ל. ולכאורה מה שכתב המ״ב דגיל חינוך מתחיל בשש או שבע זה דווקא במצות קידוש אבל לא בשאר מצות וכמו שכתב המ״ב בס׳ קכ״ח ס״ק קכ״ג.

7. הרמ״א בסוף ס׳ תרע״ה כתב וז״ל ולדידן דכל אחד מבני הבית מדליק בפ״ע קטן שהגיע לחינוך צריך להדליק ג״כ עכ״ל. ועי׳ במ״ב ס״ק יד שכתב וז״ל ונ״ל דלקטן א״צ להחמיר כולי האי ודי שידליק בכל לילה נר אחד לכו״ע עכ״ל. ובביאור הלכה בד״ה ולדידן הסביר דבריו וז״ל דנהי דמחוייב לחנכו היינו בדבר שיש בו חיוב על הגדול מצד הדין אבל בזה דגם בגדול ליכא כ״א משום הידור מצוה אינו מחוייב לחנך בו עכ״ל ועיי״ש. אבל מנהג העולם דקטן מדליק כמו גדול.

8. הגם דאצל בנות לא שייך הסברא של השער אפרים הובא בציון 4 שפוטר נשים מלהדליק דכגופו דמיא דרק אצל אשתו שייך סברא זו ולא אצל בנות כמבואר בתוס׳ כתובות נ״ב. ד״ה והיו, אף על פי כן אין דרכם של פנויות להדליק נרות לעצמן רק יוצאים בהדלקת בעל הבית ויש כמה טעמים לזה. בחידושי חתם סופר שבת דף כא: כתב וז״ל ראיתי מי שנתקשה מ״ט לא נהיגי נשי דידן להיות מן המהדרין והיכא דליכא זכר והיא מדלקת היא מוספת והולכת והרי היא ממהדרין מן המהדרין ומ״ט לא תהי׳ מהמהדרין. ונלפע״ד בתחלה כשתקנו נר איש וביתו על פתח ביתו מבחוץ ונמצאו בישראל מהדרין שיצאו לחוץ והדליקו בעצמם נוסף על הדלקת של בעל הבית אז לא נמצא שום אשה שתהי׳ מהמהדרים כי אין כבודה לצאת בחוץ בר״ה לעתותי ערב ולהדליק בין האנשים נהי אם אין האיש בביתו ועלי׳ מוטל מצות הדלקה על כרחה תצא לחוץ להדליק מ״מ אם יש כאן זכר המדליק אין מן החסידות שתחמיר על עצמה בזה ותביא עצמה לידי חשדא והשתא אע״ג שכולם מדליקין בפנים מ״מ מנהג הראשון לא זז ממקומו כנ״ל נכון עכ״ל. ועי׳ בשו״ת עולת שמואל סי׳ ק״ה שכתב טעם אחר וז״ל והגאון בעל אלי׳ רבה ס׳ תקע״א יהיב טעמא דאשתו כגופו וזה הטעם מספיק רק לנשואות, אבל לא לפנויות ולומר הואיל דנשואות אינו מן המהדרין שוב לא נהגו גם הפנויות, הוא דוחק עכ״ל ועיי״ש שהביא טעם אחר.

B. Children Exempting Adults

Adults should not rely on the candlelighting of a child of *chinuch* age to fulfill their obligation. Accordingly, at least one adult in each household should kindle lights. However, in a case of necessity, an adult's obligation can be discharged with lights kindled by a child who has reached the age of *chinuch*.[9]

C. Lighting in Shul

It is customary to kindle lights in the synagogue on Chanukah. Generally, these lights do not exempt anyone from their obligation to kindle at home. Accordingly, the synagogue Chanukah lights may be kindled by a child of *chinuch* age.[10] However, if there are individuals who reside in the synagogue and wish to fulfill their obligation with the synagogue lights, a child should not kindle the lights.[11]

D. The Extent of the Chinuch Obligation

We learned in Chapter 1 that children of *chinuch* age must be trained to perform *mitzvos* in the same manner as they are performed by adults. Accordingly, one should make certain that Chanukah lights kindled by a child are capable of burning for the full duration of time required by *halachah*.[12]

---

9. המחבר בס׳ תרע״א ס״ג כתב וז״ל ויש מי שאומר דקטן שהגיע לחינוך מותר [ר״ל להוציא גדול] עכ״ל ובס׳ תרפ״ט ס״ב כתב המחבר וז״ל אחד הקורא ואחד השומע מן הקורא יצא ידי חובתו והוא שישמע מפי מי שהוא חייב בקריאתה לפיכך אם היה הקורא חרש או קטן או שוטה השומע ממנו לא יצא עכ״ל ועי״ש במ״ב בס״ק ו׳ שכתב וז״ל והנה לעיל בסימן תרע״ה ס״ג הביא המחבר דיש מי שמכשיר בקטן שהגיע לחינוך שיכול להוציא אחרים בהדלקות וה״ה לענין קריאת המגילה וע׳ בעקרי דינים שכתב בשם סמי דחיי דבמקום הדחק כשאין שם אנשים בקיאים במקרא מגילה יכול להוציאם קטן שהגיע לחינוך עכ״ל ועפי״ז כתבנו בפנים. והנה האחרונים הקשו דדברי המחבר שהבאנו לעיל סתרי אהדדי דבס׳ תרע״ה ס״ל דקטן שהגיעו לחינוך יכול לפטור גדול ובס׳ תרפ״ט ס״ל דקטן שהגיע לחינוך אינו פוטר את הגדול וע׳ אריכות בזה בספר אורח ישראל סי׳ כ״ז.

10. שו״ת מנחת יצחק ח״ו ס׳ ס״ד.

11. הנ״ל.

12. חינוך ישראל דף קכו. וע׳ באשל אברהם מבוטשאטש מהדורא תנינא ס׳ תרע״ה בזה.

II. Purim

Mitzvos That Apply In the Days Before Purim

A. Parshas Zachor — פָּרָשַׁת זָכוֹר

There is a positive Torah commandment to annually read the section of the Torah that commands us to eradicate the descendants of Amalek.[13] This reading (פָּרָשַׁת זָכוֹר) customarily takes place on the Shabbos before Purim.[14] Parents must take their sons of *chinuch* age (six or seven years and older) to synagogue to listen to this Torah reading.[15] Even though some women have the custom of attending this reading as well,[16] girls of *chinuch* age are not required to listen to the reading of פָּרָשַׁת זָכוֹר.[17]

B. Machatzis Hashekel — מַחֲצִית הַשֶּׁקֶל

During Temple times, each Jew was obligated to donate a half-*shekel* to the Temple on an annual basis. These half-*shekels* were used for the purchase of the congregational sacrifices [קָרְבְּנוֹת הַצִּיבּוּר]. This annual donation, which was in addition to any other voluntary donations made during the course of the year, was given during the month of Adar. To

---

13. מחבר ס׳ קמ״ו ס״ג, ותרפ״ה ס״ז.

14. מחבר ס׳ תרפ״ה ס״ב.

15. פשוט דחייבין לחנך קטן במצות קריאת פרשת זכור.

16. בנידון זה אם נשים חייבות בפרשת זכור כבר האריכו האחרונים ונעתיק מקצת מהם. הראשון שהזכיר האי דינא הוא החינוך מצוה תר״ג שכתב דנשים אינן חייבות במצות זכירת עמלק כי רק לאנשים לעשות המלחמה ונקמת האויב ולא לנשים. וכן ס״ל להתורת חסד (מלובלין) או״ח ס׳ לז, שו״ת אבני נזר או״ח ס׳ תקט ועוד אולם המנחת חינוך שם ס״ל דנשים חייבות, ובשו״ת בנין ציון החדשות ס״ח כתב וז״ל שמעתי בשם החסיד שבכהונה הגאון ר׳ נתן אלדער זצ״ל שנשים חייבות, וכן פסק בשו״ת מנחת אלעזר ח״ב ס׳ א אות ה, ועוד והמנהג הוא בכמה מקומות שנשים באים לשמוע קריאת פרשת זכור.

17. כן נראה דזה גופא שנשים חייבות בפרשת זכור הוא מחלוקות הפוסקים. ולכן אין צריכים להחמיר לחנך את הקטנות בקריאת פרשת זכור.

commemorate that annual donation, a custom was instituted to make an annual charitable donation on the day before Purim (the Fast of Esther), preferably before *minchah*. Since during the construction of the Tabernacle (מִשְׁכָּן) each Jew made three separate half-*shekel* contributions, our Sages established the practice of donating three coins each year on the Fast of Esther.[18] Customarily, one donates three coins, each of which has the value of half the standard denomination in the country in which one resides (e.g. a half dollar in the United States). Women are not obligated in the *mitzvah* of מַחֲצִית הַשֶּׁקֶל.[19]

There is a dispute among the authorities as to when the מַחֲצִית הַשֶּׁקֶל obligation begins. Some rule that it begins when one reaches the age of twenty. Others rule that it begins when the child becomes *bar mitzvah*.[20] Nevertheless, it is customary to contribute three half-*shekels* (i.e. coins of half the standard denomination) on behalf of each male member of the family, regardless of age. Some have the custom of giving the מַחֲצִית הַשֶּׁקֶל for females too.[21] [Half-*shekels* are customarily donated on behalf of a woman's unborn child.[22]] If giving three half-*shekels* is beyond one's means, one should contribute at least one half-*shekel* on behalf of each family member. One who cannot afford even that amount should make a

---

18. רמ״א סי׳ תרצ״ד ס״א.

19. מג״א ס׳ תרצ״ד ס״ק ג, ערוך השלחן ס״ח, וכן נוטה משמעות המ״ב שם ס״ק ה שכתב דהמנהג שאשה מעוברת נותנת מחצית השקל בעד ולדה משמע שהיא בעצמה פטורה, אבל המג״א כתב בשם הג״מ שנשים חייבות והמג״א עצמו תמה עליו וכתב ולא ידעתי מנ״ל.

20. הרמ״א בס׳ תרצ״ד ס״א כתב וז״ל ואין חייב ליתנו רק מי שהוא מבן כ׳ ולמעלה עכ״ל, וע׳ במ״ב בס״ק ה שכתב וז״ל אבל התוי״ט כתב שהפוסקים חולקים וס״ל דמבן י״ג ולמעלה שהוא בכלל איש חייב במחצית השקל עכ״ל.

21. לקט יושר דף 157 וז״ל וגם נשים ובתולות נותנות כל אחת ג׳ מחציות. ובכף החיים ס׳ תרצ״ד ס״ק כ״ז כתב וז״ל ונראה משום דכתיב בשקלים לכפר על נפשותיכם, ועל כן נותנים גם בעד הנשים והילדים כדי לכפר על הנפש, ושכן מצינו בשקלים וכו׳ וכל שכן בזמן הזה שהולכים לצדקה עכ״ל.

22. מ״ב ס׳ תרצ״ד ס״ק ה.

small donation on behalf of each member of his family.[23]

Once the father begins to give the מַחֲצִית הַשֶּׁקֶל on behalf of his male children, he must continue to do so.[24]

C. Mitzvos of Purim

There are four *mitzvos* that are obligatory on each individual on Purim. These are:

1. קְרִיאַת הַמְּגִילָּה: *Reading the Megillah*
2. מִשְׁלוֹחַ מָנוֹת: *Sending portions [of food to another person]*
3. מַתָּנוֹת לָאֶבְיוֹנִים: *[Giving] gifts to paupers*
4. סְעוּדָה: *[Eating] a festive meal*

We will describe each of these *mitzvos* individually.

1. קְרִיאַת הַמְּגִילָּה — Reading the Megillah

There is a positive Rabbinic commandment for men and women to listen to the reading of the *Megillah* (The Book of Esther) two times during Purim — once during the evening and once during the day.[25] It is preferable that all attend the synagogue in order to participate in the congregational reading.[26] Boys and girls who are mature enough to listen to the entire *Megillah* reading are obligated to do so under the law of

---

23. ספר חינוך הבנים דף נד שכתב וז״ל ובמקום דקשה קצת על האב ליתן כ״כ ממון יש לו ליתן מטבע אחת ולא ג׳, דהלא דעת הגר״א ז״ל דכן יש לנהוג בכלל, וכן הוא במט״י עיין בכף החיים אות כג, ובקטן בודאי יש לנהוג כן. ובמקום דג״ז קשה יש ליתן מה שביכולתו כיון דהכל הוי מנהג בעלמא ולא מעיקרא דדינא.

24. מ״ב סי׳ תרצ״ד ס״ק ה. וע׳ בספר הלכות חג בחג דף לז שכתב וז״ל ומסתימת הפוסקים נראה שזהו רק כששוקל בעד קטן זכר ולא כששוקל בעד אשה וכדומה. וכ״ה לשון הרמב״ם פ״א משקלים ה״ז שכתב שוב אינו פוסק אלא נותן עליו בכל שנה עד שיגדיל ויתן על עצמו וכו׳. והיינו שזהו דווקא בזכר שכשיגדיל נותן על עצמו משא״כ באשה פטורה, עכ״ל. וע׳ במועדים וזמנים חלק ב׳ קנ״ז שכתב וז״ל ולכאורה החיוב בגדר נדר לדבר מצוה וכהנהגה טובה, וכן משמע להדיא במג״א ס׳ ת״פ ס״ק ג, ולפי זה מהני שאלה, וכן אם התנה לכתחילה בלי נדר אין חיוב עליו לשקול לעולם עכ״ל. אולם ע׳ בספר מקור חיים [להחות יאיר] שכתב שאין מועיל ע״ז התרה.

25. ש״ע סי׳ תרפ״ז ס״א.

26. מ״ב ס׳ תרפ״ז ס״ק ז.

chinuch.[27] These children should preferably be brought to the synagogue to hear the public reading.[28] Young children who

---

27. המחבר בס׳ תרפ״ט ס״א כתב וז״ל ומחנכים את הקטנים לקרותה עכ״ל. והמחבר לא כתב באיזו גיל מתחיל החיוב לחנך קטן בקריאת המגילה. וקשה לומר דהשיעור מתחיל בבן ו׳ או ז׳ כשאר מצות [ע׳ מה שכתבנו בזה בפרק א ציון 16] דכשמחנכין את הקטן במצות צריך לחנכו באופן שיוכל לקיים המצוה כראוי [ע׳ פרק א] וכיון דבקריאת המגילה צריכין לשמוע כל המגילה כדי לצאת חובת המצוה קשה לומר דקטן בן ו׳ או ז׳ שייך שישמע כל המגילה ולא יחסר אפי׳ מלה אחת. וכשהצעתי הדברים לפני הגאון ר׳ ח.פ. שיינבערג שליט״א הסכים עמדי דחינוך בקריאת המגילה מתחיל באיחור זמן משאר המצות. אבל לא אמר לי באיזו גיל מתחיל החיוב. וראיתי בלקט יושר דף 158 שכתב וז״ל והקטן הגיע לחינוך היינו בבן ט׳ כדאמרינן במסכת יומא דף פב. חייב במגילה עכ״ל מבואר מדבריו דחיוב חינוך במגילה הוא מגיל ט׳. אולם יש לדחות דכיון דמצינו שיטות דסברי דבכל המצות חיובו של חינוך אינו מתחיל קודם גיל ט׳ אולי גם הלקט יושר ס״ל כן וא״כ אין כאן ראיה להני שיטות שסברי שחיוב חינוך בשאר מצות מתחיל בגיל שש ושבע דבקריאת המגילה מתחיל החיוב בבן ט׳. שבתי וראתי בשו״ת שבט הקהתי ח״ג ס׳ קפ״ו שהעיר בזה וז״ל והנה קטן אפילו הגיע כבר לחינוך קשה לו לצמצם דעתו שישמע כל המגילה מבלי שיפנה דעתו לדברים אחרים. ולפי״ז לא יצא יד״ח חינוך כיון דלא שמע המגילה כהלכתו, דשכיחי בילדים דבעת שמפנים לבם לדברים אחרים אינם שומעים בכלל מה שקרא הש״ץ. ונראה לתרץ עפ״י דאיתא בטורי אבן על מס׳ חגיגה (ו׳, א) בד״ה פיסקא איזה קטן וז״ל ותדע לך עוד דכל היכא שקטנותו גרם לו שגדול כיוצא בו פטור בר חיוב הוא, דאלת״ה לא משכחת ליה חינוך דקטן במצות כלל למ״ד בפ״ד דר״ה מצות צריכות כוונה וכיון דמצ״ע ובלא כוונה אינו יוצא יד״ח, הא ודאי קטן לא בר כוונה הוא וא״כ מה הועילו חכמים בתקנתם שתיקנו לחנך את הקטן במצות, הא כיון דלאו בר כוונה הוא לאו כלום הוא וכאילו לא עשה דמי. ועוד הא מסיק אביי בגמ׳ כל היכא דגדול פטור מדאורייתא קטן נמי פטור, מהשתא איכא להפקיע לקטן מחינוך כל המצוות כיון דגדול כה״ג דלאו בר כוונה הוא פטור מה״ת, קטן נמי פטור דהא לאו בר כוונה הוא לעולם. אלא ודאי דהא דלאו בר כוונה הוא קטנותו הוא דקא גרם לו וכשיגדול בר כוונה הוי אין זה מפקיע מחינוך בקטנותו כדי שכשיגדול ויהא בר כוונה יהא רגיל ומחונך במצות עיי״ש דבריו הנחמדים. [ועי׳ מה שהאריך בזה בס׳ אמרי בינה או״ת (סי׳ י״ד)]. ולפי״ז י״ל ג״כ כאן כיון דהא דקטן דכמעט א״א לו לשמוע כל המגילה, קטנותו הוא דגרם לו שאין יכול לצמצם מחשבתו לשמוע הכל מבלי שיפנה לבו לדברים אחרים, אין זה מפקיע מחינוך בקטנותו וע׳ מה שכתבנו בציון 28 דאולי יש חיוב בקטנים אפי׳ כשאינן יכולים לשמוע כל המגילה משום פרסומי ניסא עיי״ש.

28. כתב המחבר בס׳ תרפ״ט ס״ו מנהג טוב להביא קטנים וקטנות לשמוע מקרא מגילה, ובביאור הלכה כתב עלה הנה בודאי כוונת המחבר הוא דוקא על קטנים שהגיעו לחינוך דהקטנות ביותר רק מבלבלין כמו שכתב המג״א וא״כ מאי שייך מנהג טוב הלא מדינא מחוייב לחנכם בקריאת המגילה או עכ״פ בשמיעה וכנ״ל ואולי דבזה היה יוצא אם היה קורא לפניהם בביתם אבל כדי לפרסם הנס ביותר מנהג להביאם בביהמ״ד שישמעו בצבור כדי לחנכם שגם בגדלותם ישמעו בצבור

might distract others from listening should not be brought to the synagogue.

If one family member must remain at home (e.g. to watch an infant), it is preferable that the boys of *chinuch* age participate in the synagogue reading, even if this causes an adult female (e.g. mother or older sister) to stay home and listen to the *Megillah* afterwards in a private reading.[29]

Minor Exempting an Adult

Ordinarily, a minor cannot read the *Megillah* on behalf of an adult. However, if the only qualified reader available is a minor who has reached the age of *chinuch*, he can read the *Megillah* on the adult's behalf.[30]

2. מִשְׁלוֹחַ מָנוֹת – Sending Portions [of food to another person]

Every man and woman is obligated to send a gift consisting of two types of food to an acquaintance on Purim.[31] Children of

---

עכ״ל. ועפ״ז כתבנו בפנים ההלכה, אמנם יש לתמוה על הביאור הלכה דכיון דפירש דדברי המחבר מיירי בקטנים שהגיעו לחינוך א״כ חייב להביאם לבית המדרש מעיקר הדין דהא יש ענין לקרות מגילה ברבים משום פירסומי ניסא כדאיתא בש״ע ס׳ תרפ״ז ס״ב וא״כ למה כתב המחבר דמנהג טוב להביא קטנים לשמוע מגילה. ואפשר לומר ביאור אחר בדברי המחבר בהקדם דברי הראבי״ה במסכת מגילה ס׳ תקס״ט וז״ל ואפי׳ קטן שלא הגיע לחינוך רק שיודע ומבין צריך לשמוע מקרא מגילה כדאמרינן (מגילה דף יח) מידי דהוי אנשים ועמי הארץ ומסקינן אלא פרסומי ניסא, פירוש שיודע לשאול ומפרסמין הנס להם עכ״ל. מבואר מדבריו דיש ענין לחנך קטן שלא הגיע לחינוך במצות קריאת המגילה משום פרסומי ניסא, ולפיכך אפי׳ קטנים שלא הגיעו לחינוך לשמוע המגילה יש ענין להביאם לבית המדרש כדי לפרסם הנס של פורים וזה שייך אפי׳ בקטן שלא יכול לשמוע כל המגילה וכ״כ היעב״ץ בסידורו וז״ל ומנהג יפה להביא קטנים שיודעים לענות ראשי פרקים לשמוע מקרא מגילה. וא״כ אפשר לומר דזה הביאור בדברי המחבר במה שכתב דמנהג טוב להביא קטנים לבית המדרש דמיירי בקטנים שלא הגיעו לחינוך במצות קריאת המגילה ואעפ״כ יש מנהג להביאם לבית המדרש כדי לפרסם הנס של פורים.

29. שו״ת חלקת יעקב ח״ג פ׳ קמ״ד.

30. מ״ב ס׳ תרפ״ט ס״ק ה. וע״ע בזה בציון 9.

31. מחבר ורמ״א סוף סי׳ תרצ״ה.

chinuch age [five or six years and older] should be provided with two types of food with which they can fulfill this *mitzvah* by passing the food on to a friend.[32]

3. מַתָּנוֹת לָאֶבְיוֹנִים — Sending Gifts to the Poor

Every man and woman is obligated to give food or money to the poor on Purim.[33] The requirement to fulfill this *mitzvah* is to give at least two poor people enough food or the cash equivalent for a minimal Purim meal.[34] Parents should train children of *chinuch* age to fulfill this *mitzvah*.[35]

4. סְעוּדָה — [Eating] a Festive Meal

Every person is required to eat a festive Purim meal to celebrate the miracle of Purim. Children of *chinuch* age [five or six years and older] must also partake of such a meal.[36]

---

32. פמ"ג א"א ס' תרצ"ה ס"ק יד, אשל אברהם (מבוטשאטש) סוף סי' תרצ"ה.

33. רמ"א סי' תרצ"ה ס"ד. וע' ערוך השלחן סי"ח.

34. שערי תשובה סי' תרצ"ד ס"ק א.

35. פמ"ג ס' תרצ"ה א"א ס"ק יד. אמנם ע' באשל אברהם (מבוטשאטש) דסובר דאין כאן חינוך על מתנות לאביונים וטעמו כיון שאין להם מעות. ודבריו צריכים עיון דמאי שנא ממשלוח מנות שהוא בעצמו סובר שחייבים לחנך אותם הא אין להם מנות שלהם.

36. חינוך ישראל דף קל.

28 / Pesach

On the Pesach holiday, more than any other time of year, great emphasis is placed on children's involvement in the *mitzvos*. Indeed, the focal point of the holiday is the *seder*, during which parents are obligated to relate to their children the story of יְצִיאַת מִצְרַיִם, the exodus from Egypt. The obligation to involve children in the *mitzvos* that apply on Pesach begins once a child is old enough to understand the story of יְצִיאַת מִצְרַיִם. In general, a child five years of age can be assumed to fit this category. Except where otherwise noted, that is the age of *chinuch* with regard to all *mitzvos* of the Pesach holiday.

We will now turn to each of the numerous *mitzvos* that apply on Pesach.

I. Laws That Apply on Erev Pesach

A. תַּעֲנִית בְּכוֹרִים — The Fast of the Firstborn

It is incumbent upon all firstborn males to fast on *Erev* Pesach. This is to commemorate the fact that the Jewish firstborn were spared from death during מַכַּת בְּכוֹרוֹת (the plague of the firstborn) which occurred on the eve of Pesach. This obligation applies to all firstborn males, whether firstborn of father or mother.[1] It is customary for the father of a firstborn child to fast on behalf of the child until the child's *bar mitzvah*.[2]

---

1. ש״ע סי׳ ת״ע ס״א ומ״ב.

2. רמ״א סי׳ ת״ע ס״ב. לא הבאנו בפנים מה שכתב הרמ״א בס׳ ת״ע ס״ב דנוהגין כשהאב בכור דהאם מתענה תחת בנה הבכור שהרי המ״ב בס״ק ט כתב עלה ויש מהפוסקים שכתבו דא״צ להתענות דתענית האב עולה גם בשביל בנו. ובמקום שמצטערת יש להקל וכ״ש אם היא מעוברת או מניקה ומצטערת מן התענית יש להקל אף אם אין לה בעל שיתענה בשביל בנה וכן יולדת כל ל׳ יום אין לה להתענות עבורו בכל גוונא עכ״ל, ויתירה מזו יעויין בערוך השלחן ס׳ ת״ע ס״ד שכתב דעכשיו ליכא מהגג זה דהאם מתענה בשביל בנה.

The father is not obligated to fast on behalf of a child below the age of thirty days.[3]

It is customary for the fasting male to partake of a *seudas mitzvah* (i.e. a festive meal accompanying a *bris milah*, *pidyon haben*, *siyum*) on *Erev* Pesach in order to avoid fasting.[4] After breaking the fast at the meal, a firstborn need not resume fasting. He may continue eating for the remainder of the day.[5] Accordingly, the common practice is to arrange a *siyum* (i.e. completion of the study of a sacred text) on *Erev* Pesach. All those required to fast may witness the *siyum* and join in the *seudas mitzvah* that accompanies it, thus freeing them from their obligation.[6] One may delay the completion of learning in order to make the *siyum* on *Erev* Pesach.[7]

The following are guidelines for a *siyum*:

1. The meal that accompanies the completion of a tractate of *Gemara* or one of the six orders of *Mishnah* is universally considered a *seudas mitzvah*. It is preferable to arrange such a *siyum*.[8] If this cannot be arranged, one may prepare a meal for the completion of at least three tractates of *Mishnayos* with a commentary[9] or the completion of one of the books of *Tanach* with a commentary.[10]

2. The person making the *siyum* need not be a firstborn.

---

3. מ״ב שם ס״ק י.

4. מ״ב שם ס״ק י. וע׳ ערוך השלחן שם ס״ה וז״ל אמנם עתה זה כמה דורות שמקילים לגמרי בתענית בכורים והיינו בסיום המסכתא ולא לבד הלומד אלא הבכורים מתקבצים סביב המסיים ומסיימים עמו ואוכלים ונתפשט זה בכל המדינות ואינו ידוע מאין להם להקל כל כך אם לא שנאמר דמפאת חלישות הדור והטורח רב בע״פ ואכילת המרור ג״כ אינו יפה לבריאות ולכן יחשבו א״ע כאינם יכולים להתענות ולפי שבגמרא לא נזכר כלל מזה וגם בירושלמי המסקנא דא״צ להתענות ואינו אלא מנהג ע״פ מס׳ סופרים לכן לא מיחו חכמי הדור בזה וצ״ע.

5. מ״ב סי׳ תקס״ח ס״ק יח.

6. מ״ב שם ס״ק י.

7. דעת תורה סי׳ תקנ״א ס״י.

8. רמ״א סי׳ תקנ״א ס״י.

9. כן שמע ידידי הרה״ג אהרן פעלדער שליט״א ממרן הגר״מ פיינשטיין זצ״ל.

10. שו״ת אג״מ או״ח ח״א סי׳ קנ״ז.

Furthermore, a minor can make the *siyum* and adults may partake of the meal.[11]

3. Any firstborn who wishes to eat should be present while the *siyum* (i.e. completion of the book) is recited.[12] However, if he misses the actual *siyum*, but arrives while the meal is in progress, he may nevertheless participate in it.[13]] If one does not attend the meal, he is obligated to fast even if food from the *siyum* is sent to him.[14]

B. The Prohibition of Eating Matzah on Erev Pesach

One is prohibited from eating *matzah* on *Erev* Pesach.[15]* This prohibition applies to any child old enough to understand the story of יְצִיאַת מִצְרַיִם (the exodus from Egypt).[16] Only *matzah* made from flour and water which is suitable for use at the *seder* is included in this prohibition.[17] Egg *matzos* and similar breads may be eaten on *Erev* Pesach until the end of the fourth hour of the day.[18]** Some *Poskim* rule that egg *matzos* may be eaten until the end of the sixth hour, and in case of necessity, may be eaten the entire day.[19] Children may follow the lenient view.

---

*Notes: Some communities have a custom not to each *matzah* from *Rosh Chodesh Nissan*[20] and others refrain from Purim.

** In certain situations, egg *matzos* may be eaten on Pesach. A competent halachic authority should be consulted.

---

11. שו״ת בצל החכמה ח״ד סי׳ ק.

12. מ״ב ס׳ ת״ע ס״ק י.

13. שו״ת מהר״ם בריסק ח״א סי׳ קל״ג, אמנם דעת הגרי״ש אלישיב שליט״א הובא בספר סידור פסח כהלכתו עמוד קסח דעיקר הפוטר הוא שמיעת הסיום וסעודת הסיום לבד אינו פוטר התענית.

14. ספר תענית בכורים עמוד רעד.

15. רמ״א סי׳ תע״א ס״ב. והמ״ב בס״ק יא כתב הטעם ע״ז וז״ל אסורים לאכול מדרבנן כדי שיהיה היכר לאכילתה בערב.

16. רמ״א סי׳ תע״א ס״ב.

17. ש״ע סי׳ תע״א ס״ב.

18. ש״ע ס׳ תע״א ס״ב.

19. נוב״י הובא בשערי תשובה סי׳ תמ״ד ס״א ד״ה ובמדינות.

20. מ״ב שם ס״ק יב.

II. The Seder

At the *seder* on each of the first two nights of Pesach, one is obligated to perform six *mitzvos*. These are:

1. Relate the story of the exodus from Egypt.
2. Eat *matzah*.
3. Eat *maror* (bitter herbs).
4. Drink four cups of wine.
5. Eat the *afikoman*.
6. Recite *Hallel*.

We will now explain each of these *mitzvos* as they apply to children.

1. Relate the Story of the Exodus From Egypt

The Torah commands every Jewish parent to relate to his children the story of our exodus from Egypt on the night of Pesach.[21] This is the essence of the *seder* observance. It is therefore vital for every parent to make certain that his (or her) child(ren) listen(s) to the *Haggadah* and understand(s) it. One should translate the *Haggadah* and explain it to the children. [It is insufficient that the child ask the Four Questions: The parent must *answer* the questions according to each child's comprehension.[22]] This obligation applies with regard to every child who is old enough to comprehend at least some part of this story.[23] Generally, a child of five or six should be capable, to some degree, of understanding the story of the Egyptian Exodus.[24]

2. Eat Matzah

One is obligated to eat two *k'zaysim* of *matzah* (i.e., a piece equal in volume to an olive) on each of the first two nights of

---

21. כדכתיב בשמות י״ג ח׳ והגדת לבנך ביום ההוא לאמר.

22. מ״ב סי׳ תע״ב ס״ק נ.

23. שלחן ערוך הרב ס׳ תע״ב סכ״ה.

24. ערוך השלחן סי׳ תע״ב סט״ו.

Pesach.[25] Boys and girls who have reached the age of *chinuch* must be trained to fulfill this *mitzvah*.[26] However, if it is difficult for the child to eat two *k'zaysim*, at least one *k'zayis*[27] should be eaten. In order to fulfill the *mitzvah* of eating *matzah*, one must consume a *k'zayis* within the period of כְּדֵי אֲכִילַת פְּרַס. There is a dispute among the *Poskim* as to the length of time that constitutes this period. Therefore, adults must preferably attempt to eat the *k'zayis* of *matzah* within a period of two minutes. However, with regard to children, one need not be so stringent; a period of nine minutes may be allowed.[28] [If a child cannot eat an entire *k'zayis* within that period, he should be instructed not to recite the blessing עַל אֲכִילַת מַצָּה.[29]]

3. Eat Maror (Bitter Herbs)

Parents are obligated to train each child of *chinuch* age to eat a *k'zayis* of bitter herbs.[30] Since it is difficult for children of *chinuch* age to eat a *k'zayis* of horseradish, it is advisable to give another halachically acceptable type of bitter herbs (e.g. romaine lettuce or endives) to children for the performance of this *mitzvah*.

Children who have reached the age of *chinuch* must be trained to eat *korech* — the sandwich of *matzah* and *maror*.

4. Drink Four Cups of Wine

Children who have reached the age of *chinuch* should be given four cups of wine (or grape juice) to drink at the appropriate points during the *seder*.[31] A child's cup, just as an adult's cup, must be large enough to hold a *revi'is* of

---

25. ש״ע סי׳ תע״ה ס״א.

26. עיין בסוף הספר.

27. ששכה״כ פ״ל הערה ס׳, חינוך ישראל דף קד.

28. הנ״ל.

29. פשוט הוא.

30. שלחן ערוך הרב ס׳ תע״ב סכ״ה.

31. ש״ע ס׳ תע״ב סט״ו וחק יעקב ס״ק כ״ז.

wine.[32] Adults are obligated to drink the greater portion of a *revi'is* of the four cups. Children, however, must only drink a cheekful.[33]

5. Eat the Afikoman

Children who have reached the age of *chinuch* must be trained to eat the *afikoman*.

It is customary for adults to eat two *k'zaysim* of *matzah* for *afikoman*. Children, however, are only required to eat one *k'zayis*.[34]

6. Recite Hallel

A child who understands the concept of praising *Hashem* for redeeming us from the Egyptian bondage should be trained to recite the *Hallel* at the *seder*.

הֲסִיבָּה — Reclining

All men are required to recline on their left side while eating and drinking the four cups of wine. Boys who perform these *mitzvos* should be taught to similarly recline.[35]

Counting the Omer

Beginning on the second night of Pesach is the *mitzvah* of *Sefiras HaOmer*, the counting of the *omer*.[36] Parents are obligated to train children who have reached the age of *chinuch*[37] (approximately 6 or 7) in this *mitzvah*. If a child forgot to count the *omer* the entire night, he counts during the

---

32. מ״ב ס׳ תע״ב ס״ק מ״ז.

33. כ״כ בספר אוצר ההלכות דף קעג ס״ק טו.

34. בספר סידור פסח כהלכתו פ״ב הערה 26 כתב וז״ל בשאלת מה נשתנה שואל הבן [עיקר מה נשתנה הוא לקטנים] הלילה הזה כלנו מסובין, נראה מכאן דגם הקטן אוכל בהסיבה וכ״כ בבן איש חי פרשת צו אות כח וקטנות לכאורה א״צ לחנכם להסב דגם נשים גדולות אין חייבות בהסבה, ולבסוף כתב דאם קשה להם (להקטנים) להסב א״צ להסב, עכ״ל. ועי״ע בזה במועדים וזמנים ח״ג דף רנז.

35. ש״ע סי׳ תפ״ט ס״א.

36. שערי תשובה סי׳ תפ״ט ס״ק ך.

37. ש״ע ס׳ תפ״ט ס״ז ומ״ב ס״ק ל״ג.

daytime without a *brocha*.[38] On subsequent nights, he counts
with a *brocha*. However, if he forgot to count the *omer* the
entire day and did not remember until the following evening, he
should count on all the subsequent days, but without a *brocha*.[39]

If a boy becomes *bar mitzvah* during *Sefiras HaOmer*, he
continues to count with a *brocha*, provided that he counted
with a *brocha* every night prior to his *bar mitzvah*.[40]

---

38. הנ״ל.

39. ש״ע ס׳ תפ״ט ס״ח ומ״ב ס״ק לה, וראיתי בספר סידור פסח כהלכתו דף קסב
שכתב וז״ל קטן ששכח באחד מימי הספירה ולא ספר יכול לספור בשאר הימים
בברכה משום חינוך, ואם הוא גדול קצת ומבין ההלכות, לא יברך בשאר הימים
עכ״ל וצע״ק.

40. כן סברו הרבה אחרונים ע׳ בשו״ת כתב סופר או״ח ס׳ צ״ט ובשו״ת מהר״ם שיק
סימן ר״ס ובערוך השלחן ס׳ תפ״ט ס״ק טו. וטעמם דכיון שספר מקודם מטעם חינוך
יכול לברך מכאן ולהבא. וע׳ אריכות בזה בשו״ת להורות נתן ח״א ס׳ כ״ה ובחינוך
ישראל דף נח.

29 / The Three Weeks

The three weeks between the seventeenth day of *Tamuz* and the ninth day of *Av* (Tishah B'Av) were established as a period of mourning for the destruction of the *Bais HaMikdash*.[1] The mourning period is divided into four time-periods: 1. From the seventeenth day of *Tamuz* until *Rosh Chodesh Av*; 2. from *Rosh Chodesh Av* until the day preceding Tishah B'Av; 3. the day preceding Tishah B'Av and 4. Tishah B'Av. The rules of mourning become more restrictive in each succeeding period.

I. Laws for the Period From the Seventeenth Day of Tamuz Until Rosh Chodesh Av

A. Fasting on the Seventeenth Day of Tamuz

Children below the age of *bar mitzvah* or *bas mitzvah* are not obligated to fast.[2] However, once a child understands the concept of mourning (i.e. seven or eight years old depending on

---

1. רמב״ם פ״ה מהלכות תענית הלכה ב וז״ל ושבעה עשר בתמוז חמשה דברים אירעו בו. נשתברו הלוחות, ובטל התמיד מבית ראשון, והובקעה ירושלם בחורבן שני, ושרף אפוסטומוס הרשע את התורה. והעמיד צלם בהיכל עכ״ל.

2. ע׳ מ״ב תקנ״ב ס״ק ה׳ שכתב וז״ל וכן הקטנים שיש להם דעת להתאבל אע״ג שאין מחוייבין לחנכם אפי׳ בן י״ב שנה ואפילו בתענית שעות מ״מ ראוי לחנכם שלא יאכלו רק כדי קיום הגוף. [ובשער הציון ס״ק ה׳ כתב דמקורו מהחיי אדם כלל קלג הלכה ו׳] וכן סובר הערוך השלחן בס׳ תקנ״ד סעיף ז׳ ועפ״ז כתבנו ההלכה בפנים. אבל יש פוסקים שסוברים שיש לחנכם בתענית שעות והם: הבית הלל ביור״ד ס׳ רס״ה הובא בכף החיים ס׳ תקנ״ד ס״ק כג, סידור היעב״ץ (דיני ת״ב). שו״ת דברי מלכיאל ח״ה סי׳ ק״ל. וע׳ בשו״ת באר משה ח״ח ס׳ צ״ה שכתב דהמנהג שלנו הוא לחנכם להתענות איזו שעות עי״ש.

the intelligence of the child),[3] he or she should be taught to eat only basic foods, not delicacies or dainties.[4] Some have a custom to train children who have reached the age of *chinuch* to fast part of the day if possible.[5]

B. Haircuts

An adult may not cut any child's hair, regardless of age, from the seventeenth day of *Tamuz* until after Tishah B'Av.[6] If a child becomes three years old during the Three-Week period, the haircut should be postponed until after Tishah B'Av; alternatively, the child's hair should be cut before the seventeenth day of *Tamuz*.[7]

---

3. שו״ת אג״מ יור״ד ח״א סי׳ רכד.

4. מ״ב הנ״ל. וע׳ בשו״ת באר משה חלק ח׳ סימן ס׳ צ״ה.

5. ע׳ ציון 2.

6. ש״ע סי׳ תקנ״א סי״ד אסור לגדולים לספר לקטנים. וע׳ במ״ב ס״ק פ״א שכתב וז״ל דקטנים נמי שייך בהו חינוך אי משום אבילות או משום עגמת נפש. וע׳ בשעה״צ ס״ק צ״א ונ״מ בין הטעמים למי שהוא פחות מבן שש דלא הגיע עדיין לחינוך ומשום עגמת נפש אסור ע׳ בפמ״ג וח״א עב״ל.

מבואר מדבריו דיש תרי טעמי אמאי אסור לגדול לספר לקטן טעם א׳ משום אבילות ולכאורה האי טעמא שייכת רק לקטן שהגיע לחינוך, טעם ב׳ משום עגמת נפש והאי טעמא שייכת אף לקטן שלא הגיע לחינוך, והנה מקור להטעם של עגמת נפש נזכר ביור״ד סי׳ ש״מ סכ״ז קטן שמת לו מת מקרעין לו וכתבו הט״ז והש״ך דהטעם הוא משום עגמת נפש. ורש״י במועד קטן דף יד: כתב שיבכו הרואין וירבו בכבוד המת עכ״ל.

ולפ״ז לשונו של המ״ב אינה מדוייקת כ״כ שהרי הוא כתב דבקטנים נמי שייך חינוך וע״ז כתב תרי טעמי אמאי אסור לספרם ולכאורה רק לטעם הראשון (ר״ל אבלות) שייך הטעם של חינוך אבל לטעם השני שהוא משום עגמת נפש הרי זה לא שייך בכלל להקטן רק להגדול שכשיראה את הקטן בבגדים קרועים יהיה לו עגמת נפש.

ובערוך השלחן סי׳ תקנ״א ס׳ ל״א כתב טעם אחר אמאי אסור לספר לקטן וז״ל אלא דבזה יש חינוך ליראת ה׳ שהקטן כשישאל על מה זה יבינו לו עניין חורבן בית המקדש עכ״ל. ומדבריו מבואר דס״ל דהאיסור שייך רק בקטן שהגיע לחינוך.

7. ע׳ בספר נטעי גבריאל בין המצרים דף מה שהביא מספר שבעת תמרים על צוואת רבינו יהודה החסיד שמדינא שרי לצורך מצוה, אך מאחר שיכול להשהות התגלחת עד אחר ת״ב אין להתיר לגלחו. וכ״כ בספר משנת יעקב ס׳ תקנ״א בשם כ״ק אדמו״ר מסאטמאר זצ״ל. ועי״ש שהביא משו״ת תורת יקותיאל [קמא] סמ״ז שסובר שמותר לגלח עד שבוע שחל בו ת״ב עי״ש.

C. Music

Children who have reached the age of *chinuch* (i.e. seven or eight years old) should not listen to music during the entire Three-Week period.[8]

II. The Laws of the Nine Days

The laws pertaining to the period from *Rosh Chodesh Av* are more stringent that those for the period from the seventeenth day of *Tamuz* until *Rosh Chodesh Av*.

A. Washing Clothes

Generally, one may not wash clothing during the Nine Days, even if the clothing will not be worn until after Tishah B'Av.[9]

Children's clothing that must be worn may be washed until the week of Tishah B'Av.[10] This rule also applies to children who have reached the age of *chinuch*.

During the week of Tishah B'Av, one may only wash clothing for children who constantly soil their clothes.[11]

---

8. שו״ת אג״מ או״ח ח״ד ס׳ כד אות ד׳.

9. ש״ע ס׳ תקנ״א ס״ג.

10. חיי אדם הובא במ״ב ס׳ תקנ״א ס״ק פ״ב.

11. רמ״א ס׳ תקנ״א סי״ד כתב וז״ל מיהו בגדים שמלפפין בהם הקטנים לגמרי שמוציאים בהם ריעי ומשתינין בהם הני ודאי משרא שרי ואפי׳ בגדי שאר קטנים נוהגים להקל עכ״ל ובפשטות מבואר מדברי הרמ״א דמותר לכבס בגדי קטנים אפי׳ כשאינן משתינין בהם דהרמ״א הוסיף המילים ואפי׳ בגדי שאר קטנים נוהגים להקל וכן מבואר בפמ״ג בא״א ס׳ תקנ״א ס״ק לט. אמנם הרמ״א לא כתב עד איזו גיל מותר לכבס בגדי קטנים.

איברא מכמה אחרונים מבואר דהרמ״א לא התיר לכבס רק בגדי קטנים שמלפפין אבל לא בגדי שאר קטנים יעויין בלבוש ס׳ תקנ״א סעיף יד שכתב וז״ל וכן אסור לכבס כסותן של קטנים שלא יסיח דעתו מן האבל ודווקא כסות של קטנים כגון בני ג׳ וד׳ שנים אבל בגדי הקטנים המטנפים עצמם ומוציאין רעי ומשתינים אותן הנהו משרי שרי לכבס שאין בכיבוס זה משום שמחה עכ״ל. הרי מוכח דהלבוש לא התיר רק לקטנים המטנפים עצמם ולא שאר בגדי הקטנים. וכן מבואר מדברי הערוך השלחן שכתב בסעיף טו וז״ל דאסור לגמרי לעסוק בכיבוס מן ר״ח ואילך לבד בגדי קטנים שמלפפין אותן דבהכרח לכבס בכל יום עכ״ל. וע׳ בחיי אדם כלל קל״ג סי״ח י׳ שכתב וז״ל אבל בגדים שמלפפין בהם קטנים לגמרי שמוצאין רעי ומשתינין בהם מותר וכן שאר בגדי קטנים בני ב׳ וג׳ שנים נוהגים להתיר עכ״ל.

Repairing Garments

One is permitted to repair torn garments during the Nine Days.[12]

B. Eating Meat and Chicken

Beginning with *Rosh Chodesh Av* until after Tishah B'Av (i.e. the tenth day of Av), it is the Ashkenazic custom not to eat meat, chicken,[13] or any food with cooked meat (i.e. soups) even if no meat is actually present[14] (e.g. stew), and not to drink wine[15] or grape juice.[16] [Sefardim practice these restrictions only during the week of Tishah B'Av.]

Healthy children from the age of three years old[17] should also follow the above custom. Therefore, adults may not feed children any of the aforementioned food items. If the child is unhealthy, or will not eat any other food, one is permitted to feed the child meat or chicken.[18]

ולכאורה משמע מדברי החיי אדם דזה שכתב הרמ״א דאפי׳ בגדי שאר קטנים נוהגים להקל היינו לומר דבהני קטנים שמלפפין את בגדיהם מותר לכבס שאר בגדיהם. אבל הרמ״א אינו בא להתיר לכבס בגדיהם של שאר קטנים שאינם מלפפין את בגדיהם וצ״ע.

12. כף החיים ס׳ תקנ״א ס״ק ק״ז.

13. שו״ע ס׳ תקנ״א ס״ט. והטעם כתב בערוך השלחן ס׳ תקנ״א סכ״ג וז״ל מדינא דגמרא אין איסור באכילת בשר רק בערב ט״ב וכו׳ אבל כבר קבלו אבותינו זה הרבה מאות בשנים שלא לאכול בשר ושלא לשתות יין מן ר״ח אב עד אחר ט״ב לבד מיום השבת לזכר הקרבנות והנסכים שנתבטלו בעונותינו.

14. מ״ב שם ס״ק סג.

15. שו״ע ס׳ תקנ״ט ס״ט.

16. כן שמעתי בשם מרן הגר״מ פיינשטיין זצ״ל.

17. מה שכתבתי דעד גיל ג׳ שנים לא שייך האיסור כ״כ הגאון ר׳ שלמא זלמן ברוין שליט״א הובא בשו״ת רבבות אפרים ח״א ס׳ שעא.

18. בהאי דינא נחלקו הפוסקים, המג״א בס׳ תקנ״א ס״ק לא והחיי אדם סי׳ קל״ג הלכה טז כתבו שאין איסור רק בקטן שהגיע לחינוך דהיינו שיודע להתאבל על ירושלים, אבל הדגול מרבבה בס׳ תקנ״א על מש״כ הרמ״א שם בס״ו ומצניעים מר״ח ואילך הסכין של שחיטה כתב וז״ל ומשמע דגם לקטנים אסרו לאכול בשר דאל״כ למה סתם וכתב שמצניעין סכין של שחיטה ושלא כהמג״א בס״ק לא עי״ש וכן פסק הא״ר ס׳ תקנ״א ס״ק כ״ד והערוך השלחן ס׳ תקנ״א סכ״ו והמ״ב שם

If a child is eating a Shabbos meal Friday afternoon (i.e. after *plag haMinchah*, see p. 58), one is permitted to feed the child meat or chicken.[19]

C. Swimming

Children who are of the age of *chinuch* should follow the adult custom and not swim during the Nine Days.[20]

D. Bathing

Generally, one is not permitted to shower or bathe during the Nine Days.

בס״ק ע ובשו״ת אג״מ או״ח ח״ד ס׳ כ״א ס״ק ד. והטעם שאסרו הני פוסקים כתב הא״ר הנ״ל דהוא דומה להא דאסור לספר לבניו בסי״ד עכ״ל ושם כתב המ״ב בס״ק פא תרי טעמי דאסור או משום אבילות או משום עגמת נפש, ובשעה״צ ס״ק צ״א כתב ונ״מ בין הטעמים למי שהוא פחות משש דלא הגיע עדיין לחינוך ומשום עגמת נפש אסור עכ״ל.

עכ״פ כל הני פוסקים שאסרו לגדול להאכיל לקטן שלא הגיע לחינוך ע״כ נקטו הטעם משום עגמת נפש [ר״ל עגמת נפש לגדול]. [ואגב צ״ע בשיטת הערוך השלחן דבס׳ תקנ״א סכ״ו החמיר דאפי׳ קטנים שלא הגיעו לחינוך שלא לאכול בשר בט׳ ימים ולכאורה דבריו צ״ע דכל המקור של הני פוסקים שאסרו להאכיל קטן שלא הגיע לחינוך הוא מהדין דאסור לספר את הקטן (ע׳ לעיל), והערוך השלחן בס׳ לא כתב וז״ל אסור לגדולים לספר לקטנים ואע״ג דאין אבלות לקטן זהו בסתם אבלות אבל באבלות דרבים שהוא זכרון לחורבן בית קדשינו ראוי לחנך הקטנים וכו׳ אלא דבזה יש חינוך ליראת ה׳ שהקטן כשישאל על מה זה יבינו לו ענין חורבן בית המקדש עכ״ל. הרי דס״ל דרק קטן שהגיע לחינוך אסור להסתפר וא״כ האיך אסר לקטנים שלא הגיעו לחינוך לאכול בשר וצ״ע.

19. שו״ת אג״מ או״ח ח״ד ס׳ כ״א אות ד׳ וז״ל ובדבר להאכיל לקטנים בע״ש אחר חצות בשר בט׳ הימים אין שום טעם להתיר זה דמ״ש הם מגדולים בשביל כבוד שבת ואם מחנכין אותם באיסור אכילת בשר כדאיתא במ״ב בס״ק ע שאף לתינוקות אין מאכילין בשר כהדגמ״ר ליכא טעם שיהיו מותרין להאכילם בע״ש אחר חצות, ורק אם עדיין לא הרגילום לחכות בימי הקיץ עד אחר מעריב אלא מאכילין אותן סעודת שבת בשעה או כשתי שעות קודם קבלת שבת יכולים אז להאכילן בשר עכ״ל ועפי״ז כתבנו ההלכה בפנים אבל באליהו רבה ס׳ תקנ״א ס״ק כ״ד הובא בכף החיים ס״ק קנ״ה כתב שמותר להאכיל לקטנים ע״ש אחר חצות וטעמו כיון שיש קצת קדושת שבת אחר חצות מותר עי״ש.

20. נטעי גבריאל דף צא הלכה ז. וכתב שם דאפי׳ קטן שלא הגיע לחינוך לא ילכו לבריכת שחיה (swimming pool) אמנם שמעתי מהגאונים ר׳ ח.פ. שיינבערג שליט״א, ור׳ יחזקאל ראטה שליט״א דקטני קטנים מותרים לשוח בט׳ ימים עד ערב תשעה באב.

However, it is permitted to bathe or shower children in order to remove dirt or perspiration.[21]

E. Havdalah During the Nine Days

Some have a custom to give the *havdalah* wine to a child to drink. The child who drinks must have reached the age of *chinuch* in reciting *brochos* [see above, p. 21], but not the age of understanding the concept of mourning, i.e., seven or eight years of age.[22] When the child drinks the wine, care must be taken that he does not recite his own *brocha* בּוֹרֵא פְּרִי הַגָּפֶן, since an adult recited the *brocha* only on the child's behalf.[23] If a child this age is not present, then an older child should drink the wine.[24] If a child is unavailable, the adult himself should drink the wine.[25]

III. The Laws of Tishah B'Av

A. Fasting

Children are not obligated to fast on Tishah B'Av until they reach adulthood.[26] However, once they have reached the age of understanding the concept of mourning (i.e. seven or eight years of age), they should be taught to eat only basic foods, not delicacies or dainties.[27] Some have a custom to train children who have reached the age of nine to fast part of the day, if possible.[28]

---

21. ע׳ בשו״ת קנה בשם ח״א סל״ב. וע׳ בשו״ת אג״מ אבהע״ז ח״ד סי׳ פ״ד ס״ק ג שכתב וז״ל אם ביום חום מותר לרחוץ אחר ר״ח אב עד עת״ב מאחר שמכונים להסיר הזיעה ולא מחמת תענוג באמת יש להקל.

22. מ״ב ס׳ תקנ״א ס״ק ע.

23. פשוט הוא דאל״כ ברכת בורא פרי הגפן של הגדול הוא לבטלה.

24. א״א מבוטשאטש ס׳ תקנ״א, ערוך השלחן ס׳ תקנ״א סכ״ו.

25. רמ״א ס׳ תקנ״א ס״י.

26. בשו״ת אבני ישפה או״ח ס׳ קט״ו כתב וז״ל לא צריכים לחנך ילדים לשעות אפי׳ בת״ב. כ״מ מבה״ל ס׳ תק״נ דלא חילק וע׳ דעת תורה תקנ״ד ס״ו. וכן נראה מדברי הא״ר ס׳ תקמ״ט ס״ק ז׳ שהוא מקור דברי הפמ״ג ובה״ל, שדבריו סובבים על דברי הלבוש שמדבר בכל הארבעה הצומות עכ״ל וע׳ לעיל ציון 2.

27. מ״ב ס׳ תק״נ ס״ק ה.

28. שו״ת באר משה ח״ח סי׳ צ״ה.

B. Learning

It is prohibited to teach children their regular Torah studies on Tishah B'Av. Some *Poskim* rule that one may teach children the same subject matter that adults may study, i.e. *Iyov, Eichah*, the evil tidings of *Yirmiyah*, etc.[29]

C. Wearing Shoes

Children who have reached the age of understanding the concept of mourning (i.e. seven or eight) should be trained to wear non-leather shoes on Tishah B'Av.[30] However, nowadays the custom is that even children below that age do not wear leather shoes.[31]

D. Havdalah When Tishah B'Av Falls on Motzaei Shabbos

Some authorities rule that a minor who reached the age of *chinuch* in the *mitzvah* of *havdalah* (i.e. six or seven) should recite *havdalah* prior to eating on Tishah B'Av which occurs on Sunday.[32] When reciting *havdalah* on Sunday the child only recites the *brochos* בּוֹרֵא פְּרִי הַגָּפֶן and ...הַמַּבְדִּיל.

---

29. מ״ב ס׳ תקנ״ד ס״ק ב׳.

30. שו״ת אג״מ יור״ד ח״א סוף ס׳ רכד. וע׳ בחכמת אדם כלל נ״ב סי״ז שכתב וז״ל ועוד נ״ל דע״כ אין בו מצות חינוך שהרי אפי׳ ביום כפור מותרין בכל אלו חוץ מן נעילת הסנדל, ובתשעה באב לא מצינו שיהיה חייב לחנך אפי׳ בנעילת הסנדל וצ״ל דכיון דהוא דברי שיש בו משום צער לא גזרינן בתינוק עי״ש.

31. כן הוא מנהג העולם.

32. כ״כ בשו״ת מהרי״ל דיסקין קונטרס אחרון סימן ה׳ ס״ק ע״ב נסתפקתי בחולה שאוכל אם צריך להבדיל תחלה, וכן נראה. אך קטן י״ל למ״ש בסימן תקנ״ט דאתי למיסרך [ר״ל שגם כשיגדיל יבדיל], אבל י״ל דשם סריך לחיובא, אבל כאן יאמרו לו דתלי באכילה שאינו חיוב רק שנאסר לאכול קודם, ולא צריך גדלותו כי היכא דפורש מאכילה, ה״נ לא יאכל בלי הבדלה עכ״ל. מבואר מדבריו דקטן צריך להבדיל קודם שיאכל, וכן כששאלתי את פי מרן רשכבה״ג מרן הגר״מ פיינשטיין זצ״ל בשנת תשמ״ג אמר לי מרן זצ״ל דחייבים להבדיל. [אבל לאחרונה ראיתי בספר הזכרון תורה והוראה להגר״מ פיינשטיין זצ״ל שהגאון ר׳ דוד פיינשטיין שליט״א כתב שם ששאל את אביו אם קטנים חייבים להבדיל והשיב לו פוק חזי מאי עמא דבר].

ודעת הגאון ר׳ יוסף שלום אלישיב שליט״א הובא בשו״ת רבבות אפרים ח״ג סי׳ שע״א שאינן צריכין להבדיל עי״ש. וכן פסק בשמירת שבת כהלכתה חלק ב׳ פרק סב הלכה מה.

30. Miscellaneous

I. Interacting With Others

Parents are obligated to train their children to avoid swearing or making promises.[1] In addition, they must emphasize to their children the inviolability of telling the truth.[2] They must also teach their children not to use other people's property without first obtaining permission.[3] Parents must stop their children from talking *lashon hara* (gossip and slanderous talk).[4] In all these areas, parental example is the best teacher.

II. Child Kohen

If a male child *Kohen* of *chinuch* age is in a house with a Jewish corpse, his parents are obligated to tell him to leave the house. It is forbidden for *anyone* to bring any child *Kohen*, regardless of his age, into a house containing a Jewish corpse.[5]

III. Mourning

Parents are not obligated to train children of *chinuch* age in the observance of the laws of mourning. Likewise, the laws of *aninus* (the period from the moment of death until burial) do not apply. Accordingly, the child is permitted to eat meat and drink wine. Furthermore, an adult *onen* is permitted to feed the child meat and wine.[6]

---

1. רמב״ם פי״ב מהלכות שבועות הי״ז.
2. מ״ב סי׳ שמ״ג ס״ק ג.
3. חינוך ישראל דף קמח.
4. מ״ב סי׳ שמ״ג ס״ק ג.
5. מ״ב סי׳ שמ״ג ס״ק ג.
6. שדי חמד אנינות אות יד.

Similarly, the laws pertaining to *aveilus* (i.e. *shiva, shloshim* and the twelve months of mourning) are not applicable to children.[7]* Therefore, a child who has lost a relative for whom one normally mourns should attend yeshiva during the period of *shiva*.[8] Furthermore, the child's clothing may be washed, and the child may be given a haircut by others who are not sitting *shiva*.[9] There is one exception, however, to the general rule stated above. The law of *kriah* (rending the garment) applies to all children. If the child is of the age of *chinuch* (i.e. capable of comprehending that a family member died and that tearing one's garment is a sign of grief), some *Poskim* rule that one should help the child tear his garment in a fashion similar to an adult's tear (i.e. a *tefach*).[10] If a child is younger than the age of *chinuch*, a small tear should be made on the child's garment.[11]

Reciting Kaddish

A child whose parent died must recite the *Kaddish* regardless of age. If the child does not want to recite the *Kaddish*, he should be encouraged to do so. An adult is permitted to assist the child by saying each word and having the child repeat after him.[12]

---

*Note: The *halachos* relating to a child who becomes *bar mitzvah* during the period of *shiva* are complex and beyond the scope of this book.

---

7. ע׳ אריכות בזה בספר חינוך ישראל דף קלד. וע׳ בשו״ת אג״מ יור״ד ח״א סי׳ רכ״ד שכתב וז״ל ולכן להלכה באבלות שהלכה כדברי המיקל אין לחייב לקטן עכ״ל ועיי״ש.

8. ש״ע יור״ד שפ״ד ס״ה וש״ך ס״ק ה.

9. ש״ע יור״ד ס׳ שפ״ט ס״ב.

10. ש״ע סי׳ ש״מ סכ״ז, ט״ז ס״ק ט״ו, נה״כ ס״ק ט״ו, ערוך השלחן סי׳ לד, ועוד. ומרן זצ״ל באג״מ יור״ד ח״א סי׳ רכ״ד כתב וז״ל ובקריעה היה יותר ראוי להחמיר לחייב לקרוע לקטן שהגיע לחינוך אבל אלו המקילין גם בקריעה שלא לחייב בחינוך יש להם ג״כ על מי לסמוך.
אמנם יש פוסקים שסוברים שאין קורעין אפי׳ לקטן שהגיע לחינוך הגהות חכמת שלמה סי׳ ש״מ ס׳ כז, משמרת שלום אות ז׳ ס״ק כז, ועוד.

11. ש״ע יור״ד סי׳ ש״מ סכ״ז.

12. רמ״א סוף סי׳ שע״ו. וע׳ בספר כל בו באבילות דף שעג ציון 29.

IV. Gentile Babysitter — Housekeeper

There are several problems when one has a gentile house-keeper or babysitter. We will only highlight the problems in order to sensitize the reader to the issues. A more detailed discussion is beyond the scope of this book. One should consult a competent *halachic* authority.

A. Bishul Akum

Our Sages prohibited partaking of certain foods prepared by a gentile. This prohibition is referred to as *bishul akum*.[13] The prohibition is not applicable to all foods prepared by a gentile. Food that is generally consumed in both raw and cooked states (fruit, water, coffee,[14] etc.) may be eaten if it was cooked by a gentile.[15]

Furthermore, the prohibition only applies to food that "is served on the table of kings" (i.e. is included in a formal meal of state).[16] The parameters of this limitation will vary from one country to another and one culture to another culture.

The *Poskim* state that if a Jew participates in the cooking process, the prohibition of *bishul akum* does not apply. One must consult with a competent *halachic* authority to determine the extent of Jewish participation necessary.

B. Keilim — Utensils

Pots and dishes that were used by a gentile to cook food (see above regarding which foods) are included in the prohibition of *bishul akum*. This prohibition applies even if the cooked food is kosher.[17]

---

13. ש״ע סי׳ קי״ג ס״א. וע׳ פ״ת ס״ק א לענין בישול מומר לחלל שבתות.

14. הנ״ל.

15. ערוך השלחן סכ״ב וכ״ג, שו״ת באר משה ח״ד סי׳ נ. וע״ע בזה בדרכי תשובה ס״ק ב ויג.

16. ש״ע יור״ד סי׳ קי״ג ס״א.

17. ש״ע יור״ד סי׳ קי״ג סט״ז.

Furthermore, Hagaon Rav Moshe Feinstein *zt"l* prohibits one
to leave a gentile maid alone in the house because she may
render the dishes non-kosher (i.e. *treif*), either by using her own
non-kosher food or by mixing the meat and dairy dishes and
pots while cooking.[18] There are several methods one may
employ in order to avoid the aforementioned problems. There-
fore, one must consult a *halachic* authority.

C. Foods

Similarly, one may not leave a gentile alone with food
because the food may be exchanged for non-kosher food. This
only applies to food that is not distinguishable from non-kosher
food (e.g. chopped fish, pieces of meat without any tags).
However, the *Poskim* state that if the gentile has nothing to
gain by exchanging the food, one does not suspect that the
gentile deliberately exchanged the food.[19] Unfortunately, this
assumption is not always valid. Therefore, a competent *halachic*
authority must be consulted for guidance.

D. Stam Yaynom

Stam yaynom is the term applied to wine produced by a
gentile, or wine left in the jurisdiction of a gentile, which the
gentile may have moved. Our Sages prohibited both types of
wine in order to curtail social drinking with gentiles, something
they feared would have negative consequences, including
intermarriage.

One may not drink *stam yaynom*, and under certain
circumstances one may not derive any benefit therefrom. If the
wine is properly sealed, the wine may be left with a gentile.
Therefore, no problem exists regarding an unopened bottle of
wine which is sealed.[20]

---

18. שו״ת אג״מ יור״ד ח״א סי׳ סא.

19. ש״ע יור״ד ס׳ קי״ח ס״י. וע׳ בשו״ת רב פעלים או״ח ח״ד ס״ו שהאריך בענין
בישול עכו״ם ולבסוף כתב וז״ל ומי שיש לו מח בקדקדו יבין כמה תקלות יצא מזה
אעפ״י שהישראל יוצא ונכנס עכ״ל.

20. ע׳ בכל זה בספרי כבוד ועונג שבת דף 47.

Cooked wine is excluded from the prohibition of *stam yaynom*. According to Hagaon Rav Moshe Feinstein *zt"l*, wine that was brought to a temperature of 175 degrees Fahrenheit is considered cooked regarding the issue of *stam yaynom*.[21]

V. Paying a Babysitter for Shabbos

Situations often arise in which one must engage the services of a babysitter for Shabbos.

Paying a Jewish Babysitter for Shabbos

Our Sages prohibited *s'char Shabbos* (i.e. payment for work performed on Shabbos). Accordingly, one is forbidden to receive payment for services performed on Shabbos.[22] Therefore, an individual who babysat on Shabbos is forbidden to receive money for her services rendered on Shabbos. If payment was made for the services rendered, the recipient is prohibited from deriving any benefit from the money earned on Shabbos.[23]*

Permissible Methods of Paying a Jewish Babysitter

A. One is permitted to tell the babysitter that he or she will receive a gift for watching the children.[24] However, it must be clear to both parties that the present is not a payment for the services, but an actual gift. Accordingly, the babysitter may not demand the gift.[25]

B. Our Sages only prohibited payment for services performed on Shabbos. However, if the payment for Shabbos is part of a general debt (which includes other payments), one may take the

---

*Note: One may not compensate a Jew for services performed on Shabbos because he is contributing to the transgression of a fellow Jew.

---

21. אג"מ יור"ד ח"ב סי' נב.

22. ש"ע או"ח סי' ש"ו ס"ד.

23. ש"ע או"ח סי' רמ"ה ס"ו, שע"ה שם סי"ט.

24. מ"ב סי' ש"ו ס"ק כד.

25. כן שמעתי מהגאון ר' ח.פ. שיינבערג שליט"א.

full payment even though payment for Shabbos is included. This is referred to as שְׂכַר שַׁבָּת בְּהַבְלָעָה.[26]

One must consult a *halachic* authority to know how to apply this leniency of שְׂכַר שַׁבָּת בְּהַבְלָעָה.

C. Alternatively, the babysitter can provide diapers, milk or some other item for which the employer must compensate the babysitter. The employer may then pay for the Shabbos service along with payment for the provided items.[27]

Paying a Gentile Babysitter

It is permissible to pay a gentile for services rendered on Shabbos. Therefore, a gentile babysitter may be paid for babysitting services rendered on Shabbos.[28]

VI. Shaatnez

One is not permitted to wear any type of garment which contains a mixture of wool and linen (*shaatnez*). The prohibition includes any method with which the two materials were combined (e.g. sewn, woven, tied, etc.).

It is forbidden to dress a child in clothing that contains *shaatnez*.[29] Therefore, children's clothing must be checked to determine whether or not they contain *shaatnez*.

---

26. ש"ע סי' ש"ו ס"ד ומ"ב. וע"ע בזה בששכה"כ פכ"ח סעיף ס'. וע"ע בזה במגילת ספר סי' פ"א ס"ק ד.

27. ע' בזה בשו"ת ויברך דוד ס' מא.

28. ע' בזה בספר מגילת ספר סי' פא ס"ק ו. וכן שמעתי מפוסקי זמנינו שליט"א.

29. אשל אברהם בגליון השלחן ערוך או"ח סי' שמ"ג. וע' בשו"ת עונג יו"ט הובא בספר חינוך ישראל דף רה דאף לשיטת הרשב"א שס"ל שמותר לספות איסור דרבנן לצורך קטן מ"מ אסור להלביש בידים בגד שעטנז דרבנן לקטן. וע"ע בזה בשו"ת מנחת יצחק ח"ב סי' ק"ח, ובשו"ת וישב משה ח"א סי' כ"ח.

בֵּיאוּרִים

בֵּיאוּרִים

Chapter 1

5. וע׳ בחידושי רבי ראובן עמ״ס סוכה סוף סימן א׳ שכתב חידוש גדול בענין החיוב חינוך של אב על בנו וז״ל, יש חילוק בין חיוב חינוך דהאב לחיוב חינוך דאחרים והנפק״מ בזה בענין מדירי׳ בנזיר. דהנה ר״ל בנזיר דף כ״ט חידש לנו דמשום דמצוה לחנכו במצוות האב יכול להדירו בנזיר אעפ״י שהבן שותק (עיין תוס׳ ורמב״ם שם) והנה לקבל נזירות על עצמו אינו יכול אלא בעל הדבר בעצמו והיאך יכול האב לקבל נזירות על בנו משום מצות חינוך שעליו. וצ״ל שחיוב החינוך שעל האב בבנו היינו שעשאוהו כמותו שיהי׳ כמו הבן לענין חינוך מצוות, דהא משמע שהוא נענש על חטאי הבן מדמברכינן ברוך שפטרני מענשו של זה, וכמו לענין פדיון שעיקר המצוה היא על הבן והאב במקומו לשלם חובו כמו שכתב הריב״ש סי׳ קלא וכמו שהאב צריך להתענות בשביל בנו הבכור בערב פסח, ומשום שעשאוהו כמותו משו״ה יכול להדירו בנזיר. אבל זה הדין אינו אלא באב בבנו וכמו שמצינו מצות הבן על האב גם מן התורה אבל אחרים אפילו לשיטת התוס׳ בשבת אין עליהם אלא מצוה לחנכו אבל אינם כמותו שיוכלו להדירו בנזיר. וה״ט נמי במצות האב בבתו ומצות האם דאע״ג שחייבום חכמים בחינוך אפילו לפי שיטת הר״י והרמב״ם כיון שהולידום אבל הא שעשאוהו כמותו והם נענשין על חטאו אין זה אלא האב בבנו וכמו בחיובי התורה דמצות הבן על האב שלא מצאנוהו אלא על האב בבנו וכמו שראינו שאינו מברך ברוך שפטרני אלא האב בבנו (ועיין פמ״ג סי׳ רכ״ה באשל אברהם סק״ה) וה״ט שחילקו בבתו בין נזירות שאינו יכול להדירה ובין שאר מצוות שחייב לחנכה וה״ט נמי באמו לשיטת התה״ד והמאירי דבשאר מצוות חייבת בחינוך אע״ג דאר״ל שאינה מדירה בנזיר [ויהי׳ צרוך לומר דמה דאמר אינה חייבת לחנך בנה במצוות ר״ל שאינה נענשת על זה אעפ״י שהוא קצת דוחק] ולפי״ז הא דהאב צריך ליקח לו לולב בדמים ולא אחרים נמי י״ל שזהו משום דהוי כמצות הבן שעל האב שחייב גם להוציא ממון על זה אבל אחרים דווקא בלא ממון ולהנ״ל י״ל דבבתו וכן אמו אינה צריכה להוציא ממון על זה, עכ״ל.

14. וראיתי שיש מקשים על דברי המ״ב שדבריו סתרי אהדדי, מדבריו שהוזכרנו לעיל להא שכתב בסימן תרנ״ח ס״ק כ״ח שתמן הביא מחלוקת האם קטן יוצא ידי המצוה של ד׳ מינים בשאול וממשמעות דבריו שם משמע שסתם כשיטות הסוברים דקטן יוצא חיוב נטילת הד׳ מינים בשאול, והרי לכ״ע גדול אינו יוצא בשאול שהרי ילפינן מקרא דכתיב לכם שפסול בשאול כדאיתא בסימן תרמ״ט ס״ב וא״כ איך אפשר לחנך קטן בד׳ מינים שאולים הא צריכין לחנכו דווקא באופן שהגדול יוצא בזה ידי מצוה כדפסק המ״ב בעצמו בביאור הלכה בס׳ תרנ״ז הובא לעיל. וע׳ בספר אשר לשלמה ח״ג ס״ב מה שכתב בזה.

ונראה לתרץ עפ״י מאי שראיתי בספר משפטיך ליעקב סימן ז׳ וז״ל ואפי׳ לפי מה שצידד כ״ק אאמו״ר ז״ל בספרו ערוגת הבושם ס׳ קצ״ו אות ו׳ דקטן לא בעי לכם, היינו בדבר של״ש לגוף קיום המצוה כמו לכם דהקטן אינו יודע לחלק בין אם הלולב שלו או שאול, אבל בדבר דשייך לגוף המצוה כבנ״ד תפלה בציבור פשוט כביעא בכותחא דמחייבין לחנוך הקטן להתפלל בציבור כמו בגדול והחילוק פשוט וקל להבין עכ״ל. ולפי זה שפיר מיושב סתירת המ״ב דמה שפסק בס׳ תרנ״ז דבעינן ד׳ מינין כשרים לקטן כמו בגדול היינו לאפוקי יבש או נקטם ופסולים הניכרים להקטן דאינם החפצא והמין שהגדול יוצא בהם ידי מצוה, משא״כ הפסול שאול שבו קאי המ״ב בס׳ תרנ״ח דליכא שום היכר בהחפץ והקטן לא ירגיש בו בהאי פסול כלל דלאו מין אחר הוא, כה״ג סובר להמ״ב דקטן יכול ליטלו ונתקיים בו מצות חינוך.

16. ושיטת רש״י בנוגע מתי מתחיל החיוב לחנך קטן במצות תמוה דבברכות דף טו: כתב רש״י בד״ה בד״א וז״ל הגיע לחנוך במצות כגון תשע ובן עשר כדאמרינן ביומא דף פב. עכ״ל [ר״ל דילפינן זמן החינוך לכל המצות מאימתי מתחיל החיוב לחנך קטנים ממצות עינוי דיום כפור]. וכ״כ רש״י במסכת מגילה דף יט: ד״ה בד״א. אולם רש״י במסכת אבות פרק ה׳ משנה כג בד״ה בן שלש עשרה למצות בא״ד כתב וז״ל אבל היכא דידענין ליה בבירור דאכתי לא מייתי ב׳ שערות לשלש עשרה אינו נזקק למצות מן התורה אלא בחינוך מדרבנן בעלמא דמחנכי להן לרביא כבר שית כבר עשר עכ״ל. ולכאורה כוונתו במה שכתב דזמן חינוך הוא גיל שית או גיל עשר הוא עפי״מ דאיתא במסכת גיטין דף נא. דעונת הפעוטות הוא מגיל ו׳ עד גיל י׳ כל חד וחד לפום חורפיה, הרי מבואר מדבריו דזמן חינוך יכול להתחיל מגיל ו׳ ובברכות כתב רש״י דבפחות מבן תשע לא מתחיל חיוב חינוך, והרי דבריו סתרי אהדדי.

ועוד צ״ע דדעת רש״י באבות הנ״ל משמע דזמנו של חינוך אינו מתחיל עד שהקטן מגיע לעונת הפעוטות, ובגמרא סוכה שהבאנו לעיל מבואר דזמנו של חינוך מתחיל כשהקטן יודע לנענע את הלולב וזמן זה יכול להיות גם קודם גיל י׳ וצ״ע.

Chapter 9

7. בהאי דינא אם מותר לשלם שכר לימוד ממעות מעשר מצינו בזה מחלוקות בין הפוסקים. ואעתיק מקצת אחרונים שדנו בשאלה זו, בספר לקט יושר (כולל מנהגים ופסקי הבעל תרומות הדשן) חלק יור״ד עמוד 76 כתב וז״ל מותר ללמוד בנו ממעשרו תלמוד כי אדם חייב ללמוד מקרא ולא תלמוד כן כת׳ בגמרא קידושין דף כט: עכ״ל וכן פסק בשו״ת פרי יצחק ח״ב סי׳ כ״ז, אחר שהאריך לבאר שמותר לפרנס בניו שהם יתרים מחמש שנים ממעות מעשר כתב וז״ל וא״כ נראה דמכל שכן דמותר לתת ממעות מעשר לשכר לימוד לבנו בן ט״ו שנים דהא אינו מחויב ללמדו בשכר אלא תורה שבכתב ואינו חייב ללמדו בשכר משנה וגמרא וכו׳ ולפ״ז ה״ה דיכול לשלם שכר לימוד עבור בניו למשנה וגמרא כיון דדחיקא לי׳ שעתא ואף בדאפשר לו מצוה ללמדו משנה גמרא הלכה ואגדה מ״מ נראה כיון דאין כופין ע״ז ולא הוי חיוב רק מצוה לחודי׳ מותר לשלם ממעות מעשר וכו׳ א״כ ה״ה דיכול לשלם שכר לימוד עבור בנו ללמדו משנה וגמרא אף בדאפשר לי׳ וכנ״ל וכ״ז במעות מעשר עכ״ל מבואר מהני אחרונים דרק תורה שבעל פה שבזה חיובא על האב ללמד לבנו כיון שהוא דבר שבחובה אינו משלם ממעות מעשר אבל לימוד גמרא שבזה אין חיובא על האב ללמד לבנו כיון שאין זה דבר

שבחובה ממילא אפשר לשלם ממעות מעשר אמנם איכא לעיוני בזה מהא דאיתא בש״ע יור״ד ס׳ רמ״ה ס׳ ו׳ שכתב המחבר שם חייב ללמדו בשכר עד שיקרא תורה שבכתב כולה עכ״ל וכתב עלה הש״ך בס״ק ה׳ וז״ל משמע כל תנ״ך וכ״פ הב״ח והוסיף שם הש״ך דשלא כדין נוהגין העולם שלא ללמד את בניהם תנ״ך וכו׳ ואני אומר מנהגן של ישראל תורה היא שהרי כתבו התוס׳ וכו׳ שאנן סומכין אהא דאמרינן בסנהדרין ש״ס בבלי שבלול במקרא ובמשנה וש״ס אלמא דמשום הכי אינו חייב לשלש את שנותיו במקרא ואינו חייב ללמד עם בנו מקרא כיון שלמדו ש״ס עכ״ל מבואר מדברי הש״ך דטעמא דמילתא שאין אנו לומדים עם התינוקות כל התנ״ך משום דאנו סומכין במה שאנו מלמדים אותם ש״ס שנבלל בו מקרא ובזה מקיימין אנו לימוד התנ״ך. נמצא דאב שלא למד עם בנו כל התנ״ך מחויב הוא לשכור לו מלמד ללמדו גמרא כדי שילמד תנ״ך וא״כ גם לימוד הגמרא הוה דבר שבחובו וביארנו לעיל שדבר שחיובו על האב מעיקר הדין אין לשלם ממעות מעשר וצ״ע. והנה בשלחן ערוך הרב הלכות תלמוד תורה פ״א ס״ז ובספר אהבת חסד פי״ט כתבו דגם לימוד גמרא א״א לשלם ממעות מעשר ובשו״ת אג״מ יור״ד ח״ב ס׳ קי״ג כתב בטעם הדבר שא״א לשלם ממעות מעשר ללימוד משניות וגמרא [על לימוד מקרא כתב שם דהוה דבר שבחובה] וז״ל אבל במדינתנו כאן שמחוייבין מדינא דמלכותא ללמדם בבתי ספר שלהם ובחסדי השי״ת על ישראל איכא הרשות ללמדם בבתי ספר שתחת הנהלת ישראל כשרים ויראי ה׳ שנמצא שאם לא יתן בתו ללמוד בבית ספר כשר כהא דבית יעקב וכדומה להתחנך שם בדרך התורה והאמונה ושמירת המצות הרי יהיה מוכרח ליתן אותה לבית ספר של המדינה שהוא חס ושלום ללא תורה וללא אמונה, וכו׳ וממילא הוא דבר שבחובה וכו׳. ולבסוף מסיק אבל למעשה מה שראוי לפי פרנסתו לשלם זה אינו רשאי ליקח מכסף מעשר ואם מבקשים יותר יכול ליקח המותר מכסף המעשר וזהו גם בשכר לימוד דבנים עכ״ל, מבואר מדבריו דכל הטעם שאין יכולים לשלם שכר לימוד ממעות מעשר דהוה דבר שבחובה רק משום דדינא דמלכותא דינא מחייב שהקטנים ילכו לבתי ספר. ולכאורה בזמן שאין המדינה מחייב שהקטנים ילכו לבתי ספר יכולים לשלם שכר לימוד ממעות מעשר וצע״ק. ולכאורה אפי׳ להני שיטות דסברי דאסור לשלם שכר לימוד ממעות מעשר, כיון דכל השכר לימוד אינו רק עבור לימוד התורה, אלא גם עבור הוצאות אחרות כגון חשמל, אכילה, שינה, וכו׳ יתכן שעבור הוצאות אלו אפשר לשלם ממעות מעשר. ע׳ ש״ך יור״ד ס׳ רמ״ט ס״ק ג׳, ובשו״ת אג״מ יור״ד ח״א ס׳ קמג

Chapter 12

1. ע׳ בט״ז בס׳ שמ״ו סוף ס״ק ו׳ וז״ל משמע במרדכי שיש היתר להביא המפתח ע״י תינוק כמו ע״י עכו״ם ואע״ג דאיתא [ביבמות דף קיד] דנאבדו המפתחות וא״ר פדת לידבר תינוק לשם וימצאנו, משמע דאסור לעשות ע״י שיביא התינוק לשם כדאמרינן התם דליספו בידים אסור, התם מיירי ברשות הרבים שהוא דאורייתא אבל אנו אין לנו אלא כרמלית שהוא מדרבנן עכ״ל.

וע׳ בפמ״ג שם וז״ל ומ״ש להתיר לאמר לתינוק שיביא מפתח בכרמלית אע״ג דבס׳ שמ״ג מבואר דלהאכילו בידים אף דרבנן אסור אפשר למצוה לבהכ״נ יש להתיר כמין שבות דשבות ע״י עכו״ם דשרי במקום מצוה ואף דל״ד זה לזה וצ״ע עכ״ל.

והחתם סופר בחלק הליקוטים סי״ג כתב לבאר דברי הט״ז הנ״ל, וזהו תוכן דבריו

דאם נקח דברי הט״ז כפשוטן נחוס הרבה על ממון ישראל ולא נצטרך עוד שפחות עכו״ם בבתינו ביום השבת כי כל אדם יצוה לבנותיו בנות ט׳ וי׳ שנים להחם לו בשבת תנור בית החורף וכדומה ולשוא עמלו אבותינו ואבות אבותינו מעולם וכילו ממון הרבה וגם נצטערו צער הרבה עי״ז ומדוע לא עשו כל זה ע״י קטנים ונימא כי היכי דשבות דשבות מותר ע״י נכרי דמותר נמי ע״י קטן וכו׳ ומ״מ דברי ט״ז לכאורה צע״ג דלענין איסורא דלאו אפי׳ דרבנן כל שאינו רביתי׳ דתינוק לא יהיבנא ליה אפי׳ לצורך מצוה בהבדלה בשבת ערב תשעה באב משום דאתי למסרך וכו׳ וא״כ דברי הט״ז תמוהים. ונ״ל דדבריו בנויים על דברי תוס׳ פסחים דף פח. שהקשו אי שה לבית אבות לאו דאורייתא איך מאכילין קטן פסח שלא למנין ותי׳ כיון שעי״ז מחנכים אותו למ״ע של פסח שפיר ספינן ליה איסורא בידים וא״כ בהכי מיירי נמי הט״ז שהקטן בעצמו נכנס להתפלל לבהכ״נ ומחנכים במצות תפילה וכדומה ומשום הכי מותר למספי ליה בידים איסור אבל לא זולת זה וכו׳ ומ״מ בהו סלקינן דחלילה וחלילה להתיר לקטן לטלטל במקום שאין עירוב והמורה שנטה אחר פשטיות דברי ט״ז אין להאשימו כי לא עיין כל הצורך ושגיאות מי יבין עכ״ל. הרי מבואר דיש מחלוקות הפוסקים אי מותר לומר לקטן לעשות איסור דרבנן במקום מצוה, דהפמ״ג נוטה להתיר, והחתם סופר כתב דאסור. ועי׳ בתשובות הרי״ם [מהגאון ר׳ יצחק מאיר מגור] או״ח סי׳ כ״א הובא בספר הלכתא רבתא לשבתא [דף שכד] שבא ליישב המנהג בכמה מקומות שמביאים ע״י קטנים חמים מהתנור שבבית האופה כשאין להם גוי. ובתוך דבריו כתב דאיסור הוצאה קל יותר משאר איסורים, משום דקיימא לן בשבת דף ה: דהמפנה חפצים מזוית לזוית ונמלך עליהם להוציאם פטור משום שלא היתה עקירה משעה ראשונה לכך, אלמא דלא מחייב משום הוצאה והכנסה אלא כשהעקירה היתה על דעת שיניח החפץ ברשות הרבים, וא״כ קטן שאין לו מחשבה [ע׳ חולין דף יג] אין בהוצאתו שום איסור תורה, שהרי אף בגדול אם הוציא בלא מחשבה על דעת להניח ברה״ר פטור, וקטן שאין לו מחשבה לעולם פטור, דהוה ליה כמתעסק בעלמא, וא״כ הוי תרי דרבנן, כרמלית והעדר מחשבה, ומכיון שאי אפשר שיבא לידי איסור תורה יש להקל. ואף שלא נמצא בראשונים חילוק בין הוצאה והעברה ברשות הרבים לשאר איסורים, ומהתוספת והר״ן שבת דף קנג מוכח שאין חילוק בזה, מ״מ יש בדברים אלה לימוד זכות על מה שנהגו להקל בזה כיון שלעולם הוי תרי דרבנן, וא״א לבוא לידי איסור דאורייתא עיי״ש.

ומה שנקט החידושי הרי״ם דקטן אין לו מחשבה וממילא הוה מעשה שלו כמתעסק בעלמא אינו פשוט כ״כ דבאגלי טל מלאכת חורש ס״ק א׳ העלה דהא דאמרינן דקטן אין לו מחשבה זהו דווקא לגבי אחרים כגון בעשאו כלי שדנין לגבי דידן אם מועיל מחשבתם להעשות כלי, בזה אמרינן שאין מחשבתם מועלת, אבל לגבי עצמם מחשבה מחשבה. וראיה לזה דבריש חגיגה בקטן שאינו יכול לעלות ברגליו להר הבית אין אביו מחויב לחנכו כיון דגדול כה״ג פטור. וא״כ כל קטן שהגיע לחינוך הא מצות צריכות כוונה ואפי׳ למ״ד אין צריכות כוונה מתעסק לכ״ע לא יצא והרי כל מעשיו של קטן כמתעסק א״כ בכל מצוה למה יתחייב בחינוך וכו׳ אך הוא הדבר שאמרנו דלגבי עצמו מחשבת הקטן מחשבה וחשוב הקטן עושה מצוה עכ״ל. וכעין זה ראיתי בשו״ת אחיעזר ח״ג ס׳ פ״א ס״ק כג דהא דקטן אין לו מחשבה בפשוטו נראה דאע״פ שאין לו מחשבה וכונה. מ״מ הא יש לו מחשבה במילי דעלמא, שרצונו לכבות את הנר או להוציא הוצאה לרשות הרבים, והא דמלאכת מחשבת אסרה תורה היינו אם טעה במעשה שהתכוון לחתוך מחובר זה וחתך מחובר אחר או שלא הכיר בה כמבואר בב״ק כו שנפל אבן מחיקו ולא הכיר בה, וכן לא דמי לטומאה שאין לו מחשבה, היינו דהתם

בעינא מחשבה לעשות הכלי דכל הכלים יורדין לידי טומאתן במחשבה אבל בשבת אף דמלאכת מחשבת אסרה תורה הא לא בעינן מחשבה רק שלא תהי׳ טעות בכונתו, ובכה״ג לא שייך לומר דקטן אין לו מחשבה, דמכוון הוא למעשה שעושה, וגם גדר מתעסק לא שייך בזה בשבת דקטן גרע דאין לו דעת להבין שם קדשים וכו׳ ובחולין כונת חתיכה יש לו, וה״נ בשבת כונת חתיכה יש לו במעשה שהוא עושה עכ״ל.

מבואר מהני שני גדולי אחרונים דאין לומר דמעשה של הקטן אין לו מחשבה ועי״ז לפוטרו במלאכת שבת.

2. במכילתא על הפסוק לא תעשה כל מלאכה אתה ובנך ובתך וגו׳ [שמות כ:י] איתא בזה״ל אלו הקטנים או אלו הגדולים והלא כבר מוזהרין הם הא מה תלמוד לומר אתה בנך ובתך אלו הקטנים. ונראה שיש מחלוקת הראשונים בפירוש דברי המכילתא אם לומר שאיסור המלאכה דבנך בשבת הוא אותו גדר האיסור דשביתת בהמה הנאמר באותו פסוק, או דילמא איסור מלאכת הבן בשבת הוא מדינא דכל התורה כולה שילפינן בגמרא יבמות דף קיד מדכתיב בשרצים לא תאכלום וקרא יתירא הוא ודרשו חז״ל דר״ל לא תאכילום לקטנים [ע׳ פרק 1 ציון 25 מה שכתבנו בזה]. הנה ברמב״ן על הפסוק הנ״ל כתב וז״ל אתה ובנך ובתך הקטנים הזהירנו בשבת שלא יעשו הבנים הקטנים מלאכה לדעתינו וברצוננו עכ״ל. מבואר מדבריו שלמד מהך קרא שיש איסור חדש של שביתת בנו בשבת והיינו דאסור לקטן לעשות מלאכה עבור אביו. וע׳ בשו״ת משכנות יעקב או״ח סי׳ קי״ח שהסביר דברי הרמב״ן וז״ל וא״כ כל שעושה מלאכת אביו הרי אביו עובר עליו משום לא תעשה כמו בהמה ועבדים שאסורין במלאכת רבן רק לעצמן מותרין לעשות והכי נמי בקטן כל מלאכה שיש הנאה לאביו בה אסור מן התורה עכ״ל. ועי׳ בדעת תורה ריש סי׳ שמ״ג שכתב שכן ס״ל החינוך מצוה לב, והרא״ם בספר יראים [עמוד זמנים ס׳ ק״א וכן הוא ברשב״א דף קנג:], וכן כתב השער הציון בסי׳ של״ד ס״ק נ״ד וז״ל ונלענ״ד דבדליקת אביו מחוייב אביו מן התורה למחות בידו כיון שהוא עושה לדעתו כדי שלא יעבור אמה דכתיב לא תעשה וגו׳ ובנך ובתך עי״ש. אולם לכאורה המ״ב סותר את עצמו במש״כ בביאור הלכה ס׳ רס״ו ס״ו ד״ה הג״ה עיי״ש וצ״ע.

אמנם המזרחי על הפסוק הנ״ל כתב וז״ל ולשון המכילתא אתה ובנך ובתך אלו הקטנים אתה אומר אלו הקטנים או אינו אלא גדולין אמרת והלא גדולים כבר מוזהרין הם הא מה תלמוד לומר אתה ובנך אלו קטנים. ורש״י ז״ל פירש אלו קטנים שהגדולין מוזהרין עליה דאלו קטנים לאו בני אזהרה נינהו ואינו רוצה לומר לאפרושינהו דהא בפרק חרש משמע דאין הגדולין מוזהרין על הקטנים אלא דלא ליטמויינהו בידים אבל אם היו הקטנים עוברים מעצמן אין הגדולין מוזהרין להפרישן וכו׳ ומתני׳ דקטן שבא לכבות אומרים לו אל תכבה מפני ששביתתו עליהם מוקי לה בגמרא בעושה על דעת אביו וכו׳ עכ״ל.

מבואר דהמזרחי ס״ל דהך דרשא דיליף במכילתא שאין זה דין חדש דשביתת בנו אלא הוא מדינא דכל התורה כולה דאסור להאכיל קטן איסורים. ולכאורה גם מדברי רש״י והנימוקי יוסף והריטב״א ביבמות דף קיד מתבאר כן. דע׳ בנימוקי יוסף יבמות שם כתב וז״ל מהא דתניא עובד כוכבים שבא לכבות אין אומרים לו כבה ואל תכבה מפני שאין שביתתו עליהם אבל קטן שבא לכבות אין שומעין לו מפני ששביתתו עליהם ופריק ר׳ יוחנן בעושה על דעת אביו ופירש רש״י ז״ל כי כשעומד שם אביו ומגלה דעתו דניחא ליה שיעשה הרי הוא כאומר קום עשה וכאילו הוא מאכילו בידים שהוא אסור ולא אמרו שאין מצווין להפרישו אלא כשאוכל מעצמו ואין האב מגלה לו פנים דניחא

ליה עכ״ל. מבואר מדברי רש״י והנימוקי יוסף דהא דצריך למחות בבנו כשרוצה לכבות האש הוא משום דכשאביו עומד שם הר״ז נחשב כאילו מצווה לו לעשות מלאכה [ואסור משום לא תאכילום]. ולכאורה הא הגמרא איירי בשבת וא״כ צריך להיות אסור מטעם איסור שביתת בנו דהא הבן עושה מלאכה בשביל אביו ולמה כתב רש״י דהטעם דאסור הוא מטעם הלאו דלא תאכילום? אלא ע״כ מוכח מהכא דדרשת המכילתא אינו איסורא חדתא רק הוא הלאו דלא תאכילום שהוא דין בכל התורה כולה. וכמו כן מתבאר מדברי המוצל מאש בסימן ד׳ הובא בגליון הש״ס יבמות דף קיד. וז״ל ואגב גררא הוקשה לי דהגמרא הביא ג׳ מקומות להזהיר גדולים על הקטנים ותמהני שהרי במכילתא איתא בשבת אתה ובנך ובתך להזהיר גדולים על הקטנים ולא הזכירהו בגמרא כלל וצ״ע. מבואר מהמוצל מאש והגאון רע״א שהביא קושיתו דדברי המכילתא אינו איסורא חדתא של איסור שביתת בנו אלא זהו הדין של כל התורה כולה דאסור להאכיל קטן איסור ושפיר הקשה אמאי נקטינן בגמרא רק ג׳ ילפותות לדין זה הא יש עוד מקום שנזכר דין זה.

ולכאורה קשה דא״כ אמאי בעינן קרא מיוחדת דשבת לומר שיש איסור של לא תאכלום, הא ילפינן ליה מהני מקומות שהזכיר הגמרא ביבמות דף קטז. כדאיתא במ״ב ס׳ שמ״ג ס״ק ד. וע׳ בשו״ת אחיעזר ח״ג ס׳ פ״א ס״ק כג מאי שתירץ בזה והביא שם מאלופו ומיודעו הגאון ר׳ חיים מוולאזין דלהכי איצטרך קרא דל״ת מלאכה אתה ובנך דמשום לאו דלא תאכלום לא הוי אלא איסור בעלמא כשאר איסורים משא״כ משום ל״ת כל מלאכה הוי איסור דשבת דחמיר כדאיתא ביבמות דף ו. שאני לאו דשבת דחמירי ופירש רש״י דקי״ל דמחלל שבת כעובד ע״ז עכ״ל. וע״ע בזה בשו״ת באר משה ח״ו סי״ח.

Chapter 13

10. ומקור להך דינא דמותר איסור דרבנן ע״י שינוי הוא מהרמב״ן בספר תורת האדם בשער המיחוש וז״ל והנך שמעתתא מרפסן איגרי דמשמע מדאמרן לעיל דבר שאין בו סכנה אומר לארמי ועושה, דהתירו שבות במקום חולי אע״פ שאין בו סכנה, וכן אמרו סבור מינה הני מילי דשחיקי סמנין מאתמול. ראיה ג, דכוחלת יש בה משום שבות התירו במקום חולי, וכן מחזירין את השבר במקום, וכן גונח יונק חלב דמפרק כלאחר יד הוא, ובמקום צערא לא גזרו רבנן. ואיכא למידק עלה והתניא אין טורפין יין ושמן לחולה בשבת, ואע״פ שהטירוף הזה איסורו מדבריהם הוא. ואתמר נמי בכחל בעין, מר הא קמסייע בהדיה, דעמיץ ופתח. והא עמיץ ופתח שבות בעלמא הוא שאפי׳ בעושה מעשה ממש הכוחלת אינה אלא משום שבות וכו׳. והכי פירוקא דמילתא מיחוש שאדם חולה ממנו ונופל למשכב ואין בו סכנה התירו בו משום שבות שאין בו מעשה דהיינו אמירה לארמי וכן התירו בו שבות דמלאכה הנעשית בשינוי עכ״ל.

ונחלקו האחרונים בכוונת הרמב״ן, השלחן ערוך הרב פירש דהרמב״ן מתיר אפי׳ איסורא דאורייתא אם נעשה ע״י שינוי. וכ״ה להדיא בדבריו שכתב בזה״ל וע״י שינוי מותר לעשות אפי׳ מלאכה גמורה. ולכאורה ראייתו הוא ממש״כ הרמב״ן מגונח יונק חלב דתמן הוא איסורא דאורייתא. אמנם ראיתי בספר קצות השלחן ח״ז דף י שתמה על השלחן ערוך הרב וכתב דאין כאן ראיה מהרמב״ן דס״ל דאפי׳ איסור דאורייתא מותר ע״י שינוי. דדעת הרמב״ן בשבת דף קלה. דחולב אינו איסור תורה. נמצא לפי״ד

דהרמב״ן מתיר רק שבות דרבנן ע״י שינוי, וכן ס״ל להמ״ב בס׳ שכ״ח ס״ק נד דהרמב״ן התיר רק שבות ע״י שינוי.

וראיתי בספר מגילת ספר סי׳ כ״ז ס״ק ד שכתב על דברי השלחן ערוך הרב וז״ל אכן נראה דדווקא באופן שהשינוי ניכר במלאכה שאינה נעשית באיכות טובה כ״כ זה הותר וכגון בגונח שאין החלב נחלב היטב ע״י יניקתו בפיו אבל אין היתר להדליק את נרות החשמל או לכבותו במפרקו לצורך חולה שאין בו סכנה דהרי בס׳ רע״ח אסרו כיבוי הנר לצורך חולה שאין בו סכנה ואף אחד לא כתב דע״י שינוי שרי, דהיות ובאיכות הכיבוי אין שום הבדל אם עושה כדרכו או ע״י שינוי אין זה שינוי גדול כ״כ וזה לא הותר וכו׳. והנה בספר ששכה״כ פל״ג ס״ב הביא מהשעה״צ ס׳ תצ״ו ס״ק ט שסובר דדוקא שבות ע״י שינוי הותר ולא מלאכות דאורייתא ושחולק בזה על הגר״ז, ונראה דאין כאן מחלוקת כלל וברור דבשינוי גמור כולם מודים דשרי אפי׳ במלאכות דאורייתא וכדמוכח מגונח, וכוונת השעה״צ באופן שאין שום שינוי באיכות המלאכה אלא בצורת עשייתה שזה לא הותר במלאכות דאורייתא אלא בשבותים דרבנן, וכן מבואר בשעה״צ שם שמחלק בין שינוי של גונח לסתם שינוי בעלמא עכ״ל.

ויש להסתפק להני שיטות שסברי דמותר לישראל לעשות איסור תורה מה עדיף, לומר לעכו״ם לעשות האיסור דאורייתא כרגיל או שישראל בעצמו יעשה האיסור דאורייתא ע״י שינוי. ונראה שזהו מחלוקת ראשונים דיעויין בר״ן פרק חבית (דף סא בדפי הרי״ף) עמ״ש הרי״ף גונח יונק חלב בשבת מאי טעמא כלאחר יד הוא שכתב וז״ל ואי קשיא היכי שרינן הכא למעבד איהו גופיה אף על גב דליכא סכנה אמאי לא אמרינן שיעשה ע״י נכרי דקיימא לן בכל דבר שאין בו סכנה אומר לנכרי ועושה, וי״ל הכא א״א על ידי נכרי כדקי״ל דרפואת החלב היא כשהוא רותח כדאמרינן במרובה (דף פ) וכו׳, והרמב״ן ז״ל כתב בספר תורת האדם דמשום הכי שרינן מפני שהוא שבות הנעשה בשינוי שלא כדרך המלאכות עכ״ל. מבואר דנחלקו הרמב״ן והר״ן מאי עדיף הר״ן ס״ל דעדיף שהעכו״ם יעשה האיסור דאורייתא כרגיל, ולפיכך הוצרך לומר טעם אמאי הישראל עושה האיסור בעצמו, משא״כ הרמב״ן סובר דעדיף שהישראל בעצמו יעשה האיסור דאורייתא ע״י שינוי ממאי שהגוי יעשה האיסור דאורייתא כרגיל. וע׳ בספר תהלה לדוד ס׳ ש״ז ס״ק ה שמסתפק להלכה איך קי״ל בהך דינא.

Chapter 16

12. הנה אם מותר להשתמש בשבת עם ניירות רטובות הנקראים בלע״ז בייבי ווייפס״ לקנח בו לכלוכי צואה שעל גוף התינוקות, כבר דנו בזה האחרונים ונראה שהוא אסור ואבאר טעמי בזה. הנה ידוע דעת ר״ת וסייעתו [הובא בביאור הלכה ס׳ ש״כ סי״ח ד״ה יש מי שמתיר] דיש שני עניני סחיטה, א) סחיטה משום מפרק דכשהוא צריך למשקה הנסחט עובר על איסור תורה של מפרק שהוא תולדה דדש, וכשאין צריך למשקה הנסחט (ר״ל שהמים הולכים לאיבוד) נחלקו הראשונים אם מותר או אסור מדרבנן ואנן מחמרינן וסברינן דאסור מדרבנן ב)סחיטה משום מלבן ר״ל כשהוא סוחט המשקה מהבגד הבגד מתלבן על ידי זה ואיסורו מן התורה [במים ומשקה לבן ע״ש בט״ז] ואף אם המים הולכים לאיבוד. ונחזי אנן כמשתמשים בבייבי ווייפס באיזו סוג סחיטה אנו דנין סחיטה משום מלבן אין כאן שהרי כבר פסק מרן זצ״ל באג״מ או״ח ח״ב ס׳ ע׳ דנייר שמשליכים לאיבוד אין לאסור סחיטתו משום מלבן דלא שייך מלבן בנייר שמשליכו

לאיבוד, וכן פסק בשו״ת הר צבי או״ח ח״א סימן ק״צ וכן כתב הגאון ר׳ יחזקאל ראטה שליט״א בקובץ בית תלמוד להוראה ח״ג דף קסב.

ורק נשאר לנו לדון אם יש כאן סחיטה משום מפרק, ולכאורה בפשיטות יש לאסור מטעם זה, דהא תכליתם של ניירות אלו שבשעה שמקנח בהם את הקטן יצאו המים הבלוע בהם ויעלו על גוף התינוק להרטיב מקום הצואה הדבוק על גוף התינוק כדי שעל ידי כן יתקנח היטיב, ובאמת כן פסק בשו״ת מנחת יצחק ח״י ס׳ כ״ה, ובשו״ת ויען יוסף [להגאון מפאפא] סי׳ ט״ו, והגאון ר׳ יחזקאל ראטה שליט״א בקובץ בית תלמוד להוראה ח״ג דף קסב, ובשו״ת ויברך דוד ס׳ מ״ז, והגאון ר׳ פסח פאלק בקובץ אור השבת חוברת ח׳, ובספר נשמת שבת ס׳ רל״ג. וכנראה שזה גם דעתו של הגאון ר׳ שלמה זלמן אויערבאך שליט״א דבששכה״כ פל״ג ס״י הביא מהגאון הנ״ל בזה״ל אסור לנקות את מקום זריקה בצמר גפן ספוג כוהל משום איסור סחיטה אלא ישתמש בחומר סינטטי שאינו ספוג עכ״ל. ומדבריו נשמע לאסור גם בבייבי ווייפס. ולאחרונה ראיתי בשו״ת שבט הלוי ח״ח ס׳ נ״ט שהחמיר בזה. ונראה שגם הגאון ר׳ צבי פסח פראנק זצ״ל סובר שאסור להשתמש בבייבי ווייפס בשבת דיעויין בשו״ת הר צבי או״ח סי׳ ק״צ שדן בהאי ענינא וזהו תוכן שאלתו, אם מותר לאדם לקנח את עצמו בשבת בנייר רטוב שנסחט מערב שבת, והטעם לאסור הוא משום חשש דשמא לא נסחט היטיב הנייר בע״ש, וממילא כשמשתמש עם הנייר בשבת יבא לידי סחיטה (וחשש זו איתא ברמ״א סי׳ תרי״ג ס״ט) וע״ז השיב ההר צבי וז״ל ומה שיש להסתפק בזה הוא אם יש לאסור כאן משום מפרק, שהרי הטעם בכל סוחט בגד מן המים שאין בו משום מפרק הוא משום שהמים הנסחטים הולכים לאיבוד, משא״כ בנ״ד הרי צריך להנסחט כדי לקנח בו יותר טוב שהוא לח יותר, ואפשר שזה לא נקרא שהמים הולכים לאיבוד. עוד י״ל שבנ״ד אפי׳ אם יסחוט לא יהא איסור מן התורה משום שאין המים הבלועים בתוכו בטבע, ודמי לכבשים ושלקות דקי״ל כשמואל שאחד כבשים ואחד שלקות פטור אבל אסור משום שהמים לא גדל בתוכם, אלא שבבגדים אעפ״י שאין המשקין גדלין בתוכם מ״מ עדיף משלקות לענין זה לפי שבגדים שבלעו משקין בתוכם עומדים הם לסחיטה משא״כ נייר שבלע משקין אין עומד הוא לסחיטה ולא עדיף משלקות שאין הסחיטה אלא מדרבנן וכיון שאפי׳ אם יסחוט לא הוי אלא מדרבנן, שוב י״ל דלא גזרינן שמא יסחוט דהוה גזירה לגזירה עכ״ל. מבואר מדבריו דהטעם שיש להתיר להשתמש בנייר רטוב כשנסחט מע״ש ולא גזרינן דשמא לא סחט היטיב בע״ש וממילא כשישתמש בהנייר בשבת יעבור על איסור סחיטה. כיון שאין כאן איסור סחיטה מן התורה מפני שני טעמים, א) דאין הנייר עומד לסחיטה ב) דאולי נחשב זה להולך לאיבוד וממילא לא גזרינן הגזירה המבואר בס׳ תרי״ג ס״ט. וכל זה שייך דווקא בגוונא שאיירי ההר צבי דעיקר כוונת האדם לא היה לסחוט מים מהנייר שהרי בערב שבת סחט המים מהנייר ורק יש חשש שמא לא סחט היטיב ועל זה לא חיישינן מפני שני טעמים משא״כ בבייבי ווייפס לא סוחטים המים מהם בע״ש וכל תכליתם הוא להשתמש בהמים הבלועים בתוכם כדי לנקות את התינוק. וגם הסברא שכתב ההר צבי דנייר שבלע משקין אין עומד הוא לסחיטה זה דווקא בסתם נייר, שמרטיב כדי לנקות עצמו. אבל בנייר של בייבי ווייפס שכל תכליתם הוא להשתמש במימיו הבלועים בתוכם לא שייך לומר שאין הוא עומד לסחיטה וממילא יש לנו ראיה מדברי ההר צבי דלהשתמש בבייבי ווייפס בשבת אסור.

ובגוף הסברא שכתב ההר צבי דאולי נחשב זה למשקה שהולך לאיבוד משום דמאחר שמנקה עצמו בהמים המים הולכים לאיבוד מצאתי שהגאון ר׳ שלמה זלמן אויערבאך שליט״א פשיטא ליה שאין זה נחשב להולך לאיבוד ודבריו הובאו בשו״ת ציץ אליעזר

ח״ט סי״ז פ״ב ס״ק יט וז״ל מה שכתבתי לענין טבילת הצמר גפן במי פירות לניקוי מקום הזריקה דאין לחוש בזה לאיסור סחיטה בהיות שזורקים הצמר גפן לאשפה והנוזל הנסחט הולך ג״כ לאיבוד, מעיר כת״ר (הגאון ר׳ שלמה זלמן אויערבאך שליט״א) דמאי מהני מה שזורק אח״כ את הצמר גפן והרי בתחילה הוא סוחט ממנו מים לנקות את המקום ואין לך צורך גדול מזה ומה טעם חשיב ליה מר כאילו הנסחט הולך לאיבוד ע״כ. חזינן שהגאון ר׳ שלמה זלמן שליט״א פשיטא ליה שאין זה נחשב כהולך לאיבוד וכן העלה הציץ אליעזר דעיי״ש מה שהשיב ע״ז וז״ל ולא אבין הרי בדברי שם הדגשתי דהוא זה מפני שמשום צורך ניקוי המקום מספיק טפה כזאת אשר לא תביא בכנפיה כלל לידי סחיטת הצמר גפן, וניקוי המקום יעשה בדרך העברה בעלמא של טיפות הרטיבות על פניו, ורק עמה נשאב מהמי בורית עוד כמה וכמה טיפות שא״א לדקדק שלא יושאבו יחד אתה, והן המה היכולת להביא [או המביאות] לידי הסחיטה. ולכן כתבתי הנימוק שהנוזל הנסחט הזה הולך לאיבוד יחד עם יתר הנמוקים שאני כותב שם עכ״ל. מבואר מדבריו שגם הוא סובר דכשסוחטים מים מנייר רטוב לנקות אין זה נחשב הולך לאיבוד ורק בגוונא שהוא מיירי נחשב להולך לאיבוד וכן ס״ל הגאון ר׳ יחזקאל ראטה שליט״א בקובץ בית תלמוד להוראה קובץ שלישי דף קסג שבגוונא דילן אין זה נחשב הולך לאיבוד.

והנה צריכין אנו לבאר עוד נקודה אם השתמשות בבייבי וויפס אסור מן התורה או רק אסור מדרבנן, הגאון ר׳ יחזקאל ראטה שליט״א בחוברת הנ״ל כתב דקרוב הדבר לומר דאיכא דררא דאורייתא, והגאון ר׳ פסח פאלק שליט״א בחוברת אור השבת כתב לדבר פשוט שהוא איסור דאורייתא. ולכאורה יש חילוק גדול להלכה אם השתמשות בבייבי וויפס הוא איסור דאורייתא או דרבנן, דאם זה איסור דאורייתא לא מהני מה שבערב שבת יסחוט הבייבי וויפס עד שיהיו לחים ולא רטובים וממילא בשבת יהא מותר לנקות התינוק עם הבייבי וויפס בהיות שאינו רטוב בנוזל ולא יסחוט מיניה דבר שיש בו ממש, דהרמ״א בס׳ תרי״ג ס״ט פסק וז״ל ואסור לשרות מפה מבעוד יום ולעשותה כמין כלים נגובים ולהצטנן בה ביוה״כ דחיישינן שמא לא תנגב יפה ויבא לידי סחיטה עכ״ל. מבואר מדברי הרמ״א דיש חשש דשמא לא יסחט המפה היטיב מבעוד יום וממילא בשבת יבוא לידי איסור דאורייתא (מג״א שם ס״ק יא). אבל אם השתמשות בבייבי וויפס הוא רק איסור דרבנן אין גוזרין דהוי גזירה לגזירה כדאיתא מפורש בשו״ת הר צבי או״ח סי׳ קצ. והגאון ר׳ פסח פאלק כתב דלשיטתו כיון שזה איסור דאורייתא ממילא לא מהני מה שיסחוט הבייבי וויפס בערב שבת.

וראיתי בשו״ת נשמת שבת סי׳ רלג שכתב בזה וז״ל ויש עצה להשתמש עם ניירות קינוח בייבי ווייפס שלפני השבת יקח אחדים מהם ויסחט ממנו ריבוי מימיו באופן שלא תהיינה טופח על״מ להטפיח, שוב ראיתי שגם זה אינו פשוט להיתר כל כך דמדברי הרמ״א בהלכות יום כפור סי׳ תרי״ג ס״ט שאסור לשרות מפה מבעו״י ולעשותה כמין כלים נגובים ולהצטנן בה דחיישינן שמא לא תנגב יפה ויבא לידי סחיטה, וא״כ לכאורה ה״ה בזה, יש לחוש שמא לא תסחטם מערב שבת יפה וכו׳. וראתי לחכם אחד שבנייר שסחיטתו אינו אלא דרבנן (ע׳ שו״ת ויברך דוד או״ח סי׳ מ״ז) על כן לא נאמר גזירת וחומרת הרמ״א הנ״ל וכו׳ ואולי דמ״מ לענין זה יש לסמוך על הסוברים שאינו דאורייתא מאחר שאינו גידו״ק עכ״ל. ושמעתי מהגאון ר׳ ח.פ. שיינבערג שליט״א שמותר להשתמש בייבי ווייפס אם סחטן בע״ש.

13. ע׳ באג״מ או״ח חלק ב׳ סימן ע׳ למרן זצ״ל שנשאל שם אם מותר לשרות נייר במים לקנח את השלחן וכדומה ומרן ז״ל התיר ומתחילה כתב דאין לאסור משום מלבן דזה

פשוט דדבר שמשליכים לאיבוד אין כאן איסור מלבן (עי' מה שכתבנו לעיל) ואח"כ כתב דאין זה סחיטה דאורייתא כיון דהמים לא נבלעו בתוך הנייר, אבל איסור מדרבנן מיהא הוה וע"ז כתב דכיון דהוה אין מתכוון בתרי דרבנן א) דאין דרך לסחוט מנייר, ב) הולך לאיבוד. וגם אפשר דאין זה פסיק רישא בנייר שאין מחזיקין אלא לפי מה שמזדמן שודאי אין לאסור באינה מתכוין עכ"ד. וראיתי שכמה פוסקים פוסקי זמננו תמהו על דברי מרן זצ"ל ונשתדל לתרץ דבריו. חדא במה שכתב דהמים לא נבלעו בתוך הנייר הא אנן חזינן להדיא דהמים מיבלעו שפיר בתוך הנייר, וגם מה שכתב דזה נחשב הולך לאיבוד יש לנו להבין למה באמת נחשב זה להולך לאיבוד כקושית הגאון ר' שלמה זלמן אויערבאך שליט"א שהבאנו לעיל. ועוד צריכין להבין דבגוונא שמיירי האג"מ שרוצים לקנח את השלחן למה נחשב זה לאינו מתכוין הא לכאורה הוא רוצה בסחיטת המים כדי לקנח את השלחן, ועוד קשה דהא דאמרינן בסי' ש"כ סי"ח דבתרתי לטיבותא מותר זהו דווקא בפסיק רישא דלא ניחא ליה דהערוך סובר דמותר ואנן מסקינן להקל בתרי דרבנן אבל כאן לכאורה איירי בפסיק רישא דניחא ליה דכשאדם מנקה את השלחן הרי הוא רוצה שהמים יצאו מהנייר כדי לקנח את השלחן וא"כ איך כתב מרן זצ"ל דמותר לטעם דהוה תרתי לטיבותא וכל הנ"ל שמעתי מידידי הגר"ש פעלדער שליט"א. וראיתי באור השבת חוברת ח' שהגאון ר' פסח פאלק שליט"א העיר בכל זה וז"ל ומאי שכתב דנייר אינו בולע זה דבר קשה להולמו דאם נכנס מים לתוך עביו של נייר איך שייך לומר שלא נבלע בו המים ורק כנתפס בו בין חלקי הנייר וכמו דנתפס בשערות ועוד הקשה עליו דאיך כתב דהוה פסיק רישא דלא ניחא ליה דהא מנקים המפה או השלחן בהמים היוצאים מהנייר ולצורך זה הוא מרטיב הנייר שיצא וילחלח הלכלוך שעל השלחן ויעזור בהסרתו איך אפשר להחשיב פעולה זו כפ"ר דלא ניחא ליה הא בלי שום ספק ניחא וניחא ליה בזה. שוב ראיתי בספר מגילת ספר סי' ז' אות ג שנתקשה בדברי האג"מ וכן תמה עליו בספר אז נדברו ח"ז ס"ט עכ"ל.

והגאון ר' פסח פאלק שם בחוברת הנ"ל בדף נו כתב לפרש דברי האג"מ וז"ל מיירי בקינוח קל שאינו אלא איסוף פירורים ושיריים שעל השלחן בלי קינוח דבר דנדבק ממש לשפת השלחן. ומשתמשים לקינוח קל זה בסמרטוט לחה באשר הפירורין נדבקים ברטיבות הסמרטוט, אבל אין שום צורך בסחיטת מים מיניה דאין כאן שום פעולת ניקוי, ולכן גם אם יסחוט אינו אלא פ"ר דלא איכפת ליה עכ"ל, וכן שמעתי מהגאון ר' ראובן פיינשטיין שליט"א ומהגר"ש פעלדער שליט"א. וממילא מתורץ ג"כ מה שהאג"מ סובר דהמים נחשב להולך לאיבוד כיון דאין האדם צריך להמשקה שנבלע בהנייר ואדרבה כוונתו היה שלא יסחטו המים וממילא המים שנסחט בשעת הקינוח הוא בגדר הולך לאיבוד כיון דאין האדם רוצה בהמים אדרבא יותר ניחא ליה שלא יצאו המים מהנייר. ומה שכתב האג"מ דהנייר אינו בולע ראיתי בחוברת הנ"ל שכתב וז"ל ולהצדיק דבריו נראה דמיירי בנייר שאינו ספוגי, וכמו נייר טולאט מהמין הקשה, ולא בנייר רך וספוגי דבו אין שום ה"א דלא נבלע בו המים ובנייר שאינו ספוג י"ל דלא נבלע בו המים עכ"ל. וכן שמעתי מהגאון ר' ראובן פיינשטיין דבנייר כזה דיבר האג"מ.

Chapter 17

5. הנה איתא במסכת שבת דף י"ח. אבל אין נותנין חטים לתוך הריחים של מים אלא בכדי שיטחנו מבעוד יום מאי טעמא אמר רבה מפני שמשמעת קול א"ל רב יוסף ולימא

מר משום שביתת כלים וכו׳ אלא אמר רב יוסף משום שביתת כלים וכו׳ והשתא דאמר רב אושיעא אמר רב אסי מאן תנא שביתת כלים דאורייתא ב״ש היא ולא בית הלל וכו׳ עכ״ל הגמ׳ הנצרכת לענינינו.

ולמסקנת הגמ׳ עולה דברייתא זו דריחים אתיא כב״ש ואיסורו משום שביתת כלים בשבת וכמימרא דרב יוסף, וממילא נדחה ברייתא זו מהלכה דקיי״ל ב״ש וב״ה הלכה כב״ה. וכן מפורש שם בתד״ה והשתא בשם ר״ת, והיא גם שיטת הרי״ף והרמב״ם לדעת הב״י סימן רנ״ב ד״ה אבל, וכן פסק המחבר שם ס״ה.

אמנם הרמ״א שם חולק ע״ז וכתב ויש אוסרים ברחיים וכו׳ והכי נהוג לכתחלה מיהו במקום פסידא יש להקל ע״כ. ומקור דבריו הוא שיטת הר״ח המובא בתוס׳ שם שפסק כרבה שאסר רחיים משום השמעת קול, וכן ס״ל להרבה ראשונים והובאו בב״י הנ״ל. והנה איסור זה של השמעת קול הנזכר בדברי רבה, אינו מבורר להדיא מהו תוכן איסורו. ורש״י בדף י״ח. בד״ה שיטחנו כתב בהגדרת האיסור מפני שמשמעת את הקול ואוושא מילתא בשבת ואיכא זילותא דשבת. ומשמע מדבריו שזה שמתפרסם הדבר שמלאכה נעשית בשבת (אפילו באופן ממילא) הוא זילותא דשבת, והוא איסור חדש שלדעת רבה הוא אחד מאיסורי שבת דרבנן וכן כתב המאירי בשבת דף י״ח. וז״ל, מפני שיש בה השמעת קול ופרסום גדול הוא זלזול לשבת. וכ״כ הנימוקי יוסף. וכן הוא לשון הטור סוף סימן רנ״ב דכיון דאוושא מילתא טפי איכא זילותא דשבת.

אולם מצינו דרך אחרת בפירושא דהך איסורא של השמעת קול, הנה בסמ״ג ל״ת ס״ה כתב מפני שמשמעת קול ויאמרו רחיים של פלוני טוחנות בשבת ויסברו דבשבת נתנו החיטים. וכ״כ האגור בסימן תקי״ט ובספר התרומה סימן ר״כ. הרי מבואר מהני ראשונים דטעם איסור זה הוא מפני חשד שיאמרו שפלוני עושה מלאכה בשבת ולא משום זילותא.

ונראה להוכיח דגם הרא״ש סובר כשיטת רש״י וסייעתו, שהרי הרא״ש בפ״ק דשבת סימן ל״ג כתב להסביר למה בחר רב יוסף להעמיד הברייתא אליבא דב״ש האוסרים שביתת כלים, הלא טעם רבה עדיף טפי כיון שמפרש הברייתא אליבא דבית הלל, ותירץ דאית ליה לרב יוסף דניחא טפי לאוקמה כב״ש ומשום שביתת כלים דאשכחן בברייתא מלאוקמה כב״ה מטעמא גריע דהשמעת קול דמילתא חדתא היא דלא אשכחן בשום דוכתא עכ״ל. ואת״ל ששורש האיסור הוא משום חשד ומראית עין, הלא אין זה מילתא חדתא כלל, והוא גם דבר המצוי בכמה דוכתי, אלא ע״כ שסובר הרא״ש בדעת רבה שטעמו משום זלזול שבת שהוא באמת דבר מחודש.

ולקושטא דמילתא שתי הסברות הללו מובאות בחדא מחתא באור זרוע ריש הלכות ערב שבת וז״ל שם בא״ד, ומפני שמשמעת את הקול ואוושא מילתא ואיכא זילותא דשבת וחשדא נמי איתא שיהו אומרים שפלוני נותן בשבת ע״כ. ומדכתב וחשדא נמי איתא משמע שהוא טעם בפני עצמו, וחוץ מעצם הזלזול המתהוה מדבר המשמיע קול, יש איסור משום חשד.

ועתה נבוא לבאר שיטת המחבר והרמ״א בענין זה. כבר כתבנו לעיל דהמחבר סובר דהגמ׳ אתיא כרב יוסף דהא דאין נותנין חיטים לתוך רחיים של מים, אתינן עלה משום שביתת כלים ואליבא דב״ש וממילא אין זה נוגע להלכה, ולפיכך פסק המחבר בסימן רנ״ב ס״ה דמותר ליתן חיטים לתוך רחיים בערב שבת. אלא דלכאורה קשה, דהא בסימן של״ח ס״ג פסק המחבר זוג המקשקש לשעות עשוי ע״י משקולת מותר לערכו ולהכינו מבעוד יום כדי שילך ויקשקש כל השבת. והנושאי כלים שם כתבו הטעם דמותר משום דליכא חשד. ולכאורה צ״ע דהא המחבר לא ס״ל כלל הך דינא

דהשמעת קול כדאיתא בסימן רנ״ב ס״ה, וא״כ למה הוצרך לכתוב דמותר להעריך זייגער, מהיכא תיתי שיהיה אסור. וראיתי בשו״ת אגרות משה ח״ג סימן נ״ה שהעיר בזה עי״ש.

וי״ל שמה שהמחבר הביא דין הזייגער הוא ליתר שאת, ור״ל שאף לאלו האוסרים בעלמא משום חשד, בזה אין לחשוש. ובס״ד מצאתי כעין זה בספר תורת שבת להגאון ר׳ יעקב ווייל עמוד קצ״ו סק״ו.

ושיטת הרמ״א בהאי ענינא צ״ע. דבסימן רנ״ב ס״ה אהא דכתב המחבר ומותר לתת חטים לתוך רחיים של מים סמוך לחשיכה כתב ע״ז הרמ״א ולא חיישינן להשמעת קול שיאמרו רחיים של פלוני טוחנות בשבת ויש אוסרים ברחיים ובכל מקום שיש לחוש להשמעת קול והכי נהוג לכתחלה מיהו במקום פסידא יש להקל עכ״ל. ומשמע מקיצור לשונו ממה שלא הוסיף התיבות ויסברו דבשבת נתן החיטים וכמו שכתב הסמ״ג, שבאמת אין אנו חוששים לזה שיאמרו שהלה עובר על מעשה טחינה בשבת, אלא חוששים שמא יאמרו רחיים של פלוני עובד היום וממילא איכא זילותא דשבת וכן כתב הלבוש בדעת הרמ״א שהטעם הוא משום אוושא מילתא וזילותא דשבת.

וכן מוכח מדברי המג״א, דאהא דכתב הרמ״א ואיכא זילותא דשבת כתב שם המג״א בסק״כ ואם ברחיים של עכו״ם פשיטא דשרי ליתן לתוכה מבעוד יום עי״ש. ומבואר מזה דע״כ בישראל אין איסור מפני החשד, דאל״כ איך יועיל נתינת חיטים לתוך רחיים של עכו״ם, הלא עדיין אפשר לחושדו על מלאכת טחינה, ואמנם כן הבין הפמ״ג בא״א סק״כ בדעת המג״א.

אבל לכאורה צ״ע בזה, דמסוף דברי הרמ״א משמע דהטעם הוא משום חשד, שכתב שם שמותר להעביד כלי משקולת שקורין זייגער מע״ש אע״פ שמשמיע קול להודיע השעות בשבת כי הכל יודעים שדרכן להעמידו מאתמול עכ״ל. ומבואר מדבריו דטעם האיסור של השמעת קול הוא מפני חשד, וממילא במקום שהכל יודעים מותר. אמנם מתחילת דבריו משמע דטעם האיסור הוא משום זילותא דשבת, וא״כ איך מותר בזייגער הא איכא זילותא.

ובאמת שיטת האגור הובא בדרכי משה סימן רנ״ב הוא דעריכת שעון אסור, וטעמו משום דאיסורו של השמעת קול הוא מפני זילותא דשבתא, ולכן אין נפק״מ בזה שהכל יודעים. ולפי״ז לשיטת הרמ״א היה לנו לאסור זייגער.

ונראה לומר בזה, דבאמת הרמ״א סובר כהאור זרוע שהבאנו למעלה דיש תרי טעמי לאיסור השמעת קול, זילותא דשבתא וחשד, והרמ״א סובר דהטעם של זילותא דשבתא הוא דוקא כשהמלאכה נעשית בשבת, וברחיים שמלאכת טוחן נעשית בשבת ע״ז כתב הרמ״א דאסור משום זילותא דשבת. אבל בגוונא שאין מלאכת איסור נעשית בשבת ס״ל להרמ״א דלא נאסר משום זילותא דשבתא. וממילא שפיר מיושב למה אין כאן זילותא בזייגער, מפני דהאיסור הוא להעריך השעון אך שמיעת הקול של הזייגער לחוד אין שום איסור בדבר, וע״כ נשאר רק הטעם של חשד, ולכן במקום שאין כאן חשד מותר.

נמצא דלדינא יש לנו לחשוש לשני הטעמים חשד וזילותא דשבת. ולפ״ז להלכה נראה דאסור לכוון שעון מעורר מערב שבת כדי לעוררו בשבת, דכיון דהדרך לכונן את השעון בלילה לפני שהולכים לישון, א״כ יש מקום לחשדו שהוא כיננו בליל שבת. וכן פסק מרן זצ״ל באג״מ או״ח ח״ד סימן ע אות ד׳ אמנם כ״ז רק בתנאי שהקול נשמע חוץ לחדרו עי״ש.

ונראה דמי שיש לו שפחה בבית שדרכה לנקות הבית ע״י שואב אבק [וואקום קלינער

בלע״ז] ודבר זה מפורסם אצל השכנים שמלאכתה בכך, ונמצא שלא היה לנו לאסור מטעם מראית עין, בכל זאת אסורה לעשות מלאכה זו בשבת כיון שיש השמעת קול במלאכה זו ונאסרה משום זלזול שבת. וכן מכונת ייבוש [דרייאר בלע״ז] הפועלת בשבת באופן שאין כאן חשד כגון שהופעלה בתחילת שבת אסורה משום השמעת קול ואוושא מילתא.

16. המחבר בס׳ ש״מ סי״ד פסק דהמדבק ניירות וכו׳ הרי זה תולדת תופר וחייב, וכן המפרק ניירות דבוקים וכו׳ הרי זה תולדת קורע. ולפי זה יש לדון בענינו כיון שבבית החרושת מדביקים את האיספלנית על גבי סרט הדבקה על מנת לשמור את חוזק ונקיון הדבק שבאיספלנית ועושים זה על מנת להתקיים ימים רבים עד השימוש בטיטול, נמצא כשמפרידו הרי יש בהפרדתו משום מפרק ניירות דבוקים שלא על מנת לקלקל והוא תולדות קורע. אשע״כ אכתוב דעת פוסקי זמנינו בזה.

דעת המתירים:

מרן הגאון ר׳ משה פיינשטיין זצ״ל

בספר קיצור הלכות שבת דף קנד ציון 177 כתב וז״ל ששאלנו פי בעל מחבר שו״ת אגרות משה אם מותר להסיר המכסה של הרטיה הדבוק עליה שישאר הדבק עד עת שימושה והוא פסק להיתר עכ״ל. ולכאורה זה פשוט אליבא דמרן זצ״ל שמותר לפמש״כ באג״מ או״ח ח״ב סי׳ פ״ד דתפירה חל רק בדברים שצריכים מעשה קריעה להפרידם, ובזה מיירי המחבר בסי׳ ש״מ, א״כ בנידון דידן שלא בעינן מעשה קריעה להפרידם אין זה נכלל במלאכת תופר.

הגאון ר.ח.פ. שיינבערג שליט״א

הגאון הנ״ל האריך טובא בזה בספר הזכרון להגאון ר׳ אריה זאב גורביץ זצ״ל וזהו תוכן דבריו דע׳ בספר שביתת השבת דמותר להתיר הקשרים הנעשים בבתי חרושת וכמו כן קשרים של מעדיצין מותר להתיר אותם וזה דומה ממש להחיתולים הנעשים בבית היוצרים ומש״כ המחבר הנ״ל דאין אפי׳ צד רחוק ביותר שיפתח בבית היוצרים, לפי זה תקשי נמי על מה שהתיר השביתת שבת הקשרים של מעדיצין הא לא שכיח כלל שיפתח אותם בבית חרושת, אבל ל״ק כלום לדעתי. ועיקר הגדר בזה הוא שקשר של קיימא הוא מה שנעשה בדווקא לתמידות וכן קשר זמני שאסור מדרבנן הוא דווקא באופן שנעשה לזמן מיוחד אבל קשר שנעשה באופן שאם היה המציאות של השתמשות היה מתיר הקשר עכשיו א״כ גוף הקשר נעשה להתיר תיכף אלא שחסרון של מציאות הוא שבדרך כלל לא נמצא הקונה בבית החרושת או בבית היוצרים אבל לו יצוייר שיהיה שם קונה הי׳ מתיר תיכף את הקשר א״כ עצם הקשר לא נעשה בדווקא על איזה זמן וממילא לא נקרא קש״ק עכ״ל ועי״ש.

דעת הגאון ר׳ שלמה זלמן אויערבאך שליט״א

בששכה״כ פ״ט הלכה יד כתב וז״ל וכן שק או קופסה אשר חוט קשור מסביבם, או אוכל שארוז בנייר והחפיסה קשורה בחוט, אם אי אפשר להסיר את החוט מבלי לנתקו, כגון שהחוט מהודק היטב מותר לנתק את החוט עכ״ל. ובהערה נ״ה כתב בשם הגאון ר׳ שלמה זלמן שליט״א להסביר אמאי מותר לנתק את החוט וז״ל ואף דהקשר אינו עומד להתיר בו ביום, וכל שאסור להתיר אסור לנתק [ע׳ מ״ב ס׳ שי״ז ס״ק ז] מ״מ חזינן מהפוסקים שהתירו מעיקר הדין להפריד זו מזו זוג נעלים המודבקות או התפורות יחד אף דבוודאי אינן עומדות להפרידן בו ביום, והיינו

דמכיון שאין התפירה עומדת להתקיים אלא עד שיקח הקונה את נעליו לביתו מסתימת הפוסקים דלא נקטינן בזה כהט״ז שם עיי״ש עכ״ל. הרי מבואר מדבריו דמעיקר הדין אנו סוברים כהלבוש דקשר שעומד רק עד שיקחנו הבעל הבית לביתו לא נחשב קשר חשוב מכיון דלא איכפת לי׳ להקושר אם יהי׳ ניתר גם ביומו. וא״כ מטעם זה שייך להתיר הקשר גם היכא שבודאי לא יהי׳ ניתר בתוך ז׳ ימים [ע׳ ט״ז ס׳ שי״ז ס״ק ב׳ וה׳] וא״כ לפי שיטת הלבוש ושאר פוסקים שסוברים כן כמו שכתב הגרש״ז שליט״א, מותר להפריד סרט ההדבקה של הטיטול דאין זה נחשב לקיימא כיון דבשעה שנוטלים הטיטולים לבית הם עומדים להתירם.

וראיתי בספר מגילת ספר ס׳ כג אות ג שכתב וז״ל וע׳ בששכה״כ פ״ט הערה נ״ה בשם הגרש״ז שליט״א שסתימת הפוסקים נוטה יותר לדעת הלבוש, מאידך ע״ש פל״ה הערה ס״ו בענין השימוש באיספלנית בשבת שדעת הגרש״ז שליט״א שצריך להסיר את הנייר הדבוק מבעוד יום [וזה דלא כהלבוש] ואולי שם חמור יותר הואיל וגם אצל הלוקח אינו עומד להפתח מיד והרבה פעמים שוהה אצלו זמן מרובה עד שמשתמשים בו עכ״ל. וע״ע מה שכתבנו בזה בפרק יג ציון 50.

ובאמת קשה לדעת מה הוא שיטת המ״ב בזה דבס׳ שי״ז ס״ק כ״א הביא שיטת הלבוש אבל הביא גם שיטת הט״ז דחולק על הלבוש וסובר דבעינן שברוב פעמים מתירים הקשר ביום הכביסה [ע׳ ט״ז ס׳ שי״ז ס״ק ב] והמ״ב לא הכריע דעתו בזה. אמנם בסימן שי״ד [עמ״ש המחבר חותמות שבכלים כגון שידה תיבה ומגדל שהכיסוי שלהם קשור בחבל יכול להתירו] כתב המ״ב שם בס״ק ל׳ טעם ע״ז וז״ל דלאו קשר של קיימא הוא שהרי להתיר תמיד הוא עשוי עכ״ל. ולכאורה מבואר שסתם כשיטת הלבוש שקשר שעומד להתירו בכל זמן ואינו נקשר לזמן מסויים אינו נקרא קשר של קיימא ולפיכך אפילו אין מתירין אותו בתוך מעת לעת לא נקרא קשר של קיימא. אבל לכאורה אין זה ראיה דאולי הטעם דאין זה נקרא קשר של קיימא משום שיש ספק שהקשר יהיה ניתר גם בתוך מעת לעת וכמו שכתב המ״ב שהרי להתיר תמיד הוא עשוי אולם בכהאי גוונא שמיירי הלבוש שיודעים בוודאות שהקשר לא יהיה ניתר בתוך מעת לעת אין כאן ראיה שזה נקרא קשר שאינו של קיימא וצ״ע בזה.

וכיון שהני תלת גדולי זמננו ס״ל דאין כאן איסור להפריד סרט ההדבקה מהחיתול בשבת וכן יש צד לומר דהמ״ב סובר כשיטת הלבוש לפיכך כתבתי בפנים דמותר.

17. לכאורה בהשקפה ראשונה היה לנו לאסור להדביק האיספלנית על הטיטול בשבת, שהרי המחבר פסק בס׳ ש״מ סי״ד דהמדבק ניירות או עורות בשבת בקולן של סופרים הרי זה תולדת מלאכת תופר וחייב, וא״כ כשמדביקים האיספלנית על הטיטול יש לאסור את הדבקתם משום תפירה דדיבוק הוא תולדה דתופר, ומטעם זה פסק בשו״ת מנחת יצחק ח״ח ס׳ ל״א וח״ט ס׳ מ״א וח״י סי׳ ל״ג לאיסור.

וראיתי בכמה אחרונים שכתבו להקל בזה כיון דהכרעת הרמ״א בסי׳ שי״ז ס״ג הוא להקל בתפירה שאינה של קיימא א״כ ה״ה להדביק הדבקה שאינו של קיימא דמותר. ואע״פ שהרמ״א כתב שם דאין לעשות כן בפני עם הארץ לצורך תינוק אין מחמירים. ומסתמכים עצמם על המג״א בס׳ ש״מ ס״ק יח שכתב וז״ל ונ״ל דאם נדבקו הדפין להדדי ע״י שעוה או בשעת הקשירה מותר לפתחן כמ״ש בסי׳ שי״ד דלא נעשה לקיום כל שכן הכא דנעשה ממילא עכ״ל. וכוונת המג״א במש״כ לס׳

שי״ד ס״י הוא דמבואר שם שמותר להסיר דף שמשימין לפני התנור ושורקים אותו בטיט שאינו עשוי לקיום. נמצא מבואר דהיכי דהדיבוק אינו עשוי לקיום ליכא משום סותר. ועפי״ז מחדש לנו המג״א דה״ה דאין כאן איסור קורע. ולפי דברי המג״א כתבו הני אחרונים דה״ה דאין כאן איסור דיבוק כיון שאינו נעשה לקיום, דכשמדביקים החיתול על התינוק אין ההדבקה נעשה לקיימא דבו ביום פותחין את החיתול.

אמנם מילתא דפשיטא להו מיבעיא לי דע׳ בסי׳ ש״מ ס״ז שהמחבר כתב וז״ל אותם שמהדקים הבגדים סביב זרועותיהם על ידי החוט שמותחין אותו ומתהדק אסור למתחו וכו׳, ולכאורה הא בכה״ג הוה ליה תפירה שאינו של קיימא והמחבר סתם כדעת האוסרים והרמ״א לא השיג כולם ע״ז אע״פ שבדרכי משה הביא שיטת המקילים וכתב שנהגו להקל כמותם, וכן קשה על המג״א בס׳ ש״מ ס״ק י״ח שכתב לדבר פשוט דבדבר שאינו של קיימא אין כאן איסור קורע הא קשה מהמחבר הנ״ל דס״ל דיש איסור תופר וא״כ ה״ה דיש איסור קורע.

והחזו״א בס׳ קנ״ו בהשמטות לס׳ ש״מ, והתהלה לדוד סוף ס׳ ש״מ העלו משום קושיא זו דדווקא בקריעה יש להקל כיון שאינו ע״מ לתפור אבל בתפירה עצמה אסור אפי׳ כשאינו של קיימא. וא״כ לפי דברי החזו״א והתהלה לדוד יש לאסור הדבקת החיתולים אף שאינו עשוי לקיום.

וסברת שאר אחרונים שלא חילקו כהך סברי דמה שלא כתב הרמ״א בס׳ ש״מ ס״ז, הוא משום דסמך על מש״כ כבר בס׳ שי״ז ס״ג. [ע׳ בשו״ת ציץ אליעזר חט״ז סימן ו׳ בזה].

ובאמת יש לומר דאפי׳ אליבא דהחזו״א והתהלה לדוד אין כאן איסור להדביק החיתול בשבת ונקדים מאי שראיתי בשו״ת שבט הלוי חלק ה׳ ס׳ ל״א וז״ל בפרט שאני מסופק אם כה״ג כלל בגדר תופר עכ״ל. ונראה כוונתו כמו שכתב בספר מגילת ספר סי׳ כ״ג ס״ק ג׳ וז״ל ונראה להקל בזה לכל הדעות, דהיות ומתקינים מלמטה פיסת נייר מיוחדת בשביל שהמדבקה העליונה לא תדבק לגוף החיתול ויהיה אפשרות לחזור ולפתוח את המדבקה בקלות וחזותה של הדבקה זו מוכחת על עצמה שאינה עשויה לקיום באופן זה יש להתיר לכו״ע, וכמו שמתירים במתיחת החוט כשהנקבים רחבים דזה מוכיח שאין התפירה עשויה לקיום וכמו שכתבו הראשונים דזה דמי לסוגר בגדו ע״י קרסים או כפתורים שודאי לכ״ע שרי עכ״ל וכנראה שזה כוונת השבט הלוי.

ולכאורה לפי שיטת הערוך השלחן סי׳ שי״ז ס״י והאגרות משה או״ח ח״ב ס׳ פ״ד דשם תפירה חל רק בדברים שצריכים מעשה קריעה להפרידם , בנידון דידן שלא בענין מעשה קריעה להפרידן אין זה נכלל במלאכת תופר, ופשוט שמותר להדביקם. וע״ע בענין זה בשו״ת אז נדברו ח״ו סי׳ ל״א וח״ז ס׳ ל״ה ובשו״ת קנין תורה ח״ה ס׳ כ״ו, ובשו״ת משנה הלכות ח״ח סימן ס.

Chapter 21

11. הב״י ס״ס ש״ח כתב וז״ל כתב באגור בשם השבלי לקט שאסור לשחוק בשבת ויו״ט בכדורים שאינם ראויים לצור על פי צלוחית דממאסי שמטנפי ע״י טיט ועפר וכן כדור של עץ אסור לטלטל ולצחק. אבל התוספת ביצה דף יב אהא דתנן בש״א אין מוציאין

את הקטן ולא את הלולב ולא את ס״ת לר״ה וב״ה מתירין כתבו בפירוש דלאו דווקא קטן למולו דה״ה שלא למולו דשרי גם טיול דהא אשכחן דמשחקין בכדור ביו״ט בר״ה אע״ג דליכא אלא טיול ע״כ משמע שמותר לטלטל כדור ביו״ט וה״ה בשבת דבדברים אלו י״ט ושבת שוים הם. ומיהו בירושלמי פ״ד דתענית מצאתי טור שמעון למה חרב י״א מפני הזנות וי״א שהיו משחקין בכדור עכ״ל הב״י. והמחבר בש״ע סי׳ ש״ח סמ״ה פסק כדבריו בב״י שאסור לשחק בכדור בשבת. אבל הרמ״א כתב ויש מתירין ונהגו להקל. וצ״ב במאי פליגי המחבר והרמ״א.

ואקדים לבאר טעם השני שהביא הב״י. בירושלמי במסכת תענית פ״ד ה״ה איתא טור שמעון [שם עיר] למה חרב יש אומר מפני הזנות וי״א שהיו משחקין בכדור. ולכאורה צ״ע דברי הב״י דאיך ראה מהירושלמי דאסור לשחק בכדור בשבת הא הירושלמי לא הזכיר בכלל דמיירי בשבת. ועוד אפי׳ אם תאמר דהירושלמי איירי בשבת איזו חטא יש במשחק הכדור שמפני זה נחרב העיר טור שמעון וראיתי בספר עלי תמר על הירושלמי מועד חלק ב׳ שמציין להרוקח ס׳ נ״ה וז״ל ויקהל משה אמר הקב״ה למשה עשו קהלה גדולה ודרוש להם בשבת הלכות שבת שילמדו ממך דורות הבאים להקהיל קהלות בכל שבת ושבת לדרוש לישראל איסור והיתר וכו׳ ואין להניח הדרשה עבור הסעודה השלישית כדאמר בפרק השולח גט [גיטין ל״ח] ובמדרש משלי בפסוק אשת חיל מי ימצא אמר ר׳ חמי בר חנינא מפני מה נתחייבו שני בניו של ר׳ מאיר שמתו שניהם ביחד בשבת במנחה, מפני שהיו רגילין להניח בית המדרש במנחה ואוכלים, בפ׳ בתרא דתענית דירושלמי טור שמעון למה חרב מפני שהיו משחקים בכדור ובטלין מן התורה עכ״ל. מבואר מדברי הרוקח דהירושלמי איירי בשבת ומה שנחרב העיר טור שמעון הוא משום שהיה בטלין מן התורה בשעה שהיה דורשים ההלכות. ומשמע מזה דשלא בשעת הדרשה מותר לשחוק בכדור ובאמת מצאתי כן להדיא במטה משה ע׳ תעז (הובא בספר הנ״ל) וז״ל ומשמע דלשחוק בכדור שלא בזמן בית המדרש מותר וכ״כ התוס׳ בפ״ק דביצה דמותר לשחוק בכדור בשבת ויו״ט עכ״ל.

הרי מבואר דהטעם דאסור לשחוק בכדור הוא משום ביטול תורה. ונמצא דשלא בשעת לימוד מותר לשחוק בכדור ולקטנים שלא שייכי בהם העון של ביטול תורה מותרים לשחק אפילו בשעה שהגדולים לומדים בבית מדרש ההלכות.

הב״י שהבאנו לעיל הביא עוד טעם לאסור לשחוק בכדור בשבת בשם השבלי לקט וז״ל אסור לשחק בשבת ויו״ט בכדורים שאינם ראוים לצור עפ״י צלוחית דממאסי שמטנפי ע״י טיט ועפר וכן כדור של עץ אסור לטלטל ולצחוק בו. מבואר מהשבלי לקט הא דאסור לשחק בכדור בשבת הוא מטעם מוקצה. ובספר אז נדברו ח״ב ס׳ ד׳ הקשה על השבלי לקט במה שכתב דכדור מוקצה הוא משום שאינו ראוי לצור על פי צלוחית, וז״ל הלא סוף סוף זה ראוי להשתמשות שנעשית בשביל זה עי״ש. ועי׳ מה שכתב בזה בשו״ת שאלי ציון ח״א סי״א.

וראיתי בספר ברכת השבת דף קט שכתב בזה וז״ל אסור לשחוק בכדור בשבת וצ״ב בטעם האוסרין דכיון שמשחקין בו להוי כלי משום זה עצמו שעומד עבור משחק. ולכאורה מכאן ראיה שמשחק אינו חשוב שימוש להחשיב מידי לכלי ומסתבר לומר דאם הכדור מתוקן לכך ככדורים של זמנינו שרי לכ״ע דע״י תיקון מעשה נחשב כלי גמור והשו״ע מיירי באבן בעלמא שהיא עגולה וראויה לשחוק בה אבל לא תוקנה לכך עכ״ל.

ולכאורה צ״ע בדבריו דאם כבר שיחק עם הכדור בע״ש ע״כ יש להתיר גם לדברי המחבר דהא פסק בש״ע בס׳ ש״ח סכ״א דנדבך של אבנים אף על פי שחשב עליו מבעוד

יום אסור לישב עליו אלא אם כן למדום וי״א דדין אבנים כדין חריות וכן עיקר [ר״ל דמהני מחשבה]. הרי שגם המחבר מודה שאם עשה מעשה שפיר נעשית כלי ע״י זה ואין כאן איסור מוקצה וא״כ אם כבר שחק עם הכדור בע״ש היה לו להמחבר להתיר לשחק בו בשבת. ודוחק לומר דהמחבר מיירי בכדור שפעם הראשונה שמשחקים בו הוא בשבת ולכן אסור. ובאמת הפרי מגדים בא״א סי׳ ש״ח ס״ק ע״ב כתב וז״ל ואם שחק בערב שבת מבעוד יום יש לומר הוכן לכך. וכן מבואר מהתוספת שבת ס׳ ש״ח ס״ק ק״ט שכתב וז״ל אבל כיון שלא נעשה מתחלה לשם כך אלא עכשיו הוא רוצה להשתמש בו למידי אחרינא במחשבה בעלמא לא משוי ליה כלי עכ״ל. חזינן שני חידושים מהתוספת שבת, חדא דאם כבר שיחק עם הכדור בע״ש מותר לו לשחק בשבת עם זה, ושנית דאם הכדור נעשית לכתחילה לשם כדור אין זה בכלל מוקצה.

נמצא לדינא דגם המחבר יודה דבזמן הזה מותר לשחוק בכדורים בשבת. ובאמת ראיתי בספר שבות יצחק דף עט שהביא להלכה בשם הגרי״ש אלישיב שליט״א וז״ל משחק המיוצר מתחילתו לצורך משחק כיון שנעשה בו מעשה רב נחשב כלי אף לדעת הש״ע, דלא אסר השו״ע לטלטל כדור אלא באבן או עץ שהכינם למשחק ע״י יחוד או מעשה כל דהו משא״כ במשחק שיוצר מתחילה למשחק כיון שנעשה בו מעשה רב נחשב לכלי כן שמעתי מהגרי״ש אלישיב שליט״א, וכן כתב הג״ר בנימין זילבער שליט״א עכ״ל.

אבל לענ״ד נראה דשיטת המחבר הוא דאסור לשחק בכדור אפי׳ אם הוא כלי גמור, ונקדים הלשון של השבלי לקט שהוא המקור לדין זה [שהב״י גופיה לא ראה דברי השבלי לקט רק הביא האגור שהביא מקצת מדברי השבלי לקט] וז״ל בין שיש תורת כלי עליו בין שאין תורת כלי עליו נראה שאסור לשחק בו ולטלטלו בשבת ויו״ט שהרי אין צורך בטלטולו, ואפי׳ לכסות בו פי צלוחיתו אינו ראוי דהא ממאיס על ידי ששוחקים בו ומטנף בטיט ועפר עכ״ל.

מבואר מדבריו דאפי׳ אם יש שם כלי על הכדור אסור לטלטלו בשבת שהרי כתב שאין צורך בטלטולו ר״ל שלשחק עם כדור אינו נקרא צורך וממילא יש בו איסור טלטול כמו כל כלי שמלאכתו להיתר שאסור לטלטלו שלא לצורך כלל. לפי זה לדעת המחבר יש לאסור לטלטל שאר משחקים כיון דזה שמשחקים בו אינה נקרא צורך ועדיין צ״ע בכל זה.

שיטת הרמ״א

הרמ״א כתב ונהגו להקל והמ״ב בס״ק קנ״ח כתב בטעם הדבר וז״ל שכיון שעשוי לכך ומיוחד לזה בתמידות לא שייך בו שם מוקצה עכ״ל, ביאור דבריו דכיון שעשוי לשחק ממילא יש ע״ז שם כלי. ולפי מה שכתבנו לעיל דדעת השבלי הלקט שאפי׳ אם יש תורת כלי על הכדור אסור לשחק בו משום דמה שמשחקים בו אינו נקרא צורך וממילא אסור לטלטלו, צריכין אנו לומר דס״ל להרמ״א דלשחק עם כדור נקרא צורך כדאיתא בתוס׳ במסכת ביצה דף יב. אבל עדיין יש להבין לשיטת הרמ״א אמאי לא נאסר לשחק מהא דאיתא במדרש הבאנוהו לעיל דנחרב העיר טור שמעון מפני ביטול תורה. ואה״נ דלקטנים אין כאן חשש דאין אצלם איסור ביטול תורה אבל לגדולים היה לן לאסור. ובאמת לשון הרמ״א הוא ״ונהגו להקל״ וכבר ידוע מאי שהביא המג״א סוף סי׳ ת״צ בשם תשובות הרמ״א דהיכא דכתיב ״והעם נהגו״ ולא כתב ״וכן נוהגין״ כוונתו שהעם נהגו כן מעצמם אף שאינו נכון וה״נ מה שכתב הרמ״א ״ונהגו להקל״ אין כוונתו לפסוק כן אלא שכן נהגו, ומשמע דלכתחילה טוב להחמיר בזה.

והגר״א בביאורו כתב דלשיטת הרמ״א מה שאיתא במדרש דנחרב עיר טור שמעון מיירי שהיה משחקים בכדור ברשות הרבים והאיסור היה הוצאה.

עכ״פ לדינא כתב הרמ״א ״ונהגו להקל״ אפי׳ לגדולים ממילא כ״ש דקטנים מותרים לשחק בכדור בשבת. וכן ראיתי בספר אור לציון ח״ב דף ריז מהגאון ר׳ בן ציון אבא שאול שליט״א שכתב וז״ל ומכל מקום לקטן יש להתיר לשחק בכל אופן, שמכיון שהרמ״א שם מתיר, ודאי שיש להקל לקטן. שפשוט הוא שדבר שמותר לבני אשכנז יש להתיר לקטן מבני ספרד עי״ש.

Chapter 22

20. לכאורה בהשקפה ראשונה שאלה זו תלי׳ במחלוקות הפוסקים, דבמ״ב סי׳ של״ח ס״ק ט״ו הביא שיטת הפמ״ג והחיי אדם שסוברים דאסור לערוך שעון שנפסק הילוכו בשבת משום תיקון מנא, ולכאורה אליבא דהני פוסקים יש לאסור להעריך סווינ״ג משום תיקון מנא. אבל בשו״ת פנים מאירות ח״ב סי׳ קכג כתב דמותר לערוך שעון שנפסק בשבת ואין כאן תיקון מנא וכן סובר הבנין עולם בסימן יא. נמצא להני פוסקים יש להתיר להעריך סווינג בשבת.

אמנם אף להני פוסקים דסברי דאסור להעריך שעון בשבת יש להתיר להעריך סווינ״ג בשבת ע״פ מה שראיתי בשו״ת מנחת שלמה מהגאון ר׳ שלמה זלמן אויערבאך שליט״א ס״ט שביאר הסברא בהני פוסקים שסוברים שאסור לערוך שעון בשבת וז״ל דשעון שעיקר תיקונו הוא שיהא נמצא תמיד במצב כזה שיוכל להורות את השעה ואין שום תועלת בזה שהשעון פוסק מפעם לפעם את הילוכו ולכן הו״ל ככלי שדרכו להתקלקל תמיד וצריכים כל פעם לתקנו, משא״כ מטה וכוס של פרקים שהפירוק נעשה לרצון שפיר אמרינן דגם בשעה שהוא מפורק אינו חשוב כלל כמקולקל, ובשלמא אם היה דרך תשמישו של שעון שהבעלים יפסיקו את מהלכו מפעם לפעם מרצון הטוב אז היה דומה לכוס מפורק [שמותר להחזירו בשבת ע׳ ס׳ שי״ג], אבל למעשה הרי אינו כן והפסקת מהלכו נעשה רק ממילא ולא מרצון האדם, לכן חושבני שאפשר לדמותו למטה רפויה שאין רגילין כלל בשום פעם לפרקה מרצון הטוב אלא שדרכה להתקלקל תמיד מחמת השכיבה ועל ידי זה היא מתפרקת וצריכים תמיד לחזור ולהעמידנה דפשוט הוא שאיסור גמור הוא להחזירה בשבת וכו׳ וה״נ גם בשעון סובר הפמ״ג דבשעה שהוא עומד הרי הוא חשוב כמקולקל ורק ההערכה היא המתקנתו עי״ש וכו׳ עוד כתב שם וז״ל ברם נראה דחבור מאוור [fan] ומקרר עם הזרם בשבת קיל טפי מעריכת שעון ולכאורה אין בו שום איסור כיון שכך תשמישם תדיר שאין מכניסים בהם את הזרם כי אם בשעה שרוצים להשתמש בהם ואח״כ תיכף מפסיקים את החיבור, ואדרבה מאוור כזה שאי אפשר לסוגרו ולעכב תנועתו והוא הולך וסובב כל הזמן אין לך קלקול גדול מזה. וכיון שכן שפיר מסתבר דהואיל ואם היה מהאוור מתוקן על אופן זה שתנועתו נעשית לא על ידי זרם כי אם בעזרת קפיץ מסתבר שהיה מותר לעשותו גם בשבת אף להאוסרים עריכת שעון, משום דכמו שרשאי כל אדם להקר את עצמו ע״י תנופות מפוח שמנענע אותו הנה והנה, כך הוא רשאי לגרום תנועה זו ע״י מתיחת קפיץ הואיל והמתיחות אינה נשארת בו קבוע לעולם (וה״ה נמי שלפי״ד מותר למתוח קפיץ של צעצוע ילדים כעין רכבת ואוטו כדי לשחק בו וכו׳) עכ״ל. מבואר מדברי הגרש״ז שליט״א דכל הטעם שאסור לערוך שעון בשבת הוא מטעם דכל תכלית של השעון הוא שילך כל הזמן ואם

השעון נפסק זה לא הוה רצונו של האדם. א״כ נמצא בסווינ״ג שאין כוונת האדם שילך כל זמן אדרבה כשהתינוק אינו נמצא בתוכו רוצה האדם שלא תתנדד הסווינ״ג א״כ אין זה דומה לשעון וזה דומה למקרר שהגאון ר׳ שלמה זלמן שליט״א כתב שמותר להעריך ע״י קפיץ בשבת וכן אוטו של התינוק והסברא בכל זה דכיון דאין כאן קפידא שתלך כל הזמן אין זה בגדר של תיקון מנא. וע׳ בשו״ת באר משה ח״ו סי׳ לב שכתב כעין זה עי״ש. ואפי׳ אם אחד רוצה להחמיר על עצמו ולא להתיר ע״פ מה שכתבנו יש עוד עצה פשוטה לדפוק הסווינ״ג שילך ואח״כ להעריכו, דזה דומה לשעון שעדיין לא נפסק הילוכו שיש פוסקים שס״ל שמותר להעריכו. ע׳ דעת תורה סי׳ של״ח ס״ג, וע׳ בשו״ת מהרש״ג ח״ב ס׳ קיח.

Chapter 28

25. בחיוב חינוך במצות מצה אינו ברור כ״כ בהפוסקים זמן התחלתו דהנה ברמב״ם פ״ו מהלכות חמץ ומצה ה״י כתב וז״ל קטן שיכול לאכול פת מחנכין אותו במצות ומאכילין אותו כזית מצה עכ״ל. ומדתלי חיובא דמצה באכילת פת משמע מדבריו דחיובו של חינוך במצות מצה מתחיל לקטן בן שנתיים כיון שיכול לאכול כזית פת. והדברים טעונים ביאור דהרי קטן בן שנתיים אין לו שום הבנה במצות וכשאין לו הבנה לא שייך קיום מצוה כלל. וכן מבואר בגור ארי׳ להמהר״ל מפראג הובא בספר חינוך ישראל דף כט שכתב וז״ל עמשאחז״ל במצות הקהל דכתיב (בפרשת וילך) הקהל את העם האנשים ונשים וטף וגו׳ דקטנים באים כדי ליתן שכר למביאיהן דעל כרחך מיירי בקטנים שיכולים ללמוד, דאלת״ה איך אפשר לומר כדי ליתן שכר למביאיהן, הלא קטן שאינו יכול להבין מה יעשה שם. יוצא מדבריו דבקטן שאינו בר הבנה לא שייך אצלו קיום מצוה כלל עכ״ל.

וראיתי בהגדת מועדים וזמנים דף קא שנתעורר בדברי הרמב״ם וז״ל קטן וקטנה שמבינים כבר שיש ענין מצוה, והיינו שהם בני שלש או ארבע כפי חורפם, מחוייבין מן הדין להשתדל להאכילם כזית מצה בליל פסח ובהערות כתב ע״ז דבר זה הוא חידוש גדול, ותמהני שרבותינו האחרונים לא ביארו הדברים, המקור לחידוש זה הוא פסק הרמב״ם (פ״ו דחמץ ומצה הלכה י׳) ,,קטן שיכול לאכול כזית פת מחנכין אותו במצות ומאכילין אותו כזית מצה״. ומבואר מדבריו שאם רק יכול לאכול כזית פת בכא״פ, מחוייבין מעיקר הדין לחנכו לאכול כזית, ותמהני דלכאורה אפילו קטן פחות משנתיים מצוי שיכול כבר לאכול כזית פת בכא״פ, וא״כ חייבין מעיקר הדין להחזיקם ער, ולהאכילם כזית מצה בליל פסח, ותמהני שהמפרשים לא נתעוררו בזה.

ואמרתי לכאורה דכוונת הרמב״ם שאם יכול לאכול כזית פת שייך למצות חינוך אבל הא ודאי בעינן בר הבנה, דבלאו הכי לא שייך ענין חינוך כלל, וע״כ גם הרמב״ם מודה שאם הוא כבן שנתיים ואינו מבין שום דבר, פטורין לחנכו במצות מצה, דעל תינוק שאינו בר הבנה כלל לא שייך גדר חינוך ועי״ש מה שהאריך בזה.

גם בשו״ת פרי השדה ח״ג סי׳ קפ״ז תמה על דברי הרמב״ם הנ״ל כתב בזה וז״ל דודאי אין כוונתו דצריך לחנך קטן במצות אכילת מצה כל שאינו מבין שום דבר רק שיכול לאכול, דקטן כי האי ודאי לא הוה בגדר חינוך כלל. אלא נ״ל דמ״ש קטן שיכול לאכול פת וכו׳ כוונתו רק על סתם קטן שהגיע לחינוך כמו בכל מקום דנקט קטן דמיירי שהגיע לחינוך כל אחד לפום חורפיה, ומ״ש שיכול לאכול פת הוא לי דבמי שחייב במצות מצה

מצד עצמו דהיינו גדול קי״ל דאפי׳ אם אינו יכול לאכול כגון שהוא חולה או זקן צריך לדחוק עצמו ולאכול כגון ששורה המצה במים וכו׳, וכגון זה ס״ל הרמב״ם דחינוך דקטן לא שייך רק אם יכול לאכול מצה כמה שהיא, צריכים לחנכו ולא כמו חולה וזקן שאפי׳ אם אינו יכול לאכול צריכים לעשות השתדלות שיכול לאכול ע״י שריה במים. דקטן א״צ לחנך רק אם יכול לאכול מצה כמו שהיא עכ״ל.

ובהגדה של פסח מנחת חן דף קב ביאר דברי הרמב״ם באופן אחר והיינו שס״ל להר״מ שקטן שיכול לאכול פת מחנכין אותו במצות ומאכילין אותו כזית מצה אף הוא קטן שלא הגיע לחינוך. דחיובו של קטן באכילת מצה אינו מטעם חינוך אלא מטעם אף הן היו באותו הנס, וזה מחייב אפי׳ קטן שלא הגיעו לחינוך. אבל לכאורה כל זה הוא רק לפלפולא בעלמא דלהלכה כתב הגר״א בס׳ תע״ז בס׳ תע״ב בנוגע ד׳ כוסות דמתי התינוק מחייב בד׳ כוסות זהו דווקא כשמבין סיפור יציאת מצרים ואם המחייב היה מטעם אף הן היו באותו הנס לא היה נהגר״ז צריך לכתוב מתי נחשוב מחשבינן זמן הגעת הקטן לחיוב חינוך אלא מוכרח דזה אינו.

Index

Index

לזכר נשמת האשה

אסתר בלימה בת רויזע ע״ה

In loving memory of

Esther Blima

who lived a full life of 91 years.
Her radiant smile and peaceful manner
endeared her to all, adults and children alike.
Though our family met "grandma" late in her life,
our brief time together is treasured.

Dedicated by her children

Norman and Leah Rivka Mayberg

לזכר ולע״נ
הרה״ח ר׳ חיים שרגא ב״ר אליעזר ז״ל
מרת שרה גיטל בת ר׳ אברהם דוד ע״ה
ז״ש מרת שיינדל בת ר׳ ישראל ע״ה
הר״ר ישראל יואל חיים ב״ר משה יוסף ז״ל
מרת הענדיל בת ר׳ טובי׳ הי״ד
הר״ר נחום דוב ב״ר אברהם יהודה ז״ל
מרת מרים דבורה בת ר׳ ארי׳ לייב הכהן ע״ה

לזכר ולע״נ

ר׳ שמואל יו״ט ב״ר דוד נח ז״ל

נפטר בשם טוב ובשיבה טובה ערב ר״ח תמוז תשנ״א
תמים בדרכיו ישר בהליכותיו
נשא ונתן באמונה ורוח הבריות נוחה הימנו
זכה לשלשלת בניו וחתנין רבנן ונכדים הממשיכים בזה
ת.נ.צ.ב.ה.

לזכר ולע״נ

מרת איידל בת ר׳ קלונימוס קלמן ע״ה

This volume is part of
THE ARTSCROLL SERIES®
an ongoing project of
translations, commentaries and expositions
on Scripture, Mishnah, Talmud, Halachah,
liturgy, history and the classic Rabbinic writings;
and biographies, and thought.

For a brochure of current publications
visit your local Hebrew bookseller
or contact the publisher:

Mesorah Publications, ltd

4401 Second Avenue
Brooklyn, New York 11232
(718) 921-9000